Les parfums de Rose

IMPRIME au CANADA

COPYRIGHT © 2009 par
André Mathieu

Dépôt légal :
Bibliothèque nationale du Canada
Bibliothèque nationale du Québec

ISBN 978-2-922512-48-9

André Mathieu

Les parfums de Rose

(série Rose tome 4)

roman

L'Editeur
9-5257, Frontenac
Lac-Mégantic
G6B 1H2

Notes de l'auteur...

1. Quoique fondée sur des personnages réels, la série des
Rose –en 4 tomes– ne relève ni de la biographie ni du
roman biographique. Beaucoup d'événements sont authen-
tiques. Beaucoup d'autres furent inventés. D'autres encore
furent importés d'ailleurs, comme les soi-disant apparitions
de la Vierge qui auraient eu lieu à Saint-Sylvestre début
des années '50.

Le lecteur d'un roman doit se laisser entraîner par l'imagination de l'auteur et non par une vaine recherche de la
vérité historique. Par exemple, pour en revenir aux apparitions, je les ai utilisées pour symboliser une autre apparition tout aussi flamboyante : celle de la fée *télévision* qui
abreuvera la soif de merveilleux des masses bien plus encore que la Sainte Vierge précédemment.

Donc on doit trouver dans le contenu de la série un mélange de réalité et de fiction concocté depuis les souvenirs
d'enfance d'un romancier qui a fait ressurgir en lui le garçon de huit ans qu'il était en 1950. Par conséquent, les
dialogues furent écrits par cet enfant d'alors et les textes
par l'auteur de maintenant.

2. Cette réédition de la série des *Rose* comprend quelques
modifications de noms de personnes en regard des édi-
tions précédentes.

Gustave Martin devient Gustave Poulin.

Rose Poulin retrouve son nom de fille : Rose Martin.

Suzette Bureau devient Lorraine.

Juliette Grégoire devient Solange.

Pierrette Maheux devient Suzanne.

Paulette Bégin devient Pauline.

Les femmes sont plus chastes des oreilles
que de tout le reste du corps.
Molière

Le bonheur est à votre foyer,
ne le cherchez pas
dans le jardin des étrangers.
D.W. Jerrold

Partie 1

Chapitre 1

Le curé était seul au presbytère. Personne d'autre que lui pour ouvrir, il se rendit à la porte, appelé là par la sonnerie. Et se retrouva nez à nez avec l'être qu'en ce moment, il prisait le moins en ce bas monde. Un étranger. Un artiste. Un homme qui vivait seul dans une maison isolée en plein bois mais bien trop près du village. Peintre, écrivain et quoi encore ? Et qui fascinait les gens. Pas tous heureusement. Et qui s'était mêlé des choses de la foi en démasquant Gilles Maheux, ce jeune apprenti sorcier qui avait fait croire à tous que la Vierge apparaissait sur le cap à Foley. Et surtout qui fourrait son nez dans les affaires politiques en appuyant ce que le forgeron appelait la 'sépârâtion'. Et qui avait berné tout le monde sur son identité véritable et sur son occupation dans la vie. Et qui ne se rendait pas à la messe tous les dimanches, loin de là. Et dont on n'avait pu trouver la moindre trace à travers des appels téléphoniques aux presbytères de la région dont il se prétendait originaire. Et qui se moquait de la loi en conduisant une automobile sans permis, ce que le prêtre avait appris de la bouche franche de Philias Bisson, leur ami commun.

"*Je vous enverrai tous les diables réunis en un seul,*" avait dit Rioux quelques mois plus tôt quand le prêtre l'avait expulsé de la paroisse pour faute d'homosexualité non avouée au confessionnal.

Mais, en ce moment, le jeune homme portait autour de sa tête comme une auréole, la victoire référendaire (*référendum paroissial*). Il était fort de la confiance du public envers la cause qu'il avait défendue. Pas une si grosse majorité, mais tout de même. Le curé n'avait pas le choix, il devait jouer le jeu. Gagner du temps avec ce Bédard de Victoriaville ou du diable vauvert...

– Tiens, si c'est pas notre jeune ami le poète ! Entrez !

– Bonsoir, monsieur le curé. Je ne serai qu'une minute...

– Entre, prends tout le temps qu'il te faut.

Voilà que le prêtre passait au tutoiement et cela apparut insolite au visiteur qui le suivit, un sourcil froncé, l'autre rieur. Ils prirent place là où chacun devait, le prêtre derrière son bureau dans son fauteuil de cuir, et l'autre homme devant, dans un fauteuil plus humble.

– Eh bien, je veux te féliciter pour VOTRE victoire. Je sais que tu t'es pas mal impliqué dans la cause... séparatiste si on peut s'exprimer ainsi.

– J'espère, monsieur le curé, que vous ne faites aucun rapprochement avec la parole de la sainte bible qui dit : "Tout royaume divisé contre lui-même périra." Ce n'est pas la même chose et... vous devez comprendre ça...

– Bien sûr ! Certainement ! Et puis, il ne s'agit après tout que d'affaires temporelles. La foi en Dieu des fidèles d'ici ne va pas diminuer demain parce que nous aurons deux conseils municipaux et deux maires.

– Très content de vous l'entendre dire ! Et soulagé. J'étais inquiet durant la campagne. Je me disais comme ça : peut-être que monsieur le curé voit mon action d'un mauvais œil... Puis je me disais qu'un homme aussi intelligent que vous l'êtes...

Le prêtre cligna de l'œil droit. Cela lui permettait de cacher sa réaction négative. Il ramassa sa pipe dans le cendrier et commença de la charger à même la blague à tabac qui se trouvait à côté. Ah ! on ne l'aurait pas par aussi vile flatterie.

– J'imagine que t'es pas venu au presbytère ce soir rien que pour parler de politique municipale...

– Oui, justement... En fait, le comité aimerait louer la salle paroissiale pour recevoir les gens qui voudraient célébrer ça... Ben, on dit la salle paroissiale, mais chacun sait que la salle vous appartient personnellement et n'est ni à la fabrique ni à la municipalité.

– Louer ma salle ? s'étonna le curé en levant un sourcil derrière le verre rond de ses lunettes puis en regardant vers l'horloge grand-père qui, elle aussi, interrogeait le temps.

Bédard comprit, expliqua qu'on l'aurait, le temps requis :

– On va aller au central téléphonique pour faire un appel général et inviter ceux qui veulent venir fêter ça.

Le prêtre ramena sur son visiteur son regard le plus intense auquel il instilla des lueurs patriarcales :

– Il est vrai qu'un royaume divisé contre lui-même périt. Or, la règle en démocratie, c'est que la minorité doit s'incliner devant le vœu de la majorité, ou bien c'est l'anarchie. J'étais pour le NON et je ne le cachais pas. Le NON a perdu. Je m'incline. Avec tous les unionistes, j'espère... Et sans amertume, crois-le, mon jeune ami, sans amertume. Demain sera un autre jour... Qui sait si dans cinq ou dix ans, on ne voudra pas recoller les deux morceaux de la paroisse ? Fusionner de nouveau quoi ! Et puis ce n'est pas un pays que l'on a divisé.

– Vous avez bien raison de le prendre comme ça, monsieur le curé, bien raison. Et puis... la séparation de la paroisse n'affecte en rien le pouvoir religieux... Là-dessus, je vais me dépêcher d'aller dire aux gens du comité qu'on peut utiliser la salle. Le prix habituel vous sera versé bien sûr...

Le curé mit sa pipe entre ses dents :

– Là, non !

– Non ?

– Le prix ne sera pas le même que d'habitude.

Surpris, Bédard croisa les jambes et s'enquit :

– Bon... on peut s'attendre à quoi ?

– À rien du tout, je vous la prête. La paroisse a fait un pas en avant, du moins, le pense-t-elle, je célèbre avec elle et c'est ça, ma façon de le faire. Donc aucuns frais pour la salle ce soir. Pourvu que le ménage soit fait demain, bien entendu.

Germain hésita un court instant, mais il cacha et réprima un mouvement de suspicion puis il se leva :

– Bon, c'est comme vous voulez.

– Tu peux courir au central du téléphone; tu dois avoir pas mal des bonnes jambes à ton âge.

Le visiteur ne tarda pas à partir. Le curé le chargea de transmettre ses félicitations et ses meilleurs vœux à tous ceux de son clan. Il y mit tant de détachement et de déférence que l'autre fut près de le croire sincère.

Et pendant que le jeune homme s'en allait, le prêtre revoyait son image dans sa tête. Tout l'inquiétait de son regard foncé, de ses cheveux foncés, de sa peau foncée... Comme si toute sa personne avait été exposée à quelque feu de rôtissage. Et puis il le trouvait un peu trop déluré pour un homme de trente ans. Trop sûr de lui. Et toutes ces étincelles qui brasillaient sans arrêt hors de ses yeux comme de la poussière d'étoile...

*

Il y eut fête. Et pas beaucoup de monde mais un certain enthousiasme quelque peu teinté de jaune. Et un certain regret aussi, car chacun savait que son patelin ne serait jamais plus le même à cause de cette décision politique qui coïncidait avec l'ouverture d'une nouvelle manufacture...

C'était cette vieille stabilité si rassurante d'avant l'année sainte que le curé regrettait...

*

Le mercredi suivant, Rose se rendit à ses cours de peinture. Il lui semblait le matin qu'il se produirait ce jour-là quelque chose de désagréable. Un accident peut-être ? Elle avait le nez pour ces choses-là. Mais quoi ?

Quand elle descendit de l'auto pour entrer, elle en parla avec son jeune ami :

– Y a quelque chose qui me turlupine pis j'sais pas c'est quoi au juste.

Il lui servit leur vieille blague :

– C'est parce que tu sens que tu perds rien pour attendre.

Mais elle ne rit pas. Les fenêtres, telles des yeux avertisseurs, semblaient lui dire de ne pas entrer. Pourtant, le soleil gouvernait le ciel de toute son autorité, quoique sa puissance fût pas mal réduite par la fraîche volonté d'octobre.

Quand elle fut rendue en haut de la tour où Germain lui avait installé un chevalet, ses grises prémonitions disparurent toutes devant les magnificences de la saison. Le peindre donnait au spectacle une beauté neuve, éclatante et fascinante. Et l'artiste en la femme avait l'impression exquise de nager en pleine pureté. Et de s'abreuver à des couleurs qui entraient dans son âme comme des liqueurs enivrantes : citronnelle, bénédictine, chartreuse, menthe, prunelle, poire, mirabelle. Soûle du cœur et de l'imagination tout en gardant sa pleine conscience, toute sa tête et son pur sens de l'art, elle poursuivait sur une lancée de la semaine d'avant alors que la nature avait déjà commencé de livrer ses plus formidables splendeurs automnales.

Pendant ce temps, son ami travaillait dans l'ombre au milieu de la pièce du bas à parfaire des textes pour son livre. Il écrivait sur la campagne référendaire et ceux qui l'avaient faite.

Il entrait de l'air doux par toutes portes et fenêtres qu'on avait pu ouvrir et avec lui, de nouveaux relents subtils émis par la forêt et charriés par le vent calme qui folâtrait dans la cime des arbres et détachait parfois une feuille rousse pour la poser sur un sol qui se laissait doucement recouvrir d'une catalogne flamboyante.

Rose était comme embusquée dans la tour, au fond, pour mieux apercevoir la flèche de l'église au loin, qu'elle avait attrapée par la magie de son pinceau et posée sur sa toile. Elle y faisait une retouche quand l'imprévu, quand l'impensable se produisit. En bas, sur le chemin qui débouchait sur la clairière où se trouvait la maison, une auto noire apparut. Familière. Trop familière à son goût. Elle la reconnut dès qu'elle l'aperçut. Le gyrophare ne pouvait mentir, il s'agissait de Pit Poulin, le policier provincial qui desservait deux ou trois paroisses des environs. Plusieurs l'appelaient encore le 'spotteur' même s'il travaillait toujours en automobile.

Avant que l'auto ne s'arrête, elle se pencha au-dessus de l'escalier tournant et cria à voix étouffée à Germain qui n'avait rien entendu :

– C'est Pit Poulin, va lui parler...

Elle jeta un autre coup d'œil dehors en bas : son visage devint livide. Toutes les couleurs de la nature et de sa toile se mélangèrent et se mirent à virer à une vitesse folle, si bien qu'elles devinrent une sorte de blanc sans éclat. Non seulement le policier descendait de l'auto mais aussi le curé Ennis. Catastrophe ! La voilà, l'explication de son pressentiment. Aussitôt, elle se laissa tomber sur les genoux, se plia au-dessus du puits de l'escalier et lança encore une fois :

– Pis le curé est avec lui... entends-tu, il a le curé avec lui...

– O.K ! O.K ! reste là pis bouge pas tant qu'ils seront pas repartis.

Germain posa son crayon puis se dépêcha de descendre au premier étage. On cognait fort à la porte arrière quand il parvint dans la cuisine. Et le policier disait son nom à voix autoritaire.

– Amenez-vous, je suis là !

Le curé fit entrer le policier devant lui et les deux personnages restèrent debout devant la porte, campés derrière leur uniforme, à évaluer du haut de leur autorité les premières images que l'intérieur de la maison leur dispensait.

– C'est qu'il me vaut l'honneur ? Vous cherchez pas des soldats comme au temps de la guerre toujours ?

On ne rit pas à part lui-même.

– C'est pour une enquête, dit le policier.

– Monsieur le curé est pas entré dans la police toujours ?

– C'est pas le temps de faire des farces de mauvais goût, dit le prêtre sur un ton cassant.

– Posez vos questions. Asseyez-vous si ça vous le dit... J'ai rien à cacher.

Pour bien établir de nouvelles distances avec cet énergumène d'étranger, le curé reprenait le vouvoiement :

– Ça, c'est vous qui le dites.

– Il serait question de pornographie et de conduite sur le chemin public sans permis, dit sévèrement le policier.

En fait, depuis deux jours que durait cette enquête menée par le curé, ce matin-là, il avait demandé à la police d'intervenir et de perquisitionner chez Bédard. Il savait depuis le lundi avant-midi pas mal plus de choses sur ce qui se passait dans cette maison de débauche. Jean d'Arc avait tout dit ou presque au curé. Toiles pornographiques. Visites de personnes du beau sexe...

– On en sait pas mal déjà, dit l'abbé, mais on voudrait en savoir plus.

– J'ai rien à cacher....

– Mais vous en cachez pas mal, coupa le prêtre. Des choses inavouables d'ailleurs.

Germain se savait dans une espèce de négociation. Il lui fallait mettre quelque chose sur la table :

– Écoutez, je connais la loi et je sais que vous avez besoin d'un mandat pour perquisitionner ici. En avez-vous un ?

Le policier regarda le curé qu'il avait déjà averti de la chose. L'abbé dit :

– Pas question de mandat ! Si vous êtes honnête homme et que vous n'avez rien à cacher comme vous le dites, alors vous laisserez la police voir...

– Ça, je veux bien. Partout où vous voudrez.

Sans autre préambule, la visite commença.

– Monsieur le curé, je vous invite à faire le tour vous aussi, dit Bédard. Et voyez donc par vous-même ce que vous désirez voir.

Le jeune homme décida de jouer d'un certain sarcasme, prenant un ton à l'avenant : détendu, enjoué. Il leur montra son instrument de musique, en joua quelques notes. Mentionna l'absence d'objets de piété et de signes de la religion en se justifiant à ce sujet au pied de l'escalier :

– Vous savez, les marques de Dieu sont à l'intérieur. Moi, je vis ma spiritualité dans mon âme et je n'ai pas besoin de rites, d'objets matériels, pour me le rappeler.

– Cliché, dit le prêtre. Et puis... vous avez pourtant acheté pas mal d'objets pieux du jeune Maheux l'autre jour.

– C'était pour les décrire dans le livre que j'écris.

– Et quel en sera le titre, de ce livre ? Et quel en sera le contenu ?

Bédard tenta une fois encore d'aérer la situation :

– Je prendrais bien pour titre *Le journal d'un curé de campagne*, mais un autre l'a déjà fait avant moi.

Le policier écoutait sans trop suivre et parfois, il reluquait du côté de l'escalier. Il prenait un risque en agissant comme il le faisait. Des Témoins de Jéhovah avaient gagné une cause contre le premier ministre Duplessis et la police avait moins la bride sur le cou maintenant. Et puis ce gars-là connaissait ses droits. On ne pouvait même pas le mettre à l'amende pour conduite sans permis à moins de le prendre sur le fait, c'est-à-dire sur un chemin public. Le pire, c'est que le curé savait tout ça lui aussi, mais qu'il comptait sur l'intimidation pour faire pression sur l'étranger et l'obliger à montrer ses œuvres, et à faire plus de lumière sur lui-même étant donné qu'on ne parvenait pas à savoir, au-delà de ses dires, qui il était vraiment et d'où il venait. Et avait-il fait de la prison ? Ou bien avait-il une sentence sur le dos et s'était-il enfui de quelque part ? Ou encore était-il un déserteur de l'armée ? Même en temps de paix, on leur courait après, ces gars-là. Surtout depuis quelque temps alors que les grands vents de la guerre soufflaient en Corée. Manifestement, le curé avait peur de cet homme; une visite guidée de cette maison le rassurerait peut-être. Ça restait à voir.

On se rendit au studio, et Rose, bien camouflée dans la tour, cachée derrière le chevalet qu'elle avait recouvert sommairement d'un drap pour se faire un abri, put tout entendre.

Ce fut d'abord un long silence angoissant. Puis on parla :

– Vous avez dû voir aussi des corps nus au Vatican, dit Germain. Je veux dire dans les œuvres d'art bien entendu.

– Vous m'avez déjà dit cela, répondit le curé.

– Et vous ne m'avez pas répondu.

– Il y a l'art et l'art, monsieur.

– L'art béni est beau et l'art qui ne l'est pas ne l'est pas ?

Le prêtre souleva avec un immense dégoût la toile représentant un couple en train de faire l'amour, elle chevauchant l'artiste et lui peignant.

– Quelle est donc cette... épouvantable cochonnerie ?

Pit Poulin se retenait de rire et il regardait souvent du côté de la tour qu'il désirait de plus en plus visiter.

– Une scène artistique.

Le prêtre la rejeta par terre et il allait y mettre le pied quand la toile fut vivement retirée par son auteur :

– Vous n'avez pas le droit de détruire un bien qui m'appartient, surtout un bien culturel. Vous laisser faire et vous poursuivre en justice, je pourrais vous faire payer l'amende.

– Vous êtes un écœurant !

– Et vous un dictateur !

– Je vais vous faire chasser de cette paroisse.

– Pas à coups de censure. Cette toile n'a pas été exposée

à la vue du public. C'est une œuvre qui m'appartient et dont je suis fier. Je la garde. Et un jour peut-être, je la vendrai et en tirerai une fortune. Car regardez bien et vous y verrez l'intensité de l'art et de l'amour humain. En d'autres mots, l'art est amour et l'amour devrait être un art... pas une obligation de procréer comme le veut l'Église catholique... C'est grâce au bon Dieu si j'ai pu peindre cela...

L'abbé grommela, siffleur :

– Vous n'êtes qu'un suppôt de Satan.

Le policier les laissa à leur querelle et il gravit les marches de bois neuf de l'escalier tournant. Bédard s'attendait à toute une escalade dans l'échange entre lui et le curé quand Rose serait trouvée et signalée. Autant monter le ton maintenant :

– Vous cherchez prétexte à vengeance à cause du résultat référendaire. La censure, la dictature, la vengeance : ça, c'est commandé par Satan...

– Vous serez excommunié de l'Église...

– Je le suis déjà, répondit l'autre spontanément.

Le prêtre crut que c'était un autre mensonge pour le provoquer. Il changea d'arme :

– Si j'étais vous, jeune homme, je commencerais à faire mes bagages aujourd'hui même...

– Je les ferai quand mon heure sera venue...

– Elle viendra plus vite que vous ne le croyez...

Pit arriva en haut. Il sentit une odeur féminine, une présence humaine. Rose pouvait apercevoir ses pieds. Son cœur battait comme celui d'une jeune adolescente prise au piège par un garçon trop entreprenant. L'homme était excité par tout ça : cette enquête illégale, cette toile hautement suggestive et maintenant, à coup sûr, la femme qu'il trouverait derrière le drap s'il le soulevait... s'il le soulevait... Il avança la main pour le faire...

– Vous avez attiré des jeunes filles propres dans cet antre du fauve, tonnait le prêtre. Et s'il le faut, on vous chassera de cette paroisse à coups de fourche et par le feu.

– La fourche et le feu, je sais m'en servir aussi.

– Sans doute puisque vous êtes un suppôt de Satan.

– C'est mieux que d'être un suppôt de Duplessis.

– Et ça, fit le prêtre en désignant le manuscrit sur une table dans le coin où Bédard travaillait avant l'arrivée des visiteurs, je présume que c'est un grimoire dans lequel vous pondez des... incantations nuisibles ?...

– Je dois dire que oui, ça ressemble beaucoup au petit catéchisme du Québec. Que je consulte d'ailleurs tous les jours avec grand intérêt.

– De la médisance ? De la calomnie ?

– La peur de l'enfer.

– Des transgressions du sixième et du neuvième commandement ?

– Du plaisir naturel.

– Du scandale ?

– Des beaux secrets...

La main du policier prit le drap et le souleva. Rose plongea aussitôt son regard dans le sien. Elle gonfla la poitrine. Pit était un fort bel homme. Elle pensait à lui parfois. "Joue le jeu et je te le revaudrai," pensa-t-elle et dit-elle par ses yeux et par un mince sourire qu'elle lécha doucement de sa langue.

Il lut le message et y répondit par une moue en biais. Elle fit un signe de tête affirmatif et le toisa lentement des pieds à la tête tout en laissant couler sur elle-même sa main frôleuse. Il lut doublement le message et promena sur elle sans aucune retenue un regard ivre de désir retenu...

En bas, le curé balaya le manuscrit d'un avant-bras rageur et les feuilles se répandirent dans la pièce.

– Monsieur le curé, dit Bédard, me voilà obligé de vous mettre dehors.

N'ayant entendu aucune voix venir de la tour, l'homme présumait que Rose n'avait pas été découverte ou bien qu'elle l'avait été mais que le policier le taisait. Il lança vers lui :

– Il est du devoir de la police d'expulser de ma maison quelqu'un qui cherche à détruire mes biens... Constable Poulin, je vous demande de venir y voir...

Le policier s'amena rapidement. Le curé s'en allait déjà.

– Voyez le dégât...

Pit fit une moue. Puis un clin d'œil tout en regardant vers la tour. Et il suivit le prêtre qui avait déjà disparu.

Germain les laissa s'en aller sans les accompagner et plutôt, il grimpa auprès de Rose.

– Il t'a vue et il n'a rien dit ?

Elle mentit pour cacher qu'elle l'avait trompé dans l'âme :

– Non, il m'a pas vue.

– De la manière qu'il m'a fait un clin d'œil...

– Il m'aura vu les pieds, j'étais cachée là, derrière le drap...

Germain demeura sceptique. Et il regarda en bas la voiture qui reprenait le sentier boisé.

*

Quand il reconduisit Rose ce soir-là, il fut arrêté sur le plateau de la côte à Pitou Poulin par Pit Poulin qui attendait ce moment. Tâcher de rebrousser chemin serait inutile, pensa le jeune homme. Il fut abordé par le policier qui vit aussitôt la femme couchée sous un drap sur la banquette arrière.

– Écoute, je vais te laisser passer pour à soir, mais ça sera la dernière fois. Arrange-toi pour prendre tes licences ou ben la prochaine fois, je pourrais saisir ta machine. J'ai pas le choix, le curé est pesant pas mal... dans les bonnes grâces de Duplessis. Pis j'ai pas le choix parce que ça prend des licences pour mener une machine sur le chemin public, que veux-tu ?

– C'est ben noté.

*

Le surlendemain, Bédard reçut la visite du couple Boutin, les propriétaires de la maison. On venait lui demander de s'en aller et on lui remettait l'argent du loyer payé d'avance.

– Le curé pis la police sont passés par chez vous...

– Oui, dit Marie-Ange restée près de la porte, les mains sur les hanches. Pis c'est de même... Pis c'est ça...

– Je vais voir...

– Ah ! pis retardez pas, on a besoin de la maison pour nos besoins personnels...

– Besoin pour vos besoins personnels ?...

– C'est ça...

– Je vais voir.

Georges ne dit pas un mot.

– Je vais voir, redit Germain pour la troisième fois quand ils partirent...

Il devait passer ensuite par une longue réflexion. Partir ou bien rester ? Braver l'autorité religieuse ? Et achever son livre sur place comme prévu et ne s'en aller que quelque part en 1951, en tout cas tant que son entente avec les Boutin courrait et demeurerait en force. Car l'argent qu'ils avaient rapporté ne les déliait pas de leur contrat; il pouvait le leur remettre quand il le voudrait et ils ne pourraient rien y faire.

Mais une question autrement plus importante l'inclinait à s'en aller. Et c'était l'amour. Du moins, ce sentiment humain particulier qui fait que Satan lui-même a ses préférences, sentiment par lequel un homme ne choisit qu'une seule femme qu'il porte en lui et qui porte son prolongement. Il voyait régulièrement Rose, Rachel, Ti-Noire, Solange et Marie, et il se croyait à l'abri du grand sentiment. L'une d'elles sans le savoir s'était emparé de son cœur avec tout son contenu et lui donnait l'envie de dire aux quatre autres qu'il ne les verrait plus désormais.

Il avait trouvé en chacune matière à plusieurs chapitres de son livre. Et divers sentiments enracinés dans une belle amitié tranquille avec Marie, dans les grands tourments avec Solange. Il avait partagé l'art et l'amour physique avec Rose. Connu les plaisirs intellectuels avec Rachel. Envisagé des mystères insondables avec Ti-Noire, si belle et si désirable. Des femmes de rêve. Des femmes de romans. Toutes à égalité dans son cœur. Du moins le croyait-il jusqu'au jour où il les avait encore évaluées par rapport à ses vibrations les plus profondes.

Et l'une d'elles avait émergé avec tant de brillance et tant de flamme.

Alors il devait partir, les quitter toutes. Pour les garder toutes par le souvenir et par les ondes.

Et le curé venait de lui donner l'occasion de le faire, de lui fournir une raison quasiment incontournable de s'en aller pour toujours de ces lieux et de la vie de ces gens.

Il connaîtrait du déchirement, de la souffrance, un certain spleen, mais ne voilà-t-il pas le lot de ceux qui se donnent entièrement à leur art ? En aimer une seule et exclure toutes les autres de son immense capacité d'aimer : il ne le pouvait pas. Son art le défendait. Et toutes celles qu'il avait encore à découvrir lui demandaient par avance de poursuivre sa route solitaire sur un chemin isolé, car c'est là et pas ailleurs qu'il les rencontrerait un jour ou l'autre...

Il n'enchaînerait pas cette femme à lui. Il ne lui dirait rien qu'il n'aurait dit sans la découverte en lui de ce sentiment grandiose d'exclusivité et de possessivité. Il ne parlerait que d'amitié à Rose, à Solange, à Marie, à Ti-Noire, à Rachel, et il leur ferait à toutes ses adieux en toute amitié.

Rose était la seule à connaître son lien avec toutes les autres. Mais toutes savaient qu'il voyait Marie chez elle le dimanche. Il ferait de la lumière dans la tour pour que Solange vienne. Il verrait Marie le dimanche suivant. Se rendrait voir Rachel à son école très bientôt. Parlerait à Ti-Noire au magasin ou ailleurs. Et Rose viendrait une dernière fois le voir le mercredi à venir, dans une semaine. On avait convenu de prendre ce risque malgré les avertissements de la police...

Des adieux, il fallait que ça se prépare. Il se mit à la tâche.

Sa nature humaine, construite à même les grands matériaux du bien et du mal, complexe à souhait, fille de l'Éternel et de Satan, justificatrice et raisonneuse, bestiale et divine, déchirée entre le cœur et la tête, inclinée vers l'altruisme et l'égoïsme, reprit alors tous ses droits.

Il partirait certes, mais en laissant derrière lui au curé un véritable cadeau de Grec. Bien plus que de protéger sa sortie, son plan ferait naître un sentiment de colère contre le presbytère et l'autorité en général. Si par quelque tour de magie, il le connaissait, ce plan, le curé, sans même un excès de langage, le qualifierait de maléfique, machiavélique, diabolique...

Et rien de plus simple ! Même s'il mentirait à quatre d'entre elles, il parlerait à chacune bien plus que d'amitié et lui déclarerait son sentiment amoureux. En partant, il leur laisserait une sorte de testament sentimental. Et par la suite, elles feraient courir le bruit que le curé avait chassé l'artiste parce qu'il détestait les femmes et leurs émotions. Le curé ne faisait-il pas chaque année une violente sortie en chaire contre les décolletés dans lesquels il ne pouvait s'empêcher de plonger avec ses gros yeux ronds en distribuant la sainte communion ?

***

Chapitre 2

Ce soir-là, plutôt tard, il alluma une lampe dans la tour; c'était le signal convenu pour faire savoir à Solange qu'il l'attendrait le soir suivant. Il n'était pas le premier à utiliser ce moyen de transmettre un message. Cordélia Viau avait été pendue pour ça, pensait-il en retournant à ses papiers. Mais pas rien que pour ça, se dit-il aussi en se remettant à son travail d'écrire ses adieux comme il les imaginait. Il ajouterait à cela la réalité à venir dans les prochains jours et ferait entrer ce tout ficelé dans son livre. Et dans ses toiles.

La jeune fille viendrait-elle ? Aurait-elle vu la lumière briller ? Et si oui, la peur de ses parents et du curé la retiendrait-elle loin de lui pour quelque temps ? Des cinq femmes qu'il fréquentait, c'était elle que la peur tourmentait le plus. Pire que Marie à qui l'âge et surtout son travail conféraient une toute nouvelle assurance dans la vie.

À l'heure du midi, le jour suivant, jeudi, il se rendit à l'école de Rachel dans le bas de la Grand-Ligne. Il prit le risque d'y aller en auto, pensant que Pit Poulin ne surveille-rait pas la route exprès pour l'attraper. En fait, il y aurait danger quand il se rendrait au village, car alors le curé, averti par une bonne âme de sa présence au magasin, au res-taurant ou à la boutique, aurait tôt fait de téléphoner à la police.

Elle le vit arrêter son auto au bord du chemin et venir. Quand il frappa à la porte, elle ouvrit aussitôt. Il resta sur le seuil et lui tendit une lettre :

– Si ça t'adonne, j'aimerais ben ça te voir demain soir. C'est important... T'as qu'à suivre les indications... Si tu peux pas, on verra ce qu'on fera... Je resterai pas longtemps pour pas que le monde jase...

Intriguée, elle prit l'enveloppe et ne put répondre que des salutations :

– O.K.! Pis bonne journée, là...

Elle rentra et lut ce qu'il écrivait.

"Je n'ai guère le choix de quitter ta paroisse. Et le plus tôt, le mieux. Hors du système établi point de salut ! Je fais peur à d'aucuns. Viens demain soir, vendredi, qu'on en parle. Je ne peux pas me déplacer comme je le voudrais, mais je pourrais te prendre à la brunante au bord du bois dans le Grand-Shenley et t'emmener jusqu'au trécarré en machine. Là, au fanal, on se rendra jusque chez moi. Et on fera le contraire après ta visite. Ni vu ni connu. Tu seras chez vous avant minuit. Trouve une bonne excuse pour le cas où on te questionnerait. C'est la dernière chance qu'on aura de se par-ler en pleine liberté. Si on peut appeler ça en pleine li-berté..."

Elle demeura longtemps songeuse.

Il retourna chez lui et travailla dur le reste de la journée.

*

– Essaye de savoir si l'étranger se prépare à sacrer son camp, mais rentre pas dans sa maison, là, dit Marie-Ange à Solange. Pis laisse-toi pas voir pantoute ! Pis reste pas dans le bois trois heures de temps !

Dans son inconscient, la femme savait qu'elle envoyait sa fille vers l'antre du loup mais le faisait quand même, avec l'inavouable espérance qu'il se convertisse, reprenne le droit chemin, obtienne son pardon du curé et du système établi, fréquente Solange, l'épouse, devienne le père de quelques petits-enfants et soit son gendre préféré. Elle le trouvait beau, généreux, mystérieux, fort : tout le contraire de son Georges, homme de mélasse et de mollesse.

La jeune fille se rendit à la maison à Polyte avec un fanal éteint qui lui permettrait de guider ses pas sur le chemin du retour. À partir du moment où elle avait cette complicité de sa mère, une discrétion totale était assurée. Les autres enfants ne se rendraient pas compte. Et les voisins vivaient bien trop loin pour pouvoir épier les allées et venues chez les Boutin.

Il était dans la tour quand elle parut en bas. Il y écrivait et chaque fois qu'il s'arrêtait, il levait les yeux pour les baisser aussitôt de l'autre côté de la fenêtre. C'est qu'il voulait qu'ils se voient ainsi dans cette proximité et dans cette distance tout à la fois. Un échange de regards très romantique. Il aimait inscrire de telles images dans sa mémoire puis les rendre ensuite par sa plume ou son pinceau. Une jeune femme aux passions plus vives que les splendeurs de l'automne arrivait chez lui, vêtue d'une robe couleur de ciel, fanal à la main, prête pour l'amour plus que jamais, sachant sûrement qu'on le rejetait, qu'on le refoulait vers ailleurs, loin de cette paroisse, loin d'elle... Et lui devrait garder le contrôle de la situation, le contrôle de lui-même...

Elle s'arrêta et l'aperçut là-haut tel un dieu noir au visage de glace et de feu dans sa tour d'ivoire, et tout son corps de femme frémit. Les beautés de la saison et du soir s'épousaient pour enivrer les âmes et enflammer les cœurs. Il ouvrit les bras comme un Jésus sur une statue. Elle lui fit un geste vague de la main gauche et esquissa un sourire. Il lui lança sur la tête un bouquet de fleurs en mots simples :

– T'es belle, belle, belle...

On ne lui avait jamais dit cela; on ne lui avait jamais tenu un si merveilleux discours. Comment concevoir que dans quelque temps, l'image de ce prince charmant dans sa tour ne serait plus que vent dans les arbres, qu'un souvenir. Un souvenir impérissable mais qui, chaque fois qu'elle verrait la maison vide et morte, lui rappellerait qu'il avait été là ce grand soir d'octobre et tous les autres. Une larme lui monta à l'œil gauche.

Lui reprit :

– Viens me voir...

Elle fit un signe affirmatif et entra. Et bientôt le rejoignit dans le studio sombre. Il lui cria de monter avec lui. Et quand elle fut dans la tour, il la prit dans ses bras. Elle dit à gorge serrée :

– Tu partiras pas ? Tu dois pas t'en aller...

– J'ai pas le choix, ma douce amie, j'ai pas le choix, tu le sais mieux que personne. Tes parents t'auront dit qu'ils me jetaient dehors de cette maison.

– Ils ont pas le droit. Ils ont signé un papier et ils doivent le respecter, c'est sûr, ça... T'as rien qu'à pas te laisser faire. Pis toi, t'as pas le droit de t'en aller comme ça... parce que... moi, moi ben... j't'aime...

Elle coucha sa tête tourmentée sur la poitrine de cet homme à qui elle aurait voulu appartenir pour l'éternité. Qu'il reste, et elle ne l'espionnerait jamais plus, et jamais plus elle ne voudrait se venger de lui quoi qu'il fasse, et plus jamais elle ne lui désobéirait. Il ne serait pas comme son père, il serait le maître de leur couple. Elle viendrait vivre avec lui. Le jour, ils travailleraient chacun de leur côté et le soir, ils se retrouveraient et seraient seuls au monde... Qu'il reste seulement !...

Mais elle ne put dire toutes ces choses qu'elle avait préparées. Et au lieu de cela, murmura :

– Mais toi, t'en aimes une autre, je le sais, ça fait longtemps.

Il sursauta :

– J'en aime une autre ? Mais voyons donc, j'en aime beaucoup d'autres... J'aime les gens, les arbres, les femmes, les hommes, les enfants... J'aime tout, moi...

– Aimer d'amour, c'est pas ça, c'est pas pareil...

– Qu'est-ce qui te fait penser que c'est pas toi que j'aime d'amour ?

– Si c'est vrai, t'as qu'à me le dire. Si tu me le dis pas, c'est parce que c'est pas moi que t'aimes d'amour...

Il la prit par les épaules et la secoua :

– Comment peux-tu croire un seul instant que je ne t'aime pas d'amour ? Tu penses que j'aurais fait avec toi ce qu'on a fait sans ça ?

– Mais t'es pas allé jusqu'au bout. J'aurais voulu que tu... me prennes au complet...

Il fit plusieurs hochements de tête :

– Te vois-tu enceinte de moi et moi obligé de quitter la paroisse ?

– Tu pourrais décider de pas t'en aller.

– J'ai ouvert les yeux du curé sur les apparitions de la Vierge et il m'en veut pour ça. J'ai travaillé contre son idée durant la campagne référendaire et il m'en veut pour ça. Je suis un artiste en dehors du système et il m'en veut pour ça. Mais y a quelque chose de mon passé qu'il doit avoir appris et rien que pour ça, il ne pourrait pas m'endurer par ici, tu comprends.

– C'est quoi, cette chose que tu peux pas dire ?

– Je te l'écrirai une fois parti.

– Je veux...

– Pas question. C'est pas le moment... Je te le dirai par lettre plus tard...

Elle se tut et attendit ses décisions.

Il l'invita à s'asseoir à côté du chevalet dressé sur lequel la toile de Rose se trouvait toujours. Elle aperçut une étoile qui venait de s'allumer dans le ciel indigo.

Il la colla sur lui et la couvrit de baisers. Elle avait envie de pleurer et en ce moment, elle détestait de toute son âme le curé et ses parents qui lui raviraient son prince charmant... le premier qu'elle ait jamais rencontré.

Avant qu'elle ne parte, il lui promit qu'il reviendrait plus tard et qu'ils pourraient se voir là même et qu'alors, leur amour ne connaîtrait aucune limite...

– Quand est-ce qu'on va se revoir ? demanda-t-elle une fois encore quand elle fut dehors sous les étoiles, fanal allumé, obligée de partir, écrasée par les menaces du futur.

– Au printemps... En attendant, je vais t'écrire...

Il l'embrassa une dernière fois et lui glissa à l'oreille :

– T'as de beaux yeux, tu sais !...

La phrase avait beau être empruntée à un personnage de film, il y croyait en ce moment, il y croyait vraiment...

*

Rachel attendait. Elle avait mis sa bicyclette derrière une talle d'aulnes dans un fossé sec près du chemin du rang. De toute façon, il faisait déjà très sombre et on ne passait guère sur cette route le soir. Elle s'était assise près d'un grand érable et se demandait encore pourquoi il devait quitter la paroisse d'une manière précipitée. Quel mal avait-il donc fait de soulever le voile sur cette histoire abracadabrante des apparitions ? Commettait-il un crime impardonnable à vouloir vivre sa vie en artiste, c'est-à-dire à l'écoute de son cœur et pas seulement de sa tête, suivant des valeurs plus féminines que masculines ?...

Jusqu'à la veille, elle avait continué d'être mélangée dans ses sentiments, se refusant à l'amour qu'elle ressentait pour lui par fidélité à un autre, lui aussi parti trop vite. Quel don avait-elle pour tomber ainsi sur des numéros si insolites ? Était-ce là le signe du ciel qui lui indiquait la vraie voie à suivre, celle qui la mènerait au couvent après tant d'années d'hésitation et de doute ? Joindre les mains dans une ferveur mystique et vivre le reste de sa vie dans le monde spirituel la délivreraient de toutes ces questions restées sans réponse, de ces appels et de ces reprises incessantes dans un monde fissuré...

Il arriva bientôt et l'auto entra dans le chemin de cabane. Ils se virent. Elle monta.

– Hey ! je suis content que tu sois venue!

– Ça aurait été dur de pas venir après une lettre de même. Il se passe quoi, veux-tu me dire ?

– Le curé me chasse.

– Hein !?

– Aussi simple que ça.

– Il peut pas faire ça.

– Il a pas mal de moyens entre les mains...

Il lui parla de ces choses tandis que la voiture avançait lentement en cahotant, ce qui rappelait à la jeune femme des souvenirs indélébiles. C'est dans une autre érablière, mais dans cette même voiture qu'avec le Cook, elle était partie à la recherche de son fiancé. Elle avait eu beau ramener son corps vivant à son père, jamais elle n'avait plus revu son âme, son esprit, qui avaient rejoint dans les brumes du rêve l'univers de Nelligan et de tant d'autres à se couper de ce monde, sans doute pour ne plus jamais le voir tel qu'il est...

– En plus qu'il a probablement fouillé dans mon passé et trouvé quelque chose que je ne veux pas dire... Je te le dirai à toi quand je serai parti... Par lettre... Si tu veux le savoir...

– Pourquoi pas maintenant ?

Il lui dit doucement d'un ton persuasif :

– Tu comprendras le moment venu.

Ils contournèrent la cabane à Rosaire Nadeau et entamèrent, par une montée, la deuxième partie de la sucrerie, progressant toujours en droite ligne vers le trécarré. Ils ne se parlèrent plus jusqu'à la clôture et là, descendirent. Après avoir traversé, ils se mirent en marche pour dix autres minutes, éclairés par le rayon d'une lampe de poche qu'il avait emportée.

– Faut être brave pour faire ce que je fais. En pleine nuit, en plein bois avec un étranger que le curé veut chasser de la paroisse pour des raisons... nébuleuses... Certaines officielles, bon, mais d'autres que j'ignore encore...

– Tu sauras le moment venu.... Et... as-tu peur ?

– Suis pas rassurée.

– Et si je te dis que je t'aime ?...

– Ben... Tu dis si... mais tu le dis pas pour vrai...

– Je le dis pour vrai...

Il s'arrêta alors que l'on commençait à voir poindre les feux de sa maison à travers les arbres et la fit s'arrêter pour la prendre dans ses bras, gardant la lumière sur l'épaule féminine, tournée vers son propre visage :

– Ai-je l'air de quelqu'un qui dit pas la vérité ?

Elle le regarda droit dans les yeux. La lumière les faisait briller comme des billes de charbon. Pendant un court moment, elle hésita comme toujours, et jeta un regard vers le ciel noir constellé d'étoiles à la recherche d'une réponse sûre à son interrogation. Devait-elle le croire ? Et si oui, devait-elle répondre à son attente en se livrant tête première à son propre sentiment, à sa fantaisie, à sa folie ?

Il l'aida :

– Cesse de te poser des questions. On est là. On est deux. Demain, ce sera fini. Les étoiles, les arbres, les feuilles sur le sol, la nuit, tout nous dit de ne pas rater ce moment qui passe et ne durera que l'espace d'un éclair. Le temps va pas nous attendre; il n'attend jamais personne en ce monde. Le temps, il faut l'attraper par le collet, par la ganse et ne pas le laisser fuir parce qu'autrement, on lui court toujours après et on s'essouffle, et on se perd, et on le perd, et on perd tout... Et si je te disais 'je t'aime' ?

Soudain, elle rugit comme une panthère. Pour la première fois de sa vie, l'autre face de sa personnalité se montrait au grand jour en pleine noirceur. Et c'est elle qui prit l'initiative du baiser telle une assoiffée qui trouve une oasis, un puits en plein désert après des années de marche en plein soleil. Il aurait pu s'attendre à pareille voracité de la part de Ti-Noire mais pas de Rachel, l'indécise, la raisonneuse.

Il ajusta son ardeur à celle de la jeune femme. La lampe tomba sur le sol et y resta tout le temps que dura le baiser. Et le baiser n'en finissait pas.

Et quand il y eut un répit et qu'il en profitait pour ramasser la lampe, elle prenait avec ses mains ce qu'elle appelait dans sa tête des mordées de linge, consistant à empoigner sa veste frangée style Davy Crockett et à la relâcher, et à multiplier ainsi ces prises...

– Je veux que mes mains se souviennent de toi toujours.

– C'est surtout de mon linge que tu vas te rappeler en faisant ça...

Ils eurent un éclat de rire et se remirent en route.

Il avait pris soin dès le mercredi de cacher dans les ravalements toutes les toiles à contenu discutable et il lui fit tout voir ce qu'il possédait d'autre.

– Je voudrais une photo de toi. En as-tu de ta famille ? De quelle famille, tu m'en as jamais parlé de toute façon...

– Ça aussi, je t'enverrai après mon départ. Je le voudrais que je ne le pourrais pas puisque je n'ai rien ici avec moi.

Ils passèrent deux heures dans le studio à la lueur de la lampe à l'huile. Elle voulut le voir peindre un moment. Elle voulut le voir écrire un autre moment. Ils bavardèrent de tout et de rien. Hugo, Nelligan, Renoir, Claudel, Van Gogh, Manet, Lamartine, tous ces noms et bien d'autres traversèrent l'air frais et sa pénombre comme autant de notes agréables de leur symphonie jasette.

Soudain, elle dit, un reflet songeur dans l'œil :

– Je croyais que tu aimais Marie Sirois. On dit que tu la vois tous les dimanches.

– Chère, j'ai beaucoup d'amis déjà dans cette paroisse, tant chez les femmes que les hommes. Tout le groupe de la campagne référendaire, ton père, Lucien Boucher, et d'autres qui n'en furent pas mais que j'aime aussi... Comme Solange Boutin qui m'a donné des cours dont il faut dire que je n'avais pas besoin, mais tu connais mes raisons de l'avoir fait... Comme... Rose Martin à qui j'ai donné des cours de peinture... entre autres endroits, sur les hauteurs du Grand-Shenley... t'as dû en entendre parler... Et puis il y a Ti-Noire, j'aime beaucoup Ti-Noire... elle a un grand rêve américain qui brille au fond de ses yeux noirs... Je ne suis pas un coureur de jupons, je suis un coureur d'âmes.... Je suis venu ici pour les âmes; et pour les connaître, je dois les fréquenter, tu comprends... L'amour que j'ai pour toi ne doit pas exclure l'amitié que je porte aux autres. Je dois m'abreuver à d'autres personnes que toi, je suis un artiste du pinceau et de la plume...

– Mais si tu es en amour avec moi, comment peux-tu envisager aussi froidement de partir ?

– C'est pas une porte fermée à demeure, bien au contraire. Je reviendrai te voir en toute liberté. Tout comme tes beaux-frères venaient voir tes sœurs aînées chaque semaine et partaient de loin pour le faire... Ben... si tu veux...

Elle se rendit à lui, qui était assis devant sa table d'écriture, et glissa ses mains dans sa chevelure puis sur ses épaules.

– J'ai du mal à croire tout ça. C'est si subit...

Il émit un long soupir :

– Mais non, ça se préparait. Tout se prépare de loin, de très loin. Depuis bien avant que je n'arrive dans cette paroisse. Les coups de foudre n'existent pas. L'orage vient toujours de loin.

Ils furent longtemps silencieux. Elle songeuse. Lui méditatif.

Puis il la reconduisit à son vélo par le chemin des érablières.

Près de la cabane à sucre, elle voulut qu'il s'arrête. Et ce fut un dernier baiser profond. Le suivant, quand elle quitta sa voiture, fut une formalité d'usage pour les deux...

Il lui ferait signe le moment venu. Elle devrait attendre...

*

Tout se prépare. Avant de venir là en début de soirée, il s'était rendu au magasin et avait échangé quelques mots avec Ti-Noire. Ils avaient rendez-vous le lendemain soir. Il la prendrait une fois la nuit tombée au bord de la Grand-Ligne entre la dernière maison du village et celle du premier cultivateur. Les chances de se faire voir par les Campeau, les Dubé ou les Quirion étaient de vingt pour cent. Mais puisqu'il s'agissait de leur dernière rencontre, ils ne songèrent pas à ce risque. De toute manière, Ti-Noire s'en foutait royalement. Dans quelques mois, elle serait devenue une Américaine et alors, Saint-Honoré et ses ragots lui passeraient cent pieds par-dessus la tête...

Au cours des quelques minutes de leur randonnée, ce samedi, il lui raconta la visite du curé et de la police, omettant bien entendu la présence chez lui de Rose Martin ce jour-là.

La jeune femme portait une robe rouge et noire et un foulard noir autour du cou.

– J'ai peur que tu aies froid à l'intérieur. C'est pas encore chauffé et dans le bois, c'est cru de ce temps-là.

– Je me réchaufferai dans tes bras, mon noir.

– Autant commencer dehors.

Il avait ajouté une petite lumière jaune au-dessus de la galerie arrière et ses maigres reflets silhouettaient leurs visages qui se trouvaient à quelques pouces à peine l'un de l'autre.

– Je t'aime.

Les mots venaient de tomber sans plus de préambule avant même un baiser. Elle en fut surprise :

– Dis-moi ça encore une fois, là, toi.

– Je t'aime !

– Encore.

– Je t'aime, je t'aime, je t'aime, je t'aime...

– C'est ben le temps : moi, j'm'en vas aux États pis toi, tu sacres ton camp par chez vous, j'sais pas trop où...

– L'amour n'a pas de frontières. Ni la frontière du temps ni celle de la distance.

– Tu peux tenir ça à Rachel Maheux, des discours de même, pas à moi. L'amour, faut qu'on se touche ensemble, qu'on couche ensemble, qu'on se mouche ensemble...

Il rit :

– T'es folle... adorablement folle.

– Embrasse une folle, le nez va te piquer.

Ils s'embrassèrent longuement.

– Ah ! j'aime ça, faire le péché avec toi.

– Et moi donc !

Ils passèrent une heure dans le studio et l'autre au lit. Une soirée physique et sensuelle sans rapport intime vraiment complet.

La veillée dura jusqu'aux petites heures du matin.

Au moment de partir, la jeune fille éclata en sanglots. Germain s'attendait à cela. La plus crâneuse parmi les cinq femmes qu'il voyait était aussi la plus vulnérable et la plus fragile, et c'est pour ça qu'elle voulait se donner la puissance d'un autre pays pour bâtir la seconde partie de sa vie.

– Viens à New York avec moi, parvint-elle à dire.

– New York, c'est pour toi, pas pour moi.

– Maudit... Je le sais pis à soir, j'haïs ça en maudit...

Il la laissa descendre au même endroit où il l'avait fait

monter en lui disant :

– Je te reverrai au magasin avant de partir.

– Le curé autant que le vicaire, va falloir y voir. Ils se mêlent un peu trop de ce qui les regarde pas...

– Y a quelque chose de mon passé que j'peux pas te dire pour le moment... ben j'pourrais, mais j'aime autant attendre... Pis j'pense que le curé le sait... Pis avec sa tête d'Irlandais, quand il décide quelque chose, il va jusqu'au bout... Il a décidé de me faire sacrer dehors de la paroisse. Il l'a fait pour le vicaire Turgeon, il l'a fait pour le mesureur de bois...

– Faut dire que les deux mesuraient plutôt les petits gars. Pis toi, c'est pas le cas...

– Chère Ti-Noire, il est fort, votre curé, très pesant...

– Fais ben attention, j'ai mis le vicaire à sa place avec l'histoire des pistes du diable, moi... Sont pas le bon Dieu, les prêtres, hein !

Et elle partit d'un pas décidé.

Le lendemain, le jeune homme visita Marie chez elle.

Tout l'après-midi, il remplit la maison de bonheur comme chaque fois qu'il s'y rendait. Au souper, à table, il devint triste :

– Malgré tout l'amour que je ressens pour vous toutes, je vais devoir m'en aller de la paroisse. Le curé me chasse.

– C'est quoi ça ? demanda Marie que de noirs sentiments traquaient une fois de plus.

– J'ai eu la visite du curé pis de la police. On veut ma peau. Les Boutin veulent que je parte de la maison à Polyte. Le curé veut que je parte de la paroisse. Difficile d'aller contre ça. Pire : impossible d'aller contre ça. Je vais donc être forcé de m'en aller dans quelques jours...

Cécile s'était transformée en statue de cire. Et pourtant,

elle souffrait considérablement.

– Je ne serais pas venu ici chaque dimanche si je ne vous aimais pas beaucoup, mais le curé n'aime pas l'amour, on dirait bien. Il a vu mes peintures. Il sait que je suis ami avec... Ti-Noire, avec Rachel Maheux, avec Solange Boutin, Rose Martin, Lucien Boucher, Ernest Maheux, Philias Bisson et combien d'autres. Je dois lui porter ombrage, je pense... Je ne sais pas pourquoi il m'en veut autant...

Cécile ne parvenait pas à s'expliquer comment un homme bon comme le curé pouvait vouloir chasser un homme bon comme Germain. Ça n'avait pas de sens. C'était cruel. C'était monstrueux. C'était pire que ce que lui avait fait Fernand Rouleau. Ses deux sœurs s'inquiétaient elles aussi et ressentaient du mal dans leur âme, mais leur tristesse ne virait pas au désespoir comme chez leur aînée.

Marie gardait son calme malgré tout. Il lui semblait que tout cela pourrait s'arranger. Elle avait traversé tant d'épreuves dans sa vie et elle en arrivait presque à toucher le bonheur du doigt... Non, le bonheur ne se déroberait pas aussi facilement sous ses pas... Elle lutterait. Contre le presbytère au besoin. Elle faisait du bon boulot à la manufacture; on ne lui ferait pas reproche de vouloir défendre une cause juste.

D'autres s'en mêleraient. Lucien Boucher, Ernest Maheux, même si l'affaire n'était pas politique. On ne laisserait pas tomber Germain devant une autorité abusive. On s'était battu contre Fernand et le destin avait eu raison de lui.

Cette fois, avant de pleurer et de se morfondre, elle agirait, elle foncerait dans le tas. La mort de son fils lui avait au moins donné cette leçon-là : plus jamais question de se laisser faire, de se laisser manipuler par qui que ce soit...

Pourtant, en ce moment, Germain la manipulait bien un peu sans même qu'elle ne s'en rende compte...

Sur le seuil de la porte, au bord de la nuit, il l'embrassa sur la joue puis il serra tendrement la main de chacune des filles entre les siennes, particulièrement celle de la Cécile dont le regard suppliant lui arracha quelques larmes paternelles invisibles...

– Même si je dois partir cette semaine, je vous reverrai dimanche prochain, promit-il en quittant...

Quand il eut refermé, Marie lança sur un ton défiant :

– Ça va pas se passer comme ça, monsieur le curé, non, ça va pas se passer de même...

*

Il se rendit au village tout droit chez Rose pour devancer leur rendez-vous du mercredi. Il ne fut chez elle qu'un bref moment, laissant tourner le moteur de l'auto devant, et sortant avec quelque chose entre les mains pour donner le change aux voisins.

Ils utilisèrent leur procédé coutumier pour se rencontrer. Elle prit l'autobus et descendit à l'entrée même du village voisin où, stationné dans une cour, à l'abri de la police, il l'attendait. Leur voyage fut sans incident.

Il proposa qu'on passe une journée comme les autres, à faire de la peinture, à faire l'amour et à s'amuser à chanter des airs de la bonne chanson en s'accompagnant à l'harmonium.

Ce furent des heures joyeuses et que, même l'ombre de son départ imminent, ne put atteindre. Il fallait néanmoins s'en parler et pour cela, il la conduisit dehors sur la galerie d'en arrière où ils prirent place dans les marches. Là, il lui prit la main d'une façon qui exprimait autre chose que l'art, que la sensualité ou que l'amitié. C'était de la tendresse tout simplement.

– On sait jamais, monsieur Georges pourrait passer par

là. Ou les Dulac pour aller à la chasse. C'est un risque à prendre. Mais on a pris des risques ensemble et j'ai ben aimé ça. On a frôlé le danger. On a défié le bon Dieu lui-même et j'ai aimé ça. On a déjoué le curé et j'ai aimé ça. On a réussi à cacher à la terre entière, excepté à Pit Poulin, ce qui nous rattache et j'ai aimé ça... Je me demande si l'amour, c'est pas tout ça réuni. Regarder les mêmes choses et aimer ça ensemble. Faire les mêmes choses et les aimer ensemble.

Rose portait un chandail noir et une robe à petites fleurs rouges sur fond beige. Une casquette d'homme sur la tête, peu maquillée, elle se montrait pour la première fois pas loin de son naturel. Et ça n'empêchait pas l'homme de lui dire des mots doux et réconfortants qui l'atteignaient droit au cœur.

– Pis comme ça, le rêve va finir pis va falloir que je me réveille, dit-elle au bout de ses fleurs en phrases murmurées.

– Le système qu'on appelle l'establishment est plus fort que les individus. Je pourrais t'en conter ben plus que t'en sais et je le ferai plus tard quand je reviendrai te voir ou que je t'écrirai.

– Je voudrais ben savoir si le curé sait qu'on s'est vu plusieurs fois, toi pis moi ?

– C'est pas son avantage d'en parler.

Il lui raconta la réaction de Marie la veille et cela injecta à Rose une forte dose d'adrénaline.

– Si la petite veuve a autant de volonté, il doit y avoir quelque chose à faire dans ce cas-là pour que le curé te laisse vivre en paix par icitte...

– C'est certain qu'il y a quelque chose à faire : je verrai Lucien Boucher ces jours-ci. On verra bien... Mais c'est une force féminine qu'il faudrait pour s'opposer à celle du curé... Toi, Rachel, Ti-Noire, Solange pis Marie, vous devriez former une sorte de comité...

La femme n'y tenait plus; elle se leva et lança un poing vers le ciel en disant :

– C'est ça qu'on va faire, mon ami, c'est ça qu'on va faire. Je vas leur en parler moi-même pis on va se réunir à l'école à Rachel pas plus tard que cette semaine. Une femme décidée, ça peut aller ben plus loin qu'un homme. Cinq femmes décidées, ça peut aller plus loin que cinq cents hommes.

Germain sourit. Il savait qu'il approchait du but.

– On va mobiliser du monde, faire signer une pétition, écrire à l'évêque, à des journalistes qui ont du front comme le petit Lévesque qui a couché chez nous durant les apparitions. C'est le temps que les femmes s'unissent pour combattre les Hitler de paroisse...

L'homme continua de sourire et les couleurs de l'automne et de la femme s'inscrivaient en flammèches au fond de son regard... Peut-être qu'il n'aurait pas à s'en aller après tout... Le cas échéant, il devrait en dire plus long sur son passé.

Et pourrait-il continuer de combattre ce sentiment particulier qui grandissait trop vite dans son âme et l'attachait plus à une de ces cinq femmes qu'aux quatre autres ?

Rose pensa tout haut :

– Peut-être que t'auras pas à t'en aller après tout...

***

Chapitre 3

Assis derrière son bureau, rejeté en arrière sur sa chaise à bascule, le curé réfléchissait. Et il regrettait son attitude de ces derniers temps dans le dossier de la séparation de la paroisse et dans celui de Germain Bédard, ce diable d'homme qui semblait prendre un malin plaisir à le provoquer. Dans un cas comme dans l'autre, il s'était laissé emporter par les émotions, et les résultats se faisaient de moins en moins reluisants pour lui. Les séparatistes avaient gagné leur référendum et voici que le jeune étranger semblait vouloir s'incruster dans cette demeure isolée qu'il avait louée des Boutin. Les menaces ne lui faisaient pas peur. Le fantasque !

L'homme rejeta une poffe de fumée vers l'horloge. Le bouquin de sa bouffarde claqua entre ses dents, ce qui l'aidait à mieux ruminer. Il se tramait des choses... Marie-Ange Boutin lui avait téléphoné pour lui révéler certains faits inquiétants qu'elle avait grignotés dans le nez de sa fille à force d'y fouiller.

Tout d'abord, la femme s'était montrée désespérée de ne pas pouvoir déloger l'oiseau Bédard de son nid. Il y avait un papier signé. Une sorte de bail. La loi était du côté de leur locataire. Et puis une réunion aurait lieu ce soir-là à l'école le Rachel Maheux. Une dizaine de personnes y seraient dont Lucien Boucher et Rose Martin. "Deux êtres de division !" avait maugréé le prêtre sans toutefois le répéter à Marie-Ange qui, n'ayant pas saisi les mots, avait demandé à les entendre de nouveau.

Il fallait qu'il sache les noms de toutes les personnes se trouvant là-bas. Peut-être même s'y rendrait-il pour empêcher une sorte de noyau anticlérical de se former. L'apercevant, les plus faibles courberaient l'échine et quelque malicieux projet de zizanie serait étouffé dans l'œuf pour le mieux-être de la paroisse.

Mais pas de colère, pas de colère, surtout pas de colère !

Et chaque fois qu'il s'en répétait l'idée, l'homme expulsait de sa bouche une petit nuage de fumée qui sortait rond puis se déformait dans l'air ambiant, chaud et humide.

Il murmura tout haut pour lui-même : "De la diplomatie, Thomas, de la diplomatie !"

C'est alors que le téléphone sonna. L'abbé posa sa pipe dans un cendrier sur le bureau et se rendit de son éternel pas lourd à l'appareil mural. La voix au bout du fil devait lui apparaître providentielle, quasiment une intervention divine. Dans son enquête sur Bédard, en un moment inspiré, il avait logé un appel au Séminaire de Sherbrooke; mais le personnage en autorité qu'il avait alors demandé en ligne était parti pour Rome. Voici qu'au moment le plus opportun qui se puisse imaginer, il donnait suite à cet appel. Il s'identifia comme monseigneur O'Bready et fit au curé Ennis une révélation à faire dresser les cheveux clairsemés qui restaient encore sur sa tête :

"Un certain Germain Bédard a fait son séminaire chez nous. Élevé au sacerdoce en juin 1947, il fut aussitôt nommé vicaire à Windsor. Moins de deux ans plus tard, il défroquait suite à un scandale à caractère honteux... impliquant deux de ses paroissiennes. S'il se trouve dans votre paroisse, je vous conseille la plus grande vigilance..."

Le curé contint pourtant sa colère. Il retourna au calme d'un fauteuil de cuir en biais avec son bureau et parla à son alter ego invisible qu'il voyait installé dans la chaise à bascule :

– Tu vas conserver tous tes moyens, mon cher curé. Qu'il te suffise de te rendre à la réunion clandestine, de prendre à part ce Martin Luther et de lui faire savoir que tu sais tout sur lui... et de lui dire que s'il s'en va sans faire de bruit, tu vas garder le secret... Voilà ce que tu dois faire...

Soudain, le vicaire entra dans la pièce en coup de vent, soutane à l'équerre, joues rougies par un effort important, un bégaiement énervé dans la bouche :

– Le feu... la boulangerie... que les pompiers viennent vite ou la grange y passe et ensuite le presbytère... et du presbytère à l'église, ça serait rien pour le feu de sauter...

Le curé sauta sur ses jambes :

– Qu'est-ce que vous attendez, vous, pour appeler les pompiers ? Le téléphone est là.

– C'est déjà fait : ils s'en viennent.

– Pourquoi me dites-vous de les appeler ?

– J'ai dit ça, moi ?

– Ah ! tassez-vous de mon chemin, s'il vous plaît !

Et le curé se précipita vers la porte arrière où sitôt rendu, il aperçut une colonne de fumée s'élever au-dessus de sa grange tandis que des autos et des gens à pied accouraient vers la boulangerie sise juste à côté de la longue bâtisse verte à comble français. Par chance que tous les animaux se trouvent dans le champ de pacage à cette époque de l'année, pensait-il en descendant les marches de l'escalier extérieur.

Deux sons familiers lui parvinrent alors. D'abord, la sirène des pompiers lui disant qu'on s'en venait avec la pompe à feu tirée par un vieux camion qui ne démarrait pas toujours par temps froid. Puis la voix pointue de Bernadette Grégoire qui le hélait alors que la femme accélérait son pas claudiquant pour le rattraper :

– Mon doux Seigneur, dépêchez-vous, monsieur le curé, autrement, on aura une rôdeuse de conflagration !

– Suis pas pompier...

– Vous êtes cent fois mieux qu'une pompe à feu avec vos médailles miraculeuses bénies par le pape Pie XII, là, vous.

– De l'eau, c'est bon aussi pour éteindre un feu.

Elle le rattrapa en courant :

– En avez-vous sur vous toujours ?

– Oui, quelques-unes... j'en ai toujours sur moi, tu penses bien, Bernadette.

Sur le bref parcours les conduisant près de la boulangerie, le prêtre fut peu loquace avec la sœur du marchand; c'est qu'en lui-même, il se désolait à propos de tout ce qui manquait au village : un aqueduc municipal, un vrai camion à incendie, une caserne de pompiers... Mais voilà que cette division de la paroisse viendrait tout remettre en cause, tout retarder. Le village tout seul n'avait pas les moyens financiers pour tout ça. Ah ! ce Lucien Boucher, s'il s'était donc mêlé de cultiver sa terre et rien que de ça ! Ernest Maheux pour justifier son appui à la cause de la séparation avait osé lui dire la veille : "Maudit torrieu, ça va être ben mieux, y aura pus les conseillers des rangs pour faire opposition, pis le village asteur va pouvoir se creuser un aqueduc sans demander la permission à parsonne'..."

– Avec quel argent quand la moitié des villageois sont des rentiers gratte-la-cenne et fesse-mathieu ? murmura le curé pour lui-même en arrivant parmi les curieux qui formaient un arc de cercle autour de la maison dont les fenêtres laissaient échapper des flammes, ce qui annonçait un dangereux brasier dans pas plus d'un quart d'heure à moins d'une intervention solide et conjointe des pompiers et du ciel.

Un homme bedonnant et moustachu, le boulanger blanc, s'approcha et Bernadette aussitôt le questionna :

– C'est qu'il se passe donc, monsieur Aurèle ?

Devoir répondre devant pareille évidence agaça le personnage au visage sympathique :

– Tu le vois donc pas ? Y a le feu dans la boulangerie

Et au curé, il avoua, déconfit :

– C'est de ma faute : j'ai trop chauffé le four à pain...

– C'est pas de ta faute : t'as pas fait exprès pour mettre le feu, Aurèle. Ça fait que dis pas des choses pareilles ! Pourvu que les pompiers protègent la grange à côté !

– Ils arrivent justement, dit Bernadette que l'événement survoltait, elle comme plusieurs autres d'ailleurs.

Parmi les badauds se trouvait Germain Bédard. Il conversait avec le Blanc Gaboury qui, après un récent alitement, entrait dans une autre phase de rémission de sa maladie. L'espace d'un court instant, le curé cessa de voir le feu pour le péter. Moins à cause du Blanc qu'il trouvait bien trop stoïque devant la mort et si peu pieux pour un tuberculeux, qu'en raison de ce qu'il venait d'apprendre sur ce démon étranger par la bouche même de monseigneur O'Bready.

"Je vous enverrai tous les diables en un seul homme," avait menacé Rioux, le pécheur non repentant. Jamais plus qu'en cet instant, cette imprécation de l'homme chassé n'avait pris tout son sens...

Le prêtre n'eut pas à fendre la foule : on lui livrait passage et pendant que les pompiers, en courant, déroulaient les boyaux, les uns vers la boulangerie et les autres vers le puits à côté de la cour du couvent, le curé interpellait l'étrange duo formé d'un défroqué amoral et d'un mort-vivant sans moral, deux êtres défiants :

– J'imagine qu'on doit se rire de la mort et de la vie quand des lurons comme vous deux se rencontrent, fit le prêtre avec un sourire plein d'assurance et d'ironie, et faussement engageant.

Rendu doublement méfiant par cette apostrophe trop affable, Bédard répondit du tac au tac :

– L'enfer, c'est nous autres.

– Ah ! je vois qu'on a lu certains auteurs à l'index... Mais ce n'est pas pour parler de Sartre que j'ai affaire à vous, monsieur Bédard, mais pour vous parler de... Chiniquy... si ça vous intéresse d'en parler, bien entendu ?

Cette fois et pour la première, le curé avait touché de son sabre aiguisé le talon d'Achille de cet étranger arrogant qui n'était plus le bienvenu en cette paroisse et ne l'avait jamais été non plus de toute façon. Et il s'en rendit compte par la réaction du jeune homme. Le Blanc Gaboury, pendant ce temps, se retirait de quelques pas pour les laisser parler et suivre les événements brûlants qui avaient cours.

Bédard analysa rapidement la situation. Continuer de livrer bataille au curé, tandis que la population saurait qu'il était lui-même prêtre mais défroqué et banni de l'Église catholique, c'était perdu d'avance. Personne ne se rallierait à lui, pas même le forgeron Ernest Maheux ou le cultivateur Lucien Boucher, ses meilleurs alliés jusque là, et encore moins les cinq femmes qu'il savait subjuguer...

– Je dois... comprendre que... votre recherche sur moi... a donné des résultats...

– Que je me propose d'annoncer d'ailleurs à l'assemblée que vous avez convoquée pour ce soir, je crois, à l'école de la Grand-Ligne.

Bédard fit la moue et demanda doucement :

– Donnez-moi un mois que je finisse de prendre mes notes pour ce livre que je prépare...

– Sept jours...

– Deux semaines ?

– Cinq jours...

– Vous négociez à rebrousse-poil...

– Trois jours...

– Bon... mais je ne partirai que si vous gardez le secret pour vous...

– Accordé, mais pas une heure de plus...

Bédard s'adressa au postillon du roi qui l'emmènerait le jour de son départ :

– Blanc, viens un peu ici... Écoute, Blanc, monsieur le curé aimerait bien savoir quel jour je partirai de la paroisse, vas-tu pouvoir le lui faire savoir ?...

L'autre s'étonna. Son regard bleu brilla au fond de leurs orbites bistrées :

– Quoi, tu t'en vas à demeure ?

– Comme dirait Ti-Noire Grégoire : j'ai mieux à faire ailleurs.

– Ça, j'en doute pas, dit le curé. Mais n'as-tu pas une automobile, toi-même ?

– Vous le savez que j'ai pas le droit de circuler faute d'un permis. Je reviendrai avec quelqu'un pour la prendre en même temps que Dal Morin prendra mes meubles.

– Tout est bien... qui finira bien !

Bernadette vint les interrompre :

– Monsieur le curé, monsieur le curé, qu'est-ce que vous attendez pour aller mettre vos médailles entre la boulangerie pis la grange; autrement, on aura une conflagration comme en 1916... Regardez-moi donc ça sortir par les châssis de la boulangerie, là, vous... Tiens, monsieur Bédard, finalement, les avez-vous eu les parfums que vous vouliez de madame Rose ?...

– Oui... et non... Mais les parfums de rose sont disponibles un peu partout, vous savez, Bernadette...

Blanc insista :

– Je vas le dire, que t'es parti, à l'aveugle Lambert... Il va au presbytère porter la malle tous les matins pis tous les soirs... il le répétera à monsieur le curé...

Mais le curé prêtait à peine l'oreille. Il réunissait en sa tête tous les arguments en faveur d'une action à prendre par lui contre l'incendie. Les gens l'épiaient, s'attendaient à son intervention pour sauver la grange. Il se fiait à la grande valeur des pompiers que dirigeait de sa main de maître leur chef, Lucien Bellegarde. Dans sa tête, il jaugea même la profondeur de son puits qu'alimentaient non seulement d'importantes veines d'eau mais aussi la nappe phréatique. Et puis les gens qui sont enclins à crier au miracle ne crient jamais à l'absence de miracle. L'occasion était donc en or de faire une démonstration du pouvoir surnaturel pour ainsi remporter une victoire totale sur ce Germain Bédard qui représentait les forces du mal et du désordre. Et puis peut-être qu'il existait, ce pouvoir, après tout. Comment expliquer que Bernadette lui demande d'agir au moment le plus opportun de le faire ? Inspiration du ciel et pourquoi pas ?

Il fouilla dans sa poche de ventre, retira sa montre, fouilla plus à fond et trouva quelques médailles qu'il mit dans sa main gauche puis qu'il bénit de sa droite après avoir remis sa montre à sa place. Tout ça devant le nez et la barbe de Bédard qui se contentait d'un sourire narquois. Puis, solide et fier, il se mit en marche comme le général MacArthur sur les plages de Guadalcanal, pipe de blé d'Inde en moins, vers l'espace séparant l'extrémité de sa grange et le mur de la bâtisse sinistrée.

En le voyant, la foule devint muette et entra dans une sorte d'ébahissement respectueux.

Le sacré devait s'exprimer avant les boyaux. Le prêtre fit à Lucien un signe que l'homme comprit. On retint l'eau le temps que le curé essaime ses médailles tout le long de la clôture, ce qui prit au plus quarante-cinq secondes.

Alors même qu'il revenait auprès des pompiers, les vitres d'une fenêtre volèrent en éclats et un paquet de flammes émergea aussitôt.

– Mon doux Seigneur, un peu plus et monsieur le curé se faisait tuer par les morceaux de vitre, dit Bernadette en se signant pour rendre grâce à Dieu d'avoir protégé le pasteur.

Mais le ciel en ferait-il autant avec la grange ?

– Un boyau va arroser le mur de la grange pis l'autre le mur de la boulangerie, annonça le chef des sapeurs qui avait deviné la pensée et le souhait du curé.

– C'est évident : la bâtisse est finie et il n'y a aucun danger pour les maisons de l'autre côté.

Le Blanc dit à Bédard sur un ton gouailleur :

– Pour moi, on va avoir droit à un miracle.

Germain commenta, songeur :

– Faut bien dire qu'il est fort, ce curé-là... un homme très brillant qui mérite admiration malgré tout...

– Tu me dis pas que tu crois que c'est lui pis ses médailles qui vont empêcher le feu de se propager.

– D'une certaine manière, oui, j'y crois, ouais...

– D'une certaine manière ?

– D'une certaine manière...

*

La boulangerie fut rasée. Pas un seul bardeau de la grange ne fut même roussi.

Avant la fin du feu, mais alors que sa conclusion lui paraissait déjà évidente, Bédard quitta les lieux et, sachant que l'attention du village était toujours retenue par l'événement, il en profita pour rendre visite à Rose chez elle.

Tout d'abord, il parqua sa voiture derrière le hangar du magasin général et marcha à travers les herbes hautes qui poussaient en abondance des deux côtés de la décharge du village. Il contourna la maison de Bernadette par l'arrière pour arriver enfin à la hauteur de celle des Jolicœur où habitait la femme séparée avec cette vieille dame dont elle prenait soin et que la lucidité désertait au su de tous.

Seul Armand Grégoire aurait pu l'apercevoir depuis son camp, mais il l'avait vu lui aussi sur les lieux de l'incendie. Restait Pit Veilleux en train de faire des travaux sur la terre à Freddy pas loin...

Et puis quelle importance qu'on le surprenne à visiter Rose par l'arrière de sa maison, puisque dans trois jours, il aurait transporté ailleurs ses pénates. C'est ce qu'il se rendait annoncer à cette femme, la seule de cette paroisse qui avait été sa maîtresse même si quatre autres l'avaient visité chez lui à quelques reprises et s'il en avait vu certaines chez elles assez souvent : Marie la veuve, Ti-Noire la sensuelle, Solange la peureuse et Rachel la raisonneuse.

– Laquelle aimes-tu de nous cinq ? lui demanda Rose, la seule à tout savoir de ses rendez-vous clandestins. Du vrai amour ?

–Toi.

Ils étaient assis de chaque côté de la table du salon que garnissaient les produits de beauté vendus par Rose, elle sur un fauteuil et lui sur le divan long.

– Que tu préfères une jeunesse comme la Ti-Noire ou Rachel ou Solange, ça dérangerait pas gros la femme de cinquante ans que je suis, hein !

– Ça, je le sais bien. Et c'est pour cette raison que je te dis la verité.

Elle se leva et contourna la table, et se mit debout devant lui qui resta assis :

– Pis qu'est-ce que tu me trouves à part le plaisir que je suis capable de donner à un homme, hein ?

Rose portait une robe fleurie à tons bleus, serrée sur elle, aux hanches, à la taille, au buste, et assez décolletée pour que pigeonnent ses seins volumineux. Elle avait envie du jeune homme en sachant qu'elle n'aurait sans doute plus jamais la chance et l'agrément d'être prise par lui.

– C'est déjà beaucoup, dit-il en promenant son regard sur sa personne pulpeuse.

– Une femme veut se sentir aimée pour plus que ça.

– Pas toi. Toi, c'est ça d'abord et le reste importe peu... ou pas tant que ça. Pour un homme, quel que soit son âge, y a pas mieux qu'une femme dans la cinquantaine... Elle est capable de dire oui sans arrière-pensée, sans toujours essayer de négocier quelque chose, et c'est à cause de cette sensualité devenue vraie qu'elle peut attirer les hommes comme le sucre les fourmis... Avant, même si le fruit est beau, il n'est pas juteux ni sucré parce que pas assez mûr encore...

Elle prit sa tête et la colla contre son ventre :

– Tu viens me dire que t'as pris la décision de partir pis tu me dis pas ce qui t'a fait changer d'idée ? Ces jours icitte encore, tu disais que personne te délogerait de ta maison avant que ton heure soit venue de t'en aller...

Il se glissa contre elle en se mettant sur ses pieds :

– À part le curé, tu seras la seule à savoir. C'est que je suis un prêtre moi-même, un défroqué.

Elle ricana et ne parut pas trop étonnée :

– Pis après ? Ça te rend plus... plus fascinant, c'est tout.

Ils s'étreignirent pour continuer l'échange :

– En révélant le secret, ça donnerait une grande force au curé pour me faire isoler par tout le monde. Et isolé, je ne peux rien obtenir d'eux.

– De quel besoin as-tu donc d'eux autres ?

– Je veux les gens à leur naturel le plus possible. Quand ils sauront que je suis un Chiniquy comme m'appelle le curé, ce sera fini, ils ne voudront plus rien savoir. Non, les carottes sont cuites et je vais m'en aller avec les notes que j'ai déjà sans qu'une réalité nouvelle et déformante ne vienne me pousser à les altérer. Louis Hémon est resté quelques mois seulement à Péribonka en 1913 et ça lui a suffi pour écrire un roman qui a fait le tour du monde... un chef-d'œuvre...

– Quel livre ?

– Maria Chapdelaine.

– Ah! Maria Chapdelaine, ben oui, y avait un programme au radio sur elle. C'est pas une vraie histoire ?

– Non, c'est un roman.

– Comme ton livre ?

– Comme mon livre.

– Pis tu vas jamais revenir par icitte ?

– Non... pas plus que Louis Hémon est jamais retourné à Péribonka parce qu'il est mort dans un accident de train à l'âge de trente ans.

– T'es pas obligé de faire comme lui.

– Les racines, c'est ce qu'il y a de plus vrai pour chacun, pis les miennes sont ailleurs. C'est pire encore pour quelqu'un qui écrit des livres : il est toujours rappelé par la terre natale. Le son de la cloche de son église reste toujours là, dans sa tête, à tinter et à lui dire sans jamais s'arrêter de revenir chez lui...

– Pis moi, j'pourrais le prendre, le train, pour aller te voir où c'est que tu seras...

– Ton avenir, c'est ici; le mien, c'est autre part.

– Je trouve ça de valeur, moi, que tu tiennes pas tête au curé. Je l'ai fait moi, dans mon histoire de séparation pis j'ai gagné. Une femme séparée de son mari, c'est le pire cas... Je pensais qu'il pourrait me nuire à propos de ma clientèle pis... il a pas dit un mot à personne contre moi.

– T'es pas une étrangère : t'es venue au monde dans la paroisse. T'as ce qu'on appelle des droits acquis. De toute façon, t'es plus enracinée ici que le curé lui-même qui vient d'ailleurs tout comme moi.

La femme soupira :

– Ah! les prêtres !

– J'en fus un, oublie pas...

– Dire que y a du monde pour te prendre pour le diable...

– C'est pas dit que je le suis pas, hein !

– D'une manière, le curé aura gagné sur moi itou en te chassant de la paroisse, sauf qu'il le sait pas...

– Il défend son monde du mieux qu'il comprend tout ça,

lui. J'ai lutté contre lui, mais je ne suis pas amer d'avoir perdu la bataille.

Bédard se dégagea pour s'écrier, levant les bras au ciel :

– Mais maudit que j'lui ai donné du fil à retordre !

– D'abord que ta machine est à l'abri derrière le punch à Freddy, tu devrais rester jusqu'à la noirceur.

Il lui fit un sourire complice :

– On pourrait faire un petit chef-d'œuvre...

– Une dernière toile.

Une voix pointue entrée par la moustiquaire de la porte les interrompit :

– Rose, Rose, il est arrivé un miracle, tu me croiras pas... Mon doux Seigneur...

Et Bernadette ne se fit pas inviter pour ouvrir la porte et entrer. Les amants eurent à peine le temps de se dégager d'un pas.

– Monsieur Bédard, j'savais pas que vous étiez icitte, là, vous. Ah! mais vous le savez, ce qui s'est passé au feu. Le curé a posé des médailles : un vrai coupe-feu. Pas un bardeau de sa grange a été touché. Tout le monde le dit : un vrai miracle... Pis vous, vous avez eu le parfum que vous vouliez toujours ?...

– Ben... non... Les parfums de rose, c'est fini, malheureusement.

Rose comprit l'allusion et renchérit :

– Je lui montrais autre chose pour le cadeau qu'il veut faire.

– Ah! si c'est pour un cadeau, vous pouvez toujours prendre autre chose, dit Bernadette avec un clin d'œil et un rire à trois notes.

Bédard ouvrit grand les yeux :

– Oui, un vrai miracle ! Pas comme ceux du cap à Foley...

– Ben... faut pas rire des apparitions de la sainte Vierge : y avait peut-être du vrai au fond de tout ça... malgré que si c'était un tour du petit Maheux... Ah! il est donc venimeux, celui-là. On l'aime ben pareil. Pis il est si beau ! L'autre est un peu moins beau avec ses oreilles décollées, mais le Gilou, lui : un vrai petit chérubin comme dit souvent Ti-Noire.

– Là, il serait en amour avec la petite Paula Nadeau.

Bernadette éclata de rire :

– Non !... Arrêtez-moi ça, là, vous ! Tomber en amour à neuf, dix ans : si ça a du bon sens. Bah ! pis pourquoi pas, hein ? On est en 1950 : c'est plus le temps de la crise. Qu'est-ce que ça va être dans cinquante ans d'icitte ? Ça va se marier la couche aux fesses... Les enfants vont se changer de couche pis en profiter pour changer la couche de leur bébé...

La femme s'étouffait de rire et frottait une de ses jambes contre l'autre comme pour se retenir de quelque chose.

Les deux autres riaient de la voir rire. Bédard dit :

– En plus qu'avec l'arrivée de la télévision, le monde va changer.

Bernadette redevint sérieuse :

– Hein ? Comment ça ?

– Ça fait deux ans déjà aux États-Unis... La télévision, ça sera comme si... la sainte Vierge entrait chaque soir dans nos salons. On va se prosterner devant elle. C'est commencé aux États... Pis les enfants, ils vont en savoir pas mal plus long pas mal plus jeunes, hein !

– Arrêtez-moi ça, là, vous; j'disais ça pour rire. Vous me faites peur, là, vous. Remplacer la sainte Vierge par la télévision : ça serait de l'hérésie pure...

– De l'hérésie cramoisie, dit-il avec un clin d'œil.

– Oui, certain !

Et elle rit encore tandis que Rose souriait, l'air absent.

– Qu'est-ce que tu penses de ça, toi, Rose ?

– De quoi ?

– Ben... de l'avenir, de la télévision pis tout le reste ? Les enfants qui tombent en amour...

– Pour le temps que ça dure, l'amour, de nos jours...

Bernadette fut prise de court. Elle prenait conscience du fait que Rose était une séparée sans savoir que son allusion avait été faite à la fin de son aventure avec Germain, son jeune amant qui s'apprêtait à s'en aller à tout jamais.

– Ça y a rien qui dure toujours, excepté le bon Dieu.

– J'ai une nouvelle à vous annoncer, mademoiselle Grégoire, et vous ne la révélerez à personne avant trois jours, dit Bédard. Je quitte la paroisse pour retourner d'où je viens dans le bout des Bois-Francs.

– Vous me dites pas ? demanda la femme avec des yeux démesurément agrandis. Ah! je l'ai su, que monsieur le curé veut que tu partes, mais c'est à cause du référendum; dans quelques jours, il va se calmer. Après tout, c'est pas la mort, ça, la 'séparâtion' comme dit Ernest. C'est de valeur, moi, je trouve, que ça arrive de même, mais on va continuer à cultiver nos jardins. Moi, j'ai voté contre, mais les gens ont voté pour. Mais ça, j'suis accoutumée d'être battue : je vote toujours contre Duplessis depuis que j'ai le droit de vote et je perds à tout coup. J'ai perdu en 44, en 48 pis j'vas perdre en 52. Hein, mais c'est la Ti-Noire qui va prendre ça dur que tu partes : elle t'haïssait pas pantoute, tu sauras, Germain Bédard. Mon doux Seigneur que j'suis pas polie : j'suis en train de vous dire *tu* gros comme le bras, là, moi...

– J'aime mieux de même.

– Coudon, Rose, es-tu venue te chercher de la rhubarbe finalement ? J'en ai une avalanche dans mon jardin c't'année...

– Oui, une fois ou deux.

– Tant mieux ! Bon, je vas m'en retourner...

– Et bouche cousue sur mon départ, là...

– Ah! c'est pas moi qui colporte les mauvaises nouvelles, craignez pas, là, vous.

Bédard lui tendit la main avant qu'elle ne parte; la femme en fut étonnée. Elle y répondit avec la sienne. Il la serra :

– Je vais me rappeler de vous comme de la personne la plus extraordinaire de cette paroisse.

Avec un petit rire malaisé, elle bredouilla :

– Hein ? Pourquoi... comment ça... voyons donc... moi ?

– Généreuse, joyeuse, pieuse, travailleuse...

– Pis pas trop venimeuse pis courailleuse...

Elle entra dans une autre cascade de rires et sortit. Les amants purent l'entendre crier :

– Monsieur Lambert, attendez-moi, j'ai une nouvelle vous dire, ah! une ben grosse nouvelle...

– Elle ne se doute de rien à notre sujet, j'espère ?

– Elle dirait rien même si...

Il s'empara de sa maîtresse et leur baiser fut long, lent passionné, et l'appel de la chair ne pouvait être contenu.

– Monte à ma chambre. Je vas jeter un coup d'œil à ma dame Jolicœur pis je te rejoins. Si t'as le goût de prendre un bain, fais couler l'eau, on le prendra ensemble.

Il écarquilla les yeux :

– Oh, oh, on va prendre ça chaud aujourd'hui ! Et si mademoiselle Bernadette revenait ?

– Elle va pas monter au deuxième. Et pis j'pense que ça te dérangerait pas plus qu'il faut, hein !?

Elle se tourna pour aller vers la cuisine. Il la rattrapa dans l'ombre au pied de l'escalier. Elle s'arrêta. Il glissa ses mains autour de sa taille puis enveloppa la poitrine abondante de ses mains fébriles :

–Je reviendrai peut-être une fois de temps en temps quand... la soif sera trop grande...

– Tu pourras me boire à ton goût... tant que tu voudras...

**

Chapitre 4

Ceux qui avaient été convoqués, invités, n'étaient pas tous là. Rose et son amant s'étaient fait leurs adieux au bain et au lit. Il lui avait demandé de ne pas se rendre à la réunion à l'école de Rachel puisque de toute façon, sa décision était maintenant irrévocable.

Ils étaient là, l'air un peu ridicule, assis à des pupitres d'écolier bien trop petits pour eux.

Marie-Ange Boutin avait eu tout le mal du monde à glisser son opulente personne entre la table et le dossier, et sa poitrine aux airs de miches de pain blanc que révélait le décolleté de sa robe, occupait tout l'espace de la surface de bois penchée devant elle.

Son mari avait pris place au pupitre voisin. Il était le seul des treize personnes présentes à ressembler à un petit gars de quatorze ans redoublant sa septième année. Tout ça le dépassait. Sur l'insistance du curé puis de sa femme, il avait dû demander à Bédard de vider sa maison; et voilà que le couple assistait à une réunion visant à faire reculer le pasteur de la paroisse. Il ignorait que sa Marie-Ange avait des visées pour sa fille Solange et à propos de ce bel étranger qu'elle aurait voulu pour gendre à la condition qu'il rentre dans le rang. Le rang paroissial incluant un grand respect du presbytère. Il ignorait aussi que sa femme rêvait qu'on vende la terre et qu'on aille s'établir au village où, dans son imagination fertile, elle le voyait bedeau pour longtemps en remplacement de Gus Martin qui ne saurait tarder à céder sa place vu son âge et sa santé.

Un autre qui avait dû se contorsionner la bedaine pour s'introduire sur le banc d'un pupitre était Freddy Grégoire, le marchand général. Venu à la demande insistante de sa fille Ti-Noire, il avait la ferme intention de se taire et sûrement de ne pas prendre position en tant que maire par intérim, ce qu'il serait pour toute la paroisse quelques semaines encore en attendant l'officialisation de la séparation puis seulement pour le village jusqu'au mois de novembre. Venu en voiture fine, son cheval broutait des restants jaunis d'herbe maigre dans la cour de l'école.

Il ne manquait plus que Germain Bédard.

Rachel se rendit une fois de plus à la fenêtre pour le voir venir et avertir l'assistance si son auto devait apparaître sur la Grande-Ligne. Encore rien.

– Il m'a dit que le spotteur le surveille, clama une voix dans son dos. Peut-être que Pit Poulin l'a arrêté ?

– Bah! il est en retard de cinq minutes, pas plus.

Ti-Noire demeura là, appuyée elle aussi sur la tablette du châssis, à jaser avec son amie et voisine.

– Peut-être qu'il est allé chercher madame Sirois ?

– C'est vrai : elle est pas arrivée, elle non plus.

On finissait ces mots quand apparut au loin sur la route grise la silhouette familière de Marie, pédalant de toutes ses forces comme pour rattraper son retard; mais c'était son habitude de se déplacer ainsi à train d'enfer sur sa bicyclette, même quand elle avait une petite passagère avec elle, une de ses quatre filles: Yvonne, Annette, Émilie, Cécile.

– Je te dis qu'elle a des bonnes jambes, celle-là!

– Quand on pédale comme elle pédale tous les jours excepté en plein hiver...

À l'arrière de la classe, Lucien Boucher jonglait plus qu'il ne participait à la conversation engagée entre Dominique Blais et Fortunat Fortier, et à laquelle Ernest Maheux tâchait de se mêler quand il le pouvait.

C'est que la vie n'était plus pareille chez Lucien. Quelque chose de sournois s'était introduit dans sa demeure au cours de la campagne référendaire. Quelque chose qu'il n'arrivait pas à définir. Une ombre. Une menace. Un fantôme. Qu'était-ce donc ? Sa conscience lui disait-elle que la séparation de la paroisse nuirait plus qu'elle n'aiderait les citoyens de Saint-Honoré ? Qu'était-ce ? Les enfants pourtant allaient tous très bien. Sa femme aussi. Était-ce en lui-même que les choses avaient changé ? Un sixième sens l'avertissait-il de quelque malheur à venir ou bien s'agissait-il simplement et tout au plus de fatigue accumulée par trop d'activités concomitantes ?

Parfois, quand une réplique de Fortunat provoquait le rire de Dominique, Lucien adressait à son épouse, assise au pupitre voisin, un sourire qu'elle comprenait et accueillait comme une fleur discrète. Elle aussi sentait qu'un insondable péril avait envahi la demeure familiale; elle non plus ne savait pas le cerner pour l'identifier et le chasser.

C'était une femme plutôt petite, délicate, aux traits fins, blondine et peu expressive, au contraire de son mari à la couette hitlérienne et aux sourcils larges et noirs comme le charbon d'Ernest. Ils étaient venus en automobile, une Plymouth 47 que l'homme aimait cirer et ouatiner pour la faire reluire et la stationner fièrement le dimanche, au bord de la terrasse près de l'église, afin que toute la paroisse puisse s'y mirer et l'admirer comme évident instrument de bonheur.

Un homme d'allure timide tout de brun vêtu apparut dans la pièce, venu du vestibule d'entrée. Le dos voûté, il avança d'un pas à ressorts sans saluer personne et se rendit prendre place à un pupitre isolé des autres, et il s'y terra comme s'il s'était senti puni, coupable de quelque chose. Peut-être des souvenirs d'enfance revenaient-ils écraser sa conscience ? Une maîtresse matrone avait-elle tourné à l'envers le manteau de sa personnalité par des punitions et des reproches humiliants ?

– Bonjour, monsieur Fecteau, vint lui dire Solange Boutin, délaissée par Ti-Noire un moment plus tôt, et qui connaissait fort bien ce deuxième voisin de chez elle.

– Quen, salut, toi ! Qu'est-ce tu fais icitte ?

– Invitée avec mes parents.

– Ah ! ben oui, Ti-Georges est là... Moé, j'sus venu, mais j'sais pas trop pourquoi, là...

– C'est pour former un groupe en faveur de monsieur Bédard, pour faire signer une pétition pour qu'il reste dans la paroisse.

– Bédard ? Quel Bédard ? Ah ! Bédard *l'djiable* qui reste dans la maison à Polyte ? Ah ! je l'haïs pas plus qu'un autre.

– Qui c'est qui vous a dit de venir ?

– Une lettre que j'ai eue dans la malle. Pas signée. J'ai pensé qu'ils avaient oublié de signer ça. Pensé que c'était mieux que je vienne, tu crés pas ? J'sus venu à pied; j'ai passé amont le trécarré pis au travers des terres.

L'échange se poursuivit. Solange revint à l'objet de la rencontre et ajouta aux arguments déjà discutés avec Germain dans sa lutte avec le presbytère.

Enfin, la vieille auto de Bédard parut sur la route au loin, suivie d'un léger nuage de poussière. Le jeune homme conduisait toujours avec un excès de prudence à vitesse fort limitée. À ce moment, Marie Sirois entra dans l'école. Sitôt qu'elle parut dans l'embrasure de la porte, Dominique la salua bruyamment :

– Quen Marie, il manquait rien que toi. Avance, viens nous voir un peu.

D'un geste de la main à peine esquissé, elle salua son patron, un homme qui l'avait sauvée du naufrage après la mort de son fils récemment. Puis elle poursuivit son chemin jusqu'à Ti-Noire et Rachel.

– Madame Rose doit venir avec Germain, dit l'une.

– Ça se peut, dit l'autre.

Il n'y avait aucune animosité dans les tons. Le moment ne s'y prêtait pas. Ce qui occupait les têtes et les cœurs des jeunes femmes, c'était la crainte de voir partir cet homme attachant qui, à part le curé, ne comptait que des amis parmi les paroissiens.

– Lucien, t'es pas trop jasant à soir, lui dit soudain Ernest qui se détacha des propos de son entourage.

– C'est pas à moi de jaser à soir, c'est à notre ami Bédard, tu penses pas ?

– Ouais... mais il est pas là... Non, t'as l'air jonglard. Tu regrettes pas d'avoir gagné le référendum toujours ?

– Pouvait-il nous arriver mieux ?

– Le curé disait aujourd'hui qu'il faudrait changer la pompe à feu pour un 'truck' de pompier 'flambant neu' pis que c'est trop cher si c'est rien que les gens du village qui payent...

Lucien rougit. Il rangea sa couette et leva l'index :

– On va payer nous autres itou, Ernest. Quand y aura un feu, ils vont nous envoyer la facture pour les pompiers pis toute, là... Ah ! non, non, on va payer notre bill. On le sait, ça. On refusera pas de payer notre écot, ben sûr que non.

– D'un autre côté, un 'truck' de pompier, ça vaut rien en toute si le village a pas d'aqueduc. Tout ce qu'on a, c'est des puits pas trop creux icitte et là.

– C'est de la responsabilité de chaque propriétaire, ça, comme pour nous autres dans les rangs.

Dominique intervint à haute voix et enterra toutes les autres avec celle de stentor dont la nature l'avait généreusement gratifié :

– Pas besoin d'aqueduc, Ernest, ou ben de 'truck' de pompier, on l'a vu aujourd'hui : une bonne pompe à feu pis les médailles du curé, on peut pas avoir mieux.

D'aucuns rirent, d'autres rirent un peu jaune, d'autres enfin rirent noir, et parmi ceux-là Marie-Ange qui trouvait scandaleuse cette moquerie aux dépens du sacré et du curé.

Mais les choses n'allèrent pas plus loin, puisque Germain Bédard fit son entrée, et que dès son apparition, Lucien Boucher déclencha la claque en lançant :

– Un homme indispensable, les amis, un homme indispensable. Sans lui, le référendum était perdu.

– Pis pas de référendum, pas de 'sépârâtion', maudit torrieu, ajouta Ernest qui, plutôt d'applaudir, désignait l'arrivant du bouquin de sa pipe au fourneau rongé.

– Madame Rose vient pas ou quoi ? demanda Rachel au

jeune homme qui parvenait au pupitre de la maîtresse.

Il fit signe que non, mais ne dit mot. Et il prit place, tandis que Ti-Noire, Marie, Rachel et Solange se retrouvaient deux par deux à des pupitres voisins.

– Mes amis, je suis très content de vous voir...

Il fut aussitôt interrompu par Marie-Ange :

– Nous autres, on est venu, mais c'est pas pour agir contre monsieur le curé, là,...

Il l'interrompit à son tour et la regarda intensément :

– Je sais très bien ce que vous pensez au fond de votre cœur, madame Boutin. Vous êtes prise entre deux feux comme on dit et c'est dommage, parce que d'une manière ou d'une autre, vous y perdrez quelque chose... Mes amis, j'avais l'intention de vous demander de former un comité pour faire pression sur... le presbytère pour que prenne fin une sorte de harcèlement à mon égard...

– Choisis des mots pas trop compliqués pour nous autres, intervint Dominique qui en fait ne parlait pas pour lui-même.

– O.K !

Lucien intervint à son tour :

– Ben moi, j'peux l'expliquer en un mot, la raison qui pousse monsieur le curé à vouloir que tu partes : politique. Il a perdu son référendum pis ça lui prend un... comment ils disent ça, là...

– Un bouc émissaire ?

– Pas tout à fait.

– Une tête de Turc ?

– Oui, c'est ça...

– Une tête de tuque ? interrogea Fecteau, le regard naïf.

– Quelque chose de semblable, approuva Bédard.

– Une tête pour fesser dessus, expliqua Dominique.

– Pis un jeune étranger qui travaille pas tout à fait comme le reste du monde pis qui vit en bohème, c'est l'homme idéal pour fesser dedans, enchaîna Lucien. Ben on laissera pas faire ça. On laissera pas faire ça. Je respecte monsieur le curé, mais on laissera pas faire ça.

– C'est vrai, ça, en maudit torrieu ! approuva Ernest en menaçant le presbytère de sa pipe fumante.

Bédard se mit debout et leva les deux mains pour faire rasseoir son monde, corps et cœur :

– Y aura pas de lutte contre le curé, pas de pétition, pas de pression étant donné que dans trois jours, je serai parti. J'ai plusieurs raisons de m'en aller et je vous en dirai quelques-unes. D'abord, mon travail ici est terminé. Vous savez tous, même si je l'ai caché longtemps pour des raisons professionnelles, que j'étais venu pour écrire un livre; il est pas fini, mais j'ai tout le matériel qu'il me fallait pour ça. J'ai des notes ça d'épais. J'en ai même un peu trop. Bon, vous le savez déjà tous, il s'est établi une situation conflictuelle entre monsieur le curé et moi-même... disons plus simplement que c'est une grosse chicane ou encore une petite guerre... Et vous savez, monsieur le curé a d'excellentes raisons pour ça. Je le comprends. Mettons-nous à sa place. Il est pasteur de la paroisse. Il a beaucoup de responsabilités sur le dos. Il doit voir aux affaires spirituelles et à ce qui est branché d'une façon ou d'une autre sur le spirituel...

– Rien à voir avec le fait que tu restes par icitte, lança Ernest.

– Oui et non...

Pendant qu'il poursuivait, Rachel se surprit à adresser à son père un geste, doigts qui tirent une fermeture-éclair imaginaire sur sa bouche, pour lui faire comprendre de ne plus intervenir. L'homme fut tout aussi étonné de se faire interpeller aussi autoritairement par sa fille. Il se tut et, tout en croquant le bouquin de sa pipe morte, il se renfrogna dans son banc, comme un enfant puni.

– J'arrive dans cette paroisse comme un cheveu sur la soupe. Je me cache dans une maison isolée. On ignore ce que je fais et je ne veux pas le révéler pour que les gens restent à leur naturel devant moi et oublient que j'écris sur eux. Je ne travaille pas en apparence. Je me fais des amis et des amies. Je me mêle de politique...

– C'est ça surtout, jeta Lucien Boucher.

– ... je contribue à dégonfler le ballon des apparitions de la Vierge...

– Ha, ha, ha, dit Ernest, c'est mon p'tit gars qui a gonflé ça, c'te ballon-là...

– Papa, laissez donc parler monsieur Bédard !

– ... et je fais de la peinture, un art qui est sacré s'il est béni et dérangeant s'il ne l'est pas.

– J'ai peinturé ma maison c't'été, dit Fecteau, pis le curé m'en a pas parlé pantoute. Y a pas de péché là-dedans... Va-t-il falloir faire bénir la peinture avant de peinturer asteur ?

L'assistance murmura ses hochements de tête. Bédard sourit et poursuivit :

– Peut-être pas jusque là... Bon, je suis donc un personnage plutôt douteux pour le curé. D'aucuns venus d'ailleurs se sont mal conduits déjà.

– Ouais, cria Fortunat. Comme un dénommé Rioux qui pensionnait à l'hôtel, un mesureur de bois. Un fifi de Rimouski. Le curé l'a sacré dehors de la paroisse pis il a ben fait ce coup-là...

Dominique parla à son tour :

– Ouais, mais il s'en est quasiment pris itou à Jean Béliveau, un monsieur d'homme, lui. Pis ça, rien que parce qu'il le connaissait pas pis que Béliveau payait des petits gars pour courir les balles de tennis.

– Ça, c'est vré, dit Ernest. Je le sais, c'est mes petits gars qui couraient ses boules. Là, le curé a fait de 'l'exahérâtion'...

– Faut le comprendre de protéger ses ouailles, reprit Bédard. Mieux vaut prévenir que guérir...

Chacune des quatre jeunes filles avait du mal à comprendre pourquoi Germain défendait maintenant le curé et lui donnait raison de le chasser de la paroisse. Comment un homme si décidé à se battre la dernière fois qu'elles l'avaient vu, pouvait-il tourner sa veste aussi vite et invoquer des arguments qui devaient exister déjà à ce moment-là ? C'était pour chacune le cœur qui raisonnait ainsi...

À les voir toutes les quatre avec une mine aussi déconfite, le jeune homme fut ébranlé dans sa décision de leur faire ses adieux à cette réunion sans en voir aucune isolément durant les deux jours qui restaient avant celui de son départ. Le visage blafard et dépourvu d'expression de Marie disait son total désarroi. L'air boudeur de Ti-Noire annonçait une énorme contrariété chagrine. Solange hochait la tête comme quelqu'un qui ne comprend pas et surtout, qui refuse de comprendre. Et enfin, la Rachel Maheux faisait rouler ses pouces l'un sur l'autre à côté de ses autres doigts croisés, tricotant misérablement dans son esprit des ouvrages enchevêtrés.

– ... Ce qui veut dire que je vous ai fait venir ici pour rien. J'aurais pu 'canceller' la réunion, mais je voulais vous dire, pis à travers vous autres, à tous les paroissiens, toute ma reconnaissance pour les jours formidables que j'ai passés ici. Jamais dans mon imagination je n'aurais pu réunir et faire agir autant de personnages si colorés. Y a vous autres, c'est sûr. Et puis madame Éva. Et puis mademoiselle Berna-dette. Et madame Rose qui devait être là, mais... Et tous les autres. Monsieur le curé, monsieur le vicaire, mademoiselle Létourneau, monsieur Matac, monsieur Casse-Pinette, le pe-tit Gilles Maheux, l'apprenti sorcier, monsieur Lambert, l'aveugle, François Bélanger, Pit Roy, Pit Veilleux, Pit St-Pierre, Pit Poulin, Blanc Gaboury, Armand Grégoire, Jean-nine Fortier, le prof Beaudoin, Laurent Bilodeau, les frères Bureau, la famille Boulanger, les petits Lessard qui... ont peut-être fini par voir la Vierge après tout... et puis le Cook Champagne, monsieur Clodomir... En nommer vingt, c'est en oublier cent. Et vous tous qui avez été mes plus proches amis, je vous porterai dans mon cœur de...

Il fut sur le point de dire 'prêtre', mais il évita le lapsus au dernier moment :

– ... dans mon cœur d'artiste et longtemps après mon dé-part, je penserai intensément à vous, je vous verrai revivre sous ma plume, je vous verrai rire, parler, sourire... Vous al-lez vivre éternellement dans mon âme et dans mes... sens, oui, dans ma vue, mon ouïe, mon odorat même...

Solange le revoyait en train de faire sa gymnastique mati-nale, entièrement nu, comme elle l'avait surpris à son insu un bon jour en l'épiant par sa fenêtre. Et Rachel revivait par le souvenir leur baiser sous les érables sombres tandis que Ma-rie pensait à la peine de Cécile de savoir qu'il ne reviendrait jamais. La Ti-Noire, une fois de plus, craignait pour son équilibre mental, elle qui songeait à l'obsession à la psychose de son frère et à la schizophrénie de sa mère; Germain l'avait considérablement aidée ces derniers temps et cette coupure brutale et désolante de leur lien faisait tourner les choses un peu trop vite à son goût dans sa tête.

– Écoutez, à part monsieur Fecteau que je connais moins, j'ai établi avec chacun de vous des liens personnels; c'est pourquoi je voudrais serrer la main de chacun individuellement avant de quitter l'école. Disons que, tiens, je vais reconduire chacun quand il sera prêt à s'en aller à l'extérieur...

– Moi, ça me fait ben de la peine au fond que tu partes, intervint soudain Marie-Ange. Nous autres, on voulait pas te mettre dehors de la maison à Polyte, mais tu comprends...

– Je comprends, je comprends, et soyez sûre que je vais garder de vous un aussi bon souvenir que de n'importe qui dans cette paroisse. Vous êtes une femme courageuse, forte, travaillante, intelligente et, ma foi, fort bien conservée pour votre âge qui, au demeurant, n'est pas si élevé, même s'il avoisine le demi-siècle, car de nos jours, on n'est plus vieux comme autrefois à cinquante ans, n'est-ce pas ?

Le visage de la femme rougissait au même rythme que son ego se gonflait de plaisir. Son mari exprima sa jouissance à entendre ces mots flatteurs pour elle en frottant lentement la barbe repoussée de son menton en galoche. Il se permit d'en ajouter :

– Pis une personne pieuse en plus...

– Ce qui confère à la toile de sa personnalité un fini satiné qui plaît à voir.

– Arrête, là, tu me gênes, lança la femme en riant.

Lucien commença d'applaudir. Les autres suivirent. Seul Ernest s'abstint : c'était un geste qui ne faisait pas partie de ses mœurs et de sa culture et qu'il considérait comme un fourre-tout hypocrite n'empêchant pas les mains de se salir ni ne les nettoyant. Et pour qu'on ne le prenne pas comme un désaccord, il se remit au remplissage de sa pipe à même le tabac d'un sac en papier brun qui lui servait de blague et à l'occasion de réticule.

Par un regard, qu'à un moment choisi, Germain adressa à Solange, la jeune femme sut que la grande part des beaux mots la visait elle, bien plus que sa mère, et son sourire s'embellit de la rêverie adolescente. Ce n'était plus le diable qu'elle percevait en cet homme maintenant, mais Jésus lui-même. Ou à tout le moins son frère s'il en fut un.

Ernest fut distrait par ce luxe qui l'entourait tandis qu'il songeait à la petite école misérable qu'il avait fréquentée de 1904 à 1907. Ici un poêle pour chauffer la pièce. Un grand tableau noir devant, flambant neuf. Et sur un mur, une mappemonde sur laquelle on pouvait voir les Vieux Pays. Les vingt-six lettres de l'alphabet en majuscules et en minuscules décorant le haut des murs. Et un plancher de beau bois dur, pas usé pantoute...

Dominique lança :

– Ti-Georges, tu dois jamais t'ennuyer avec une bonne femme de même, là, toi ?...

– Ouais... ben j'veux dire... non... non... hein... hein...

Cet échange ramena Ernest à la réalité; il ajouta son rire lent, bas et long, à ceux, entremêlés, des autres assistants.

Qu'ils sont donc indisciplinés, ces adultes ! se disait Rachel. D'aucuns mériteraient le coin et le bonnet d'âne.

Bédard fit un sourire un brin narquois et reprit la parole :

– Et je vous annonce tout de suite le titre du livre que je vais aller terminer chez moi au cours de l'hiver... Ça va s'appeler : *Un diable dans l'eau bénite*. Et je vais tout faire pour qu'il paraisse l'année prochaine, au plus tard en 1952, à peu près en même temps qu'on aura la télévision au Canada...

– C'est-il ça qu'on va voir des images dans l'radio ? demanda Fecteau, l'œil sceptique et rieur.

– C'est ça. Ça fait deux ans qu'ils l'ont aux États.

– L'as-tu vu, toé ?

– Non, mais monsieur Boucher, oui, lui...

Lucien prit la parole :

– Ah ! une merveille du monde, la télévision. Ça se dit pas. Tout le monde est comme figé, gelé devant ça... C'est comme d'avoir le théâtre dans son salon, mais en petit. J'en ai parlé avec monsieur Lévesque un soir d'apparition de la Vierge, il m'a dit que son rêve, c'est de faire un programme de télévision sur ce qui se passe dans le monde. Pis ça marcherait, là, ça...

– Comme le journal ! dit Fecteau.

– Oui, mais télévisé. Ah ! laisse-moi te dire, mon homme, que ça poignerait en grand !

– 'Charche', un jour, c'est p't'ête ben toé qu'on va voir là-dedans, dit Ernest.

– Ben non, moi, j'suis rien qu'un petit gars de campagne.

– Tu pourrais faire un député, un ministre, un premier ministre : la politique, t'es bon là-dedans pas rien qu'un peu.

Rachel se fâcha; debout, elle s'adressa à toute la classe :

– Non, mais allez-vous finir par vous taire avec toutes vos... affaires en l'air. C'est Germain qui a la parole pis vous passez votre temps à le couper pour dire n'importe quoi qu'a ni queue ni tête... La télévision, c'est loin, ça, pis comme c'est là, ça dérange pas grand monde par icitte. Là, c'est une histoire qui se passe aujourd'hui qu'il faut régler...

Chacun des 'élèves' morigénés se renfrogna. Lucien approuva du chef. Bédard haussa les épaules :

– Bah ! c'est comme je disais : je pars. Et comme dirait le Montcalm, je pars content. C'est ça, l'important.

– Écoute, si tu veux rester pis pensionner à l'hôtel, dit Fortunat, moi, j't'en empêcherais pas. On a des chambres.

– Pis si tu veux de l'ouvrage au moulin à scie, on va t'en trouver, enchérit Dominique.

Le cœur de Marie bondit. Si Germain acceptait ces offres, elle aurait l'occasion de le voir tous les jours et ils se croiseraient souvent puisqu'elle travaillait maintenant à la manufacture de chemises à quelques rues du moulin à scie.

Germain leva ses mains en signe de refus. Son regard plongea dans un lointain secret pour mieux éclater :

– Non, non, merci de vos offres généreuses, mais ma décision est irrévocable, finale. That's it ! That's all ! Je vous rappelle que je voudrais saluer chacun de vous à la sortie...

Aussitôt il quitta la tribune, tandis que les assistants se mettaient timidement à se parler entre eux.

Germain et les quatre jeunes filles formèrent un cercle. Les hommes en formèrent un autre à l'arrière de la classe. Madame Boucher fut interpellée par madame Boutin.

La raison pour laquelle il désirait rencontrer chacune 'dans le particulier' était qu'il voulait donner à Ti-Noire, Marie, Solange et Rachel un rendez-vous dans les deux derniers jours de sa vie en cette paroisse. Ce qu'il fit en discrétion.

À chacune, il avait déjà fait croire ces derniers jours qu'elle était la seule élue de son cœur et il devait maintenant couler cette belle idée dans le béton de leurs profondeurs...

***

Chapitre 5

Le temps ne lui permettant guère de fafiner, Germain se rendit le soir même chez Marie Sirois.

La femme l'attendait, jonglant à sa fenêtre devant la nuit étoilée. Elle envoya Cécile lui ouvrir quand il frappa. Les autres enfants se trouvaient au deuxième étage dans leur chambre et s'y occupaient, avec 'ordre' de n'en pas sortir à moins de nécessité impérieuse, comme d'avoir à se rendre aux toilettes.

Marie sentait qu'elle marchait au bord du gouffre en agissant ainsi. Abusée par Fernand Rouleau, le voisin maudit, la jeune adolescente avait par la suite trouvé en Germain un protecteur, un père et plus... Sa mère lisait en elle les mêmes sentiments incommensurables qu'elle ressentait pour cet étranger de la paroisse qui avait tant fait pour elle et lui avait consacré bien des dimanches et beaucoup d'attention. Et voilà qu'elles le verraient pour la toute dernière fois. Il ne serait jamais l'homme de la maison. Plus jamais il n'éclairerait le repas du soir de ses rires et de ses dires...

Elle avait beau refouler ses larmes, ses culpabilités refaisaient surface comme de vieux démons un temps muselés par la vertu d'un homme pas comme les autres. Marie ne devait pas mériter le bonheur, puisqu'elle ne l'avait jamais vraiment connu. Toutes ces misères du temps passé, la mort de son mari, son veuvage, la mort récente de son fils, l'abus dont Cécile avait été victime et maintenant la perte de ce grand, de ce magnifique ami... quand donc viendrait le temps de quelques fleurs ?

Elle prenait tout un risque en gardant Cécile avec elle ce soir-là. Il verrait la tristesse profonde de la fillette; il la savait déjà comme il savait la sienne... Pareil étalage misérable le toucherait peut-être assez pour qu'il renonce à son projet de partir ou, rêve fou, qu'il les emmène toutes avec lui vers... sa vie, vers... la vie... Mais s'il demeurait inébranlable, Cécile subirait les affres du dernier bonsoir, de l'ultime séparation, du vide sinistre s'engouffrant dans la maison et dans les cœurs quand la porte se refermerait alors qu'il reprendrait la route de son destin.

Non, elle n'avait pas le droit d'imposer pareille douleur morale à son enfant, mais elle ne pouvait s'empêcher de le faire, telle une noyée qui s'accroche désespérément à tout pour ne pas sombrer définitivement et au risque d'entraîner avec elle quelqu'un d'autre dans l'abîme...

– Bonsoir... bonsoir Cécile...

Le regard de l'arrivant croisa celui de la fillette; elle ne baissa pas le sien comme normalement. Sans ouvrir la bouche, elle avait un message à lui transmettre de la part de son âme meurtrie. Et dans ses yeux, des lueurs sombres accentuées par l'éclairage jaune du plafonnier criaient pour elle : "Ne nous quitte pas."

Marie lui avait fait mettre sa robe du dimanche, brune, propre et sans plis, et Cécile portait une grande boucle blanche en velours dans sa chevelure. Belle et implorante, elle restait en même temps digne et forte. Cela tenait sans doute en ce que son cœur était saisi par la peur, pétrifié par la prise de conscience d'une fin irrémédiable et imminente...

– Je peux entrer ?

– Entre ! cria Marie de loin. Viens, viens t'assire dans la cuisine.

C'était leur endroit de prédilection : à la table. Il s'y passait quelque chose de familial chaque fois qu'ils y prenaient place. Un problème d'enfant s'y discutait. Une nouvelle crainte de Marie s'y dissipait. Un plaisir renouvelé s'y partageait.

Il s'arracha au regard de l'enfant et s'approcha de la chaise tirée pour lui, tandis que Cécile prenait une berçante tournée vers eux et s'y installait dans une totale immobilité.

Ils se parlèrent une heure de tout et de rien. Surtout pas de leur vie avant leur rencontre. Et surtout des belles choses de ces mois trop courts de l'année 1950. Puis elle demanda abruptement :

– C'est quoi, ton plus beau et ton pire souvenir, que tu vas ramener dans tes bagages en partant ?

Il leva les yeux au plafond en souriant légèrement :

– Le pire, je pense, c'est d'avoir mis mon nez dans l'histoire des apparitions. Il appartenait à quelqu'un d'ici de dégonfler le ballon, pas à un étranger... J'ai coupé bien des gens du merveilleux en faisant cela... Quant au meilleur... c'est vous autres ici... La fois que vous êtes venues à la pêche pas loin de chez moi... Et toutes celles où on a été ici, en famille, à table... C'est ça, mon meilleur souvenir, Marie, c'est pas autre chose que ça...

Elle soupira :

– Pis pourquoi c'est faire qu'il faut que ça finisse ?

Il riva son regard sur l'horloge là-haut :

– Des liens se tissent puis se brisent et d'autres se créent : ainsi va la vie. L'abondance des larmes n'est pas une garantie de malheur. Je suis triste de partir, mais je ne puis rester. Tu vas grandir, Marie, tu vas continuer de grandir après moi. Et toi aussi, Cécile... La souffrance nous fait tous entrer dans des territoires inexplorés de nous-mêmes et c'est là que se cachent les plus grandes richesses. Quand on va à la pêche au bord du pont, le plus souvent on n'attrape rien, mais quand on se rend loin dans la forêt, on y trouve les meilleures eaux noires bourrées de truites, et on oublie les égratignures, la fatigue, les piqûres de moustiques...

La fillette avait les yeux embrouillés de larmes et demeurait dans son profond mutisme.

– Des fois je me suis dit que c'était pas nécessaire de partir comme ça. Bon, tu pourrais te trouver une maison pas loin comme... j'ai su qu'il y en avait une dans le rang du moulin à carde (*cardage*)... c'est en dehors de la paroisse... le curé pourrait rien faire contre toi...

Il ferma les yeux :

– Ça serait pas comme de l'intérieur... Et puis les gens vont se fermer et je ne pourrai plus voir en eux, asteur qu'ils sauront tous qui je suis... Comme artiste, ce que j'avais à prendre par ici, je l'ai dans mes notes, dans mes bagages.

– Et comme homme ?

– Un artiste est d'abord un artiste; il n'est un homme qu'ensuite.

– Pourquoi pas les deux en même temps ?

– Ça, c'est le propre du commun des mortels. Tu travailles la terre, tu restes un homme en le faisant; tu travailles au moulin, tu demeures un homme en le faisant; mais si tu fais une œuvre d'art, tu es un artiste en le faisant et il ne te reste alors de l'homme que ses pièces détachées pour te servir. On dit que les artistes traversent le miroir, s'en vont dans un état second, ne sont plus là... Et puis il faut à un artiste du matériau brut pour travailler, comme j'en ai trouvé en abondance dans cette paroisse; mais voilà que la source est sur le point de se tarir...

– À cause de monsieur le curé ?

– La source se serait tarie quand même sans lui. Autre chose serait survenu pour l'épuiser. Un autre auteur que moi viendra et trouvera dans cette paroisse un filon d'or à exploiter; pour moi, c'est terminé, le puits est quasiment à sec. Et l'homme va où l'artiste doit aller.

– Je... je comprends, Germain, je comprends.

C'est la phrase que l'homme espérait, attendait. Cécile finirait bien par se la dire, elle aussi, après la période de désarroi à venir. À son âge, l'oubli est chose inéluctable, même si les marques sont indélébiles.

Il consulta sa montre puis l'horloge pour être plus sûr et se leva :

– Je dois partir. Faut que tu te lèves tôt demain et moi aussi. J'ai à peine quarante-huit heures pour tout faire ce qu'il me reste à faire. Mais on dit que les départs précipités sont les plus faciles...

Il tourna les talons et se trouva droit devant la personne de Cécile qui lui barrait le chemin et s'offrait, toutes plaies béantes, à sa pitié. L'homme tourna la tête vers Marie qui se trouvait en biais, arrêtée elle aussi, interdite. Le besoin d'un geste crucial s'installa en lui, qu'il ne put réprimer.

– Cécile, Cécile, dit-il en posant ses mains sur ses épaules, plusieurs veulent savoir qui est la personne que j'ai le plus aimée ici, dans cette paroisse, je pense bien que c'est toi. Et pour que ce sentiment reste toujours dans mon cœur, je dois m'en aller. Viens que je t'embrasse...

Il l'attira contre sa poitrine et lui coucha la tête qu'il garda dans sa main :

– Et puis je te confie un secret que tu ne révéleras à personne : je vais revenir un jour ou l'autre, peut-être plus vite que tu le penses. Je vais revenir, je te le promets.

Il lui caressa les cheveux et tendit l'autre bras à la veuve qui à son tour vint se coller contre lui. Les trois se tinrent longuement dans un douloureux silence. Puis il les prit toutes les deux par les épaules en les enveloppant de ses longs bras et ils marchèrent à petits pas vers la porte. Là, il s'arrêta un moment puis reprit ses bras qu'il laissa tomber contre lui et, sans se retourner, sans regarder ni l'une ni l'autre, il s'en alla sans entendre l'éclatement en sanglots de Cécile que sa mère tâcha de réconforter pour oublier qu'elle devait se réconforter elle-même...

Germain retourna chez lui en se demandant quelle serait la suite. Il lui restait trois adieux à faire : à Rachel, à Ti-Noire et à Solange. Les rendez-vous avaient été fixés après l'assemblée. Ce serait Rachel en fin d'après-midi le lendemain et Solange en soirée. Et pour finir : Ti-Noire le jour d'après...

Tandis que l'auto progressait lentement sur le chemin étroit menant chez lui en écrasant le tapis de feuilles mortes, l'homme tâchait d'oublier la peine qu'il avait de s'arracher à Marie et à sa fille. Et quand les phares éclairèrent la maison enfin, il s'arrêta un moment pour comparer la bâtisse sombre à sa propre vie. Une fois encore, il se dit que le seul vrai vilain qui soit en ce monde a pour nom *le temps*. Que serait en l'an 2000 cette demeure déjà usée ? Qu'en serait-il de la tour qui se mesurait aux grands arbres ? La famille de Polyte, les déserteurs de l'armée, les conscrits désobéissants, les chasseurs insouciants, tous devenus vent dans les arbres, comme lui-même dans trois jours, auraient-ils des successeurs dignes ou bien les années viendraient-elles moisir les poutres et les bardeaux ?

Jamais il ne faisait de promesses; il venait d'en faire une à Cécile : revenir. Mais il n'avait pas dit quand. Un jour ou l'autre, cela pourrait bien être dans dix, vingt ans voire cinquante... Il éteignit les phares et le moteur. Puis descendit et regarda les étoiles à travers les branches tout en marchant, guidé par une lumière sentinelle et un éclairage réduit que la maison jetait timidement par les fenêtres.

– Comment savoir ce que l'on sera en l'an 2000, comment savoir ? se disait-il en gravissant les marches de l'escalier arrière.

Il rentra et se rendit droit au salon où il prit place derrière le clavier de son instrument de musique afin de trouver réponse à sa question. Et pendant une heure, des airs solennels s'élevèrent au-dessus de la forêt...

***

Chapitre 6

Le jour suivant, le jeune homme prit ses dispositions pour le grand départ qui aurait lieu en fin de compte au matin du vendredi. Il n'emporterait avec lui qu'un peu de linge et ses notes. Le reste, tout le reste, c'est Dal Morin, le transporteur-déménageur qui y verrait. Dès mardi, il viendrait tout charger, aidé en cela par quelques-uns de ses seize enfants vivants.

Puis Germain se rendit au village afin de saluer quelques personnes parmi lesquelles le garagiste Philias Bisson, la marchande Éva Maheux, Jeannine Fortier, la fille à Fortunat, François Bélanger, le chauffeur de 'boiler' à la manufacture et quelques autres. Ensuite, il ferma son compte à la caisse populaire. Madame Bureau le regarda avec une bonne dose de suspicion; elle faisait partie de la petite bourgeoisie du cœur du village très proche du presbytère et le mot, défavorable à l'étranger, avait fait le porte à porte ces derniers jours, s'amplifiant à chacune.

Rose demeura invisible. Et pourtant, il fut au moins quelques heures pas loin de chez elle, allant de la boutique de forge au magasin général, au restaurant, à la caisse populaire, au garage puis revenant au magasin d'Éva... Quand il se mit en chemin pour se rendre dans le rang neuf y faire une dernière visite d'amitié, celle à Lucien Boucher, il passa lentement devant chez elle et jeta un regard à toutes les fenêtres sans rien y déceler. Alors il comprit. Le point que Rose avait mis à leur relation n'en était pas un d'interrogation comme celui de Marie, mais un point d'exclamation.

Il sourit et pensa qu'elle avait bien raison de tourner ainsi les pages finales.

Une heure plus tard, il était de retour au village. L'inquiétude dans la maison de Lucien Boucher l'avait atteint. Lucien semblait perdre tout intérêt profond pour la chose politique après son référendum gagnant sur la séparation de la paroisse. Ou bien la victoire tant recherchée avait-elle recelé, pour lui comme pour beaucoup de combattants de cette pauvre humanité, plus d'amertume que de satisfaction !

"Pas question de briguer les suffrages à la mairie de la paroisse !" a-t-il dit catégoriquement. "Mon bout de chemin est fait."

Germain, aussi observateur qu'il fut, n'aurait pu voir, pas plus que Lucien et sa femme, qu'un étranger avait installé ses pénates dans leur demeure, à leur insu. Un terrible visiteur portant un nom funeste : cancer.

L'épouse du cultivateur politicien en était atteinte et un sixième sens essayait de l'en avertir. Cela se traduisait par une sorte de doute qui s'infiltrait dans chaque geste, chaque petit événement du quotidien pour le rendre vermoulu.

Un coup du sort pressenti mais encore inconnu élevait Lucien au-dessus de la politique. Fort de ce capital de souffrances, il aurait poursuivi son but, la séparation de la paroisse, avec bien moins d'acharnement, et ce faisant, il aurait manqué à son camp les quelques votes nécessaires pour obtenir une majorité.

Mais la vie allait vite pour Germain et il dut oublier son ami des dernières semaines. Il retourna au magasin y prendre son courrier puis il prit la direction de la Grand-Ligne pour rendre une visite ultime à Rachel la réservée...

Le soleil baissait sur l'horizon à la recherche du mont Adstock pour se cacher et enlever pudiquement ses rayons pour la nuit.

Bédard gara son auto sur le côté de la bâtisse et entra avec de gros paquets d'air frais qui remplirent le sombre vestibule et s'engouffrèrent dans la salle de classe. Elle le savait arriver :

– Entre, je suis là...

Il s'était arrêté pour ôter quelque chose, manteau noir qui lui donnait allure de ministre ou bien ses chaussures... La terre gelée n'avait pas souillé ses souliers, et il valait mieux rester tout habillé afin de partir plus vite et mieux exprimer sa volonté de le faire.

Mais il en profita pour humer l'odeur caractéristique d'une petite école de rang : un épais mélange des senteurs des enfants, de leurs vêtements de ferme, de la craie, du bois de poêle, vieux livres et parfums bon marché de la maîtresse...

– C'est toi, Germain ?

– Oui, j'arrive...

Elle s'était mise debout pour questionner le trou noir de l'entrée. Il en émergea aussitôt :

– Suis venu prendre une leçon...

Au fond, il était venu pour en donner une. Sans malice toutefois. L'être le plus compliqué de cette paroisse, c'était

Rachel Maheux, là, devant lui. Sa fonction de maîtresse d'école la coiffait d'une auréole de compétence en matière de sentiments humains et de psychologie; elle passait pour la meilleure institutrice de la paroisse et pourtant n'arrivait pas à trouver son chemin dans l'inextricable jungle de son âme.

– Toujours décidé à partir ?

Il vint s'asseoir au premier pupitre; elle prit le sien. Mais il lui fallut se défaire de son manteau pour glisser entre le dossier et la table. La pause lui permit de trouver une phrase laconique :

– Le temps décide tout.

– Ah ?

– C'est lui qui nous fait naître, c'est lui qui nous fait mourir. Il nous tient par la main et nous indique le chemin.

– Quand t'es avec moi, on dirait que tu sens le besoin de faire de la philosophie. Fais-tu pareil avec madame Sirois ?

– C'est vrai, je suis un peu caméléon.

– Mais je ne passe pas mon temps à brasser des grandes théories, moi.

– Tu cherches en maudit par exemple.

– Tout n'est pas clair en moi, c'est vrai, mais...

Il l'interrompit :

– Ne gâchons pas cette dernière heure ensemble à ergoter sur du vent ou à pelleter des nuages comme dirait Duplessis. Je suis venu te demander de m'écrire. Et je te répondrai. Parce que tout s'éclaircit quand on l'écrit. La parole manque trop de mots; elle est si pauvre, si superficielle, si... linéaire...

– Ne penses-tu pas que ce serait prolonger le chagrin causé par la séparation ? À chaque lettre, j'aurais l'impression de visiter la tombe d'un être cher au cimetière.

Cette phrase intrigua l'homme :

– Parce que tu connais cette impression ?

– Pas... vraiment. Ma sœur aînée a perdu son mari en 1947. Vingt-quatre ans; un accident. Et chaque fois qu'elle se rendait prier sur sa tombe, elle s'effondrait...

– Tu ne m'as jamais parlé de ça, il me semble. Ni tes parents non plus ni personne d'autre...

– C'est pas un sujet intéressant, hein !

– Et... elle s'en est pas relevée ?

– Ben... oui... Elle est remariée...

– C'est ce que je te disais : l'homme propose et le temps décide.

Aucun n'avait envie de s'approcher davantage de l'autre. Comme si le courant avait été coupé la veille par Germain à l'annonce de son irrévocable décision de s'en aller. Et puis la lumière jaune du plafond révélait leur présence aux occupants des voitures qui passaient sur la route, et peut-être même à des gamins fouineurs trop heureux de mettre leur nez long dans les amours de leur maîtresse...

– Tu la voulais sur quoi, ta leçon ? J'ai l'impression – comme femme, j'ai souvent des impressions – que tu es venu pour m'en donner une, pas pour en prendre une.

Il sourit, pencha la tête fit des hochements :

– Si t'étais capable de voir en toi-même aussi bien que t'es capable de voir dans les autres, tu trouverais le bonheur, le vrai, le grand.

– Tu m'en diras tant.

Il ouvrit les mains, fit osciller sa tête en biais :

– Je le pense vraiment.

– Je... vais réfléchir à tout ça.

Le chagrin qu'elle ressentait de le voir partir, surtout de

manière aussi abrupte et imprévue, restait camouflé derrière une montagne de froideur tout comme le soleil finissait de se dissimuler derrière le mont Adstock en jetant par la fenêtre dans la classe ses ultimes clins d'œil.

— Mais tu vas pas m'écrire ?

— N... non.

— Je croyais que tu tenais à moi.

— C'est justement pour ça que je t'écrirai pas.

— Ça pourrait t'aider.

— Comme à ma sœur d'aller se lamenter sur la tombe de mon beau-frère dans le temps ?

— Pourquoi pas ?

Elle plissa les yeux et le dévisagea pour lui fouiller jusque dans les noirs tréfonds de l'âme :

— Bon, cinq femmes sont en amour avec toi. Un vrai Clark Gable !...

— Y a que toi, les autres sont des amies.

— Quel intérêt pour une femme de venir à l'assemblée d'hier ici ?

— Solange est venue avec ses parents... parce que je vis dans une maison qui leur appartient. Et puis Ti-Noire est une bonne amie, j'en conviens; elle aime se battre contre le presbytère... un peu comme ton père...

— Et Marie Sirois ? Et Rose Martin ?

— Rose... madame Rose est pas venue...

— Mais tu la connais très très bien...

Il bredouilla :

— Je lui ai donné quelques leçons de peinture sans plus.

— Ca... sa... no... va... va !

— Et Marie, je l'aime bien, c'est vrai, mais c'est mon côté

altruiste, pas ma passion. Elle m'a raconté sa vie et ça va me servir dans mon livre. Dis donc, serais-tu un peu...

– Si tu veux savoir : je me battrais pas pour t'avoir même si tu restais par ici. À part Solange, aucune de ces femmes est encline à la jalousie.

– Une femme : pas encline à la jalousie ? Pas toutes jalouses, peut-être, mais pas "enclines", hum...

– Si toi, tu devais m'écrire, Germain, je voudrais que tu me dises une seule chose : qui est l'élue de ton cœur par icitte s'il y en a une. C'est tout. Pas plus que ça...

Il sourit :

– J'aime ça. C'est une bonne idée. Par contre, qu'est-ce qui te fait penser que c'est pas toi, hein ?

– Mon aptitude à voir dans les autres, comme tu le disais tout à l'heure.

Le jeune homme jugea bon de laisser les choses là où elles en étaient. Tout avait été dit. Leur relation avait marché sur la corde raide depuis qu'il se trouvait là et tout ajout risquait de la faire tomber dans les ronces, de l'égratigner, de la faire saigner. Il se glissa hors de la banquette et prit son manteau pour l'enfiler :

– Je... reste pas longtemps, tant de choses restent à faire et j'ai que trente-six heures pour ça.

Elle demeura silencieuse et le suivit jusqu'à la sortie. Il n'osa la prendre dans ses bras, un automne bien cru s'étant installé entre les deux. C'est elle qui eut le dernier mot :

– La rumeur dit que t'es un prêtre défroqué...

L'homme ne fit aucun commentaire. Il pesa sur la clenche et sortit sans rien ajouter. Elle non plus n'ajouta rien... De drôles d'adieux !

*

Après le souper, Solange sortit de la maison et aperçut la lumière dans la tour chez Germain, signalant ainsi qu'il était revenu et l'attendait. En plein cœur de la feuillaison estivale, pareille lueur eût été impossible à voir de loin, mais tandis que la nature se dénudait sans honte de ses plus beaux atours, l'étoile du rêve envoyait son scintillement jusqu'au fond du cœur de la jeune femme.

Oui, mais comment échapper au contrôle de sa mère ? Marie-Ange avait l'œil à tout, devinait tout ce qui se tramait dans son dos, possédait une troisième oreille qui captait les secrets les mieux murmurés... Facile de partir sans rien dire, mais terrible de revenir si la femme devait apprendre que sa fille revenait de chez ce prêtre défroqué... Car là aussi la rumeur avait couru comme un écureuil nerveux sur un fil de téléphone...

Rien ne tourmente mieux qu'une mère tourmenteuse ! Partir, rester, ne pas partir, ne pas rester... Elle ne le verrait plus jamais... Qu'il faisait froid dehors par ce soir étoilé ! Et le vent finaud qui s'amusait à lui pincer le nez, tandis que pourtant, elle tâchait de se protéger, adossée à la maison, regard tourné vers la 'forêt enchantée'...

– De quoi c'est qu'il se passe ? demanda tout à coup une voix bourrue qui la fit sursauter.

– Rien, rien, répondit-elle bien trop candidement pour que sa mère la croie.

– Viens icitte, que je te parle un peu, là.

– Ben... pourquoi ?

– Viens, que je te dis.

Elle sait qu'un rendez-vous avec Germain a été fixé la veille, songea la jeune fille. Et ça va brasser dans la cabane.

Mais elle ne pouvait pas résister à la volonté maternelle et dut entrer. La grosse femme marchait en se dandinant vers sa chambre à coucher et cela voulait dire de la suivre. Malgré son âge, la jeune femme tremblait de tous ses membres. La porte fut refermée sur elle. Marie-Ange se mit les mains sur les hanches et toisa sa fille :

– T'es-tu lavée comme il faut à soir, là ?

– Ben... oui...

– Pourquoi c'est faire que tu t'es pas attriquée mieux que ça ? Quen, tu vas mettre ça...

Elle montra des vêtements posés sur le lit. Sa plus belle robe du dimanche et son manteau s'y trouvaient.

– Pis quoi c'est que t'as en dessour, là ? Des 'bloomers' ou ben des 'panties' ? Ça fait rien, tu vas mettre ça, là...

Pétrifiée, Solange ne voyait aucunement où sa mère voulait en venir. Elle obéit et bientôt fut changée de vêtements. Sa mère se contenta d'onomatopées le temps qu'il fallut pour la transformation.

– Bon... Asteur, tu vas mettre un bon manteau pour pas geler tout rond. Le fanal est prêt au bord de la porte. Germain Bédard t'as fait le signal qu'il t'attend, je l'ai vu dans sa tour. Vas-y pis dépêche-toé. Pis tu me diras rien en revenant pis tu reviendras à l'heure que tu voudras. Les autres, icitte-dans, il sauront pas où c'est que tu vas.

Solange ne parvenait pas à dire quoi que ce soit. Le langage et les gestes de sa mère étaient bourrés de signaux, mais elle ne parvenait pas à les lire clairement. La femme désirait-elle que sa fille se donne à l'étranger ? Ou simplement qu'elle le tente ? Une mère pouvait-elle vouloir que sa fille commette le terrible péché d'impureté ? Encore et encore du tourment. Quoi faire, rendue là-bas ? Y passer la nuit et plaire au jeune homme sans aucune retenue ? Pourquoi donc sa mère ne lui montrait-elle pas le chemin jusqu'au bout ?

– Oui, mais maman...

– J'te pose pas de questions; tu m'en poses pas.

Marie-Ange quitta la chambre et cria un ordre aux enfants :

– En haut tout le monde, on va dire le chapelet, là. Personne reste dans la cuisine en bas. Toé itou, Georges... Vite, grouillez-vous...

Puis elle revint auprès de Solange :

– Dépêche-toé. Oublie pas le fanal. Pis si il te demande si moé, je sais que t'es allée chez eux, dis que je le sais pas. As-tu compris ?

– Ben... oui...

– Tu diras que t'es partie... durant le chapelet. Pis si y veut te garder toute la nuitte, tu lui diras que tu vas me dire que t'as passé la nuitte au village avec ta tante Alexina, là...

– Mais... si monsieur le curé...

– Monsieur le curé, ce qu'il sait pas, ça y fait pas mal...

Elle la prit par le bras et l'entraîna sans ménagement :

– Envoye, dehors. Pis arrête d'avoir peur des mouches : y en a pus une de ce temps-citte... Pis prends le chemin que tu prends de coutume pour aller à la maison à Polyte...

**

Chapitre 7

Par la fenêtre de la cuisine, la femme regardait sa fille aller dans la nuit noire sans même pouvoir discerner sa silhouette, mais gardant en tête l'allure qu'elle lui avait donnée. Seule la flamme du fanal telle une étoile de la terre lui disait où se trouvait Solange et indiquait sa progression rapide vers le repaire du loup...

Certes, il y aurait peut-être péché de la chair là-bas ce soir-là, mais elle s'en lavait les mains. Quand on joue le tout pour le tout et son avenir, on remet à plus tard les bienfaits du confessionnal pour se préoccuper de bienfaits plus immédiats et terre-à-terre.

La jeune fille demeurait dans une certaine confusion que l'air froid pas plus que les battements de son cœur ne parvenaient à dissiper. Et ses pas gardaient leur rythme. Elle connaissait par cœur chaque bosse, chaque ornière, chaque dénivellation du sentier menant à la clôture puis du chemin à une voie pénétrant dans le bois vers la maison allumée...

Germain la savait venir. C'était l'heure... Il devinait la complicité de la mère de Solange et son vœu de voir sa fille commettre le beau grand crime de la chair. Jusque là, il craignait bien moins la mère que la fille et son clapet trop ouvert au confessionnal. Possible, probable que le curé lui aurait tiré les vers de la conscience en lui administrant le douloureux sacrement de pénitence. C'était cette crainte, la raison principale de sa retenue avec elle. Comment aurait-elle pu s'accuser au prêtre d'avoir fait l'amour si cela ne s'était pas produit ? Si au moins elle avait eu le vicieux vicaire pour confesseur !

Et puis, il n'avait aucune envie de se faire traquer par une paternité accrocheuse comme cela arrivait à d'autres...

En ce moment, il réfléchissait dans la tour, assis à un pupitre d'écolier qu'il y avait installé quelque temps auparavant. Parfois, il penchait la tête pour écrire une phrase ou deux à insérer à ses notes et son ébauche de manuscrit.

Son corps demandait.

Sa raison n'opposait plus à sa chair les réserves coutumières. Chassé de la paroisse, qu'importe les récriminations du presbytère. Et puis, il mettrait une grande distance entre sa personne et une éventuelle paternité malencontreuse. Et puis, la jeune femme serait peut-être en période infertile. Aussi, il tâcherait de se retirer avant le beau risque...

Par-dessus tout, cette soirée forte lui inspirerait un chapitre essentiel, magnifique dans *"Un diable dans l'eau bénite"*.

Mais il fallait les ingrédients appropriés. Comme avec Rose. Pas les mêmes. D'autres. Du mystère. De la mise en scène. De la peur, tiens, pour épicer le plaisir. Une dose de douleur. La tristesse de la séparation déjà présente et qu'il attiserait. La nuit. L'automne. Le vent qui murmure aux fenêtres ses avertissements... Un peu de musique avec ça ?...

– Et la chaleur ! dit-il tout haut en se rendant compte que ses doigts étaient transis par les effets vifs du vent coulis.

Le ciel lui offrait gracieusement le canevas du plaisir infernal; il lui suffisait de toucher la toile aux bons endroits pour réaliser un chef-d'œuvre peut-être...

Une virginité qui vient s'offrir par les mains d'une mère calculatrice, voilà qui n'était pas nouveau sous le soleil –ou les étoiles – mais que pareille occasion se présente à lui, cela faisait partie de l'exceptionnel de la vie.

Le scintillement du fanal que les obstacles fragmentaient lui apparut à quelque distance. Il éclata de rire :

– Pourvu que ça ne soit pas la bonne femme qui vienne remplacer sa fille !

L'homme portait un pantalon noir et une chemise blanche au col détaché : des vêtements sans usure et pourtant gardés du temps du séminaire. Il se dit qu'au lieu d'attendre l'arrivée de la visiteuse, il ferait mieux de descendre et se mettre un semblant de masque sur le visage. Se donner une apparence qui, combinée à d'autres éléments, provoquerait de la fascination craintive chez la jeune femme.

Et il descendit dans le studio faiblement éclairé sans s'y arrêter, pour se rendre en bas à la salle de toilette en passant par le grande pièce principale servant à la fois de salon et de cuisine.

Rose avait laissé sur le comptoir de l'évier quelques produits de maquillage : bâton de rouge, poudrier, bouteille de parfum. Il manquait quelque chose et il courut à sa chambre pour le prendre en même temps qu'il endossait une robe de chambre en taffetas mauve. C'était du noir à chaussures dont il revint s'appliquer une très mince couche autour des yeux afin d'en bistrer le voisinage.

Il faisait une certaine chaleur à cet étage à cause du poêle à bois dans lequel brûlaient quelques rondins de bouleau. Il n'avait pas été nécessaire encore de mettre en fonction la fournaise de la cave même si la maison avait été mise en hivernement par du calfeutrage de fenêtres et le ramonage de la cheminée, sans compter quelques cordes de bois franc achetées de Georges.

Pendant le court temps requis pour travailler son masque, Solange franchit la dernière étape de son parcours et s'annonça en montant sur la galerie arrière dans le plus de bruit possible. L'éclairage de la cuisine était faible et composé des lueurs provenant de la salle de toilettes, de l'extérieur et d'une lampe du salon. Il voulut que cela demeure ainsi et se rendit ouvrir alors même qu'elle frappait à la porte. Et il ouvrit :

– J'avais peur que ça soit ta mère...

– Es-tu fou ? C'est qu'elle viendrait faire icitte ?

– Sais pas : me chanter des bêtises.

– Elle le sait même pas que je suis venue. Ils disaient le chapelet pis j'en ai profité pour partir. Pis en revenant, je vas dire que j'étais au village chez ma tante Alexina.

Elle ne pouvait distinguer son vrai visage en ce moment à cause de la pénombre; et la flamme du fanal ne servait qu'à éclairer nettement que leurs pieds, guère plus...

– Pensais-tu que je viendrais pas ?

– Je pensais que tu viendrais sans venir vraiment... comme tu l'as fait chaque fois... Puis je me suis dit que cette fois-ci, tu serais là... au complet. Dis-moi donc que je me trompe !

– Ben...

Il referma la porte et prit le fanal qu'il souleva à la hauteur des visages. Elle fut saisie de crainte.

– Ça nous fait une drôle de face, hein, un feu qui danse !

Voilà pourquoi il ressemblait à un démon, songea-t-elle, et son effroi s'amenuisa.

– De quoi j'ai l'air, moi ?

– De... attends... du petit chaperon rouge qui visite le méchant loup.

Elle rit.

– Viens, on va aller s'asseoir au salon. Je baisse le feu du fanal et je le mets à côté du poêle, là, regarde pour quand tu partiras... si tu devais repartir durant la nuit, bien entendu...

– Si je reste... mettons tard... je dirai que j'étais chez ma tante Alexina au village.

– Tu me l'as dit, oui.

Il mit le fanal au lieu dit puis la fit s'arrêter devant le poêle :

– Je vas ajouter deux ou trois rondins pour pas avoir besoin de revenir de sitôt chauffer. Attends une minute.

Il ouvrit la boîte à bois et prit les morceaux voulus puis il souleva la trappe métallique et le feu jaillit hors de sa fournaise en quête de plus d'oxygène. Mais sa lumière éclaira le visage masqué et y dansa, tandis qu'il alimentait le brasier. De nouveau, mais bien plus qu'à la porte, le cœur de Solange s'arrêta tout en décuplant son rythme et ses coups.

Il jeta les rondins dans les flammes et regarda le feu pendant un moment comme pour se nourrir de son essence elle-même. Elle avait les yeux rivés sur son visage...

Il avait simplement mis un peu de rouge sur ses lèvres, un peu de noir autour de ses yeux, un peu de poudre sur ses joues et son front, et quelques gouttes de parfum sur ses bras. La jeune femme se rappelait de cette image indélébile qu'il lui avait offerte ce soir-là où, venue l'espionner par la fenêtre de sa chambre, elle l'avait vu nu, en train de faire de la gymnastique puis en train d'ouvrir une mystérieuse malle... Cette fois-là et d'autres aussi, elle l'avait pris pour le diable en personne venu dans la paroisse pour s'emparer des êtres, corps et âme, les plus vulnérables... comme elle. Et lui avait fait exprès depuis son arrivée dans la paroisse pour nourrir cette image, comme en ce moment même.

– Ça y est ! dit-il en refermant la trappe. Viens. On s'en va au salon... causer sur la causeuse... Donne-moi ton manteau...

Elle obéit. Mieux éclairée par la lampe du salon, elle le fit s'exclamer :

– Mais t'as l'air d'une princesse des *Mille et Une Nuits*. Une vraie Schéhérazade !

Cette phrase eut deux effets. Elle désamorça une véritable crise de panique provoquée par le masque de l'homme. Il avait voulu se donner des airs de Sinbad ou d'Ali Baba... Et puis le compliment désarçonne bien des peurs féminines... les Malins le savent. Aussi les moins malins...

Il lui fit prendre place sur le divan et s'engonça dans son fauteuil de velours vert à deux pas d'elle près d'une fenêtre donnant sur la nuit profonde.

Ils conversèrent pendant une vingtaine de minutes. Il fit des réponses élusives à des questions, non pour les éviter mais pour créer des petits morceaux de mystère. Et parla des beautés imaginaires de la nuit, bien plus grandes que les beautés réelles du jour. Puis il leur servit à boire. Du vin. Une flûte remplie. Du bon vin rosé qui fait vite effet parce qu'il se laisse boire hypocritement.

– Mon avant-dernier soir dans la maison à Polyte : j'ai du mal à le croire. Et j'ai même pas vu son fantôme tout le temps que j'ai vécu ici... mais je sais qu'il est ici, je le sens, je le sens... Il rôde... Des fois, je me demande s'il m'a pas envahi, moi, et si pour le trouver, j'devrais pas chercher à l'intérieur de moi plutôt qu'autour... On devrait l'appeler, tiens. Veux-tu ?

Subjuguée, elle prononça deux mots faibles :

– Pourquoi... pas ?

Pourtant, c'est 'pourquoi' tout court qu'elle avait voulu dire. Il alla s'asseoir sur le banc devant l'harmonium et fit résonner l'instrument de plusieurs notes chaotiques dans un registre de graves ponctué de quelques notes moyennes.

"Esprit de la... maison, esprit... d'Hippolyte, nous te prions... de te manifester... Montre-toi... à nous ici..."

Et à chaque pause dans l'incantation, il prenait soin d'accentuer les notes. Rituel risible en d'autres circonstances et devant une âme moins sensible, la scène entrait en Solange par tous ses sens, ses yeux injectés d'angoisse, ses oreilles envahies par tant de sons phalliques, ses muqueuses excitées par les odeurs du vin et du parfum de rose...

Puis l'homme mit brusquement fin au manège par ses deux mains écrasées sur les notes de chaque bout du clavier dans une apothéose insolite.

– Finissons notre vin, il ne viendra pas ! fit-il en reprenant sa coupe et en se mettant debout devant elle, robe ouverte sur ses airs de prêtre.

Ils burent jusqu'à la dernière goutte.

– Viens avec moi, viens...

Il la prit par la main, l'entraîna dans sa chambre et referma la porte sur une obscurité totale. Car même la toile de la fenêtre était abaissée et aucune lumière venue de l'éternité céleste ne pouvait se rendre jusque dans les entrailles de cette maison. Seul le fantôme de Polyte, doté d'une luminosité intrinsèque, aurait pu leur permettre de se voir. Et pourtant, ils se voyaient par les mains, par l'esprit...

Pas un mot n'émana d'elle. Lui parla sans cesse pour

remplir les vides de l'amour et faire de l'heure à venir un millénaire.

"Que je t'embrasse... donne ta... bouche... Tu as un goût de miel... non, de ciel... Mes mains vont te caresser... pense à tes seins, pense à mes mains sur tes seins... tiens... comme ça... ta bouche, encore ta bouche... Tu veux sentir comment je suis fait... viens... donne ta main... touche-moi... Je suis tout à toi... tout à toi... Enveloppe-moi avec ta main... oui, c'est ça... Suis un prêtre, le savais-tu ? Pas un vrai, suis un défroqué... Que je t'embrasse encore... encore... comme c'est... tu... es la plus belle fille du monde entier... Jamais vu plus belle... Touche-moi... Je dégrafe ta robe... Je sais comment... Je vais caresser ton corps... le caresser, le toucher... et il va s'ouvrir pour recevoir le mien... On ne va plus former qu'une seule personne... Comme la Sainte Trinité à deux... Un homme et une femme... Penses-tu que je suis... touche ma verge encore... penses-tu que je suis... oui... comme ça... un démon sorti de l'en... l'enfer... ohhhh... Ah ! que je t'embrasse, toi !... Mets-toi debout... je nous déshabille..."

L'entier réseau nerveux de la femme s'apaisa lentement. De nouvelles substances se formèrent dans son cerveau et dévalèrent la montagne par toutes les veines et veinules trouvées, et l'anxiété fit place à l'excitation. Si bien qu'elle ne ressentit aucune douleur quand l'homme la pénétra, et plutôt un étrange et magnifique bien-être...

À un mille de là, le regard allumé, rouge et intense de Marie-Ange surveillait la nuit...

***

Chapitre 8

Aux aurores, Germain était à mettre dans son vieux véhicule les quelques petites choses auxquelles il tenait le plus. Tout le reste serait empaqueté par Dal Morin et les siens, déménageurs émérites surnommés le clan Dal, et emporté dans les Bois-Francs avec les meubles.

Sa dernière journée en serait une d'enfer à cause des tâches à accomplir en si peu d'heures. Par chance, un temps superbe accompagnerait ses derniers pas et ultimes volontés en cette paroisse bigarrée qui ne commencerait à perdre ses vraies et magnifiques couleurs qu'à l'arrivée, deux ans plus tard, de la télévision en noir et blanc.

Les feuillus avaient peint le sol des tons les plus chauds et l'homme se sentait heureux, content de la conclusion de son bref séjour en cette maison, en cette région... Certes, il laisserait derrière lui des cœurs attristés, et même un amour véritable, car il éprouvait bel et bien le beau sentiment envers l'une des cinq femmes amies : Rose, Rachel, Solange, Ti-Noire, Marie... Mais il avait pris la décision de n'en point faire l'aveu, de crainte que celle-là ne le croie pas et veuille le retenir à corps et à cris, bec et ongles peut-être...

Non, il garderait son secret jusqu'à la fin et c'est par une lettre importante qu'il dirait sa flamme éternelle à la femme pour qui son âme ardente se consumait sans être détruite, ainsi que le buisson du père Moïse...

Chacune de ces cinq femmes possédait ses propres étoiles qui traçaient les grandes lignes de son destin. Et lui n'aurait été qu'un astre survenant sans rien dire et filant à toute vitesse dans la configuration d'un été excitant de leur vie...

Rose, femme de chair, avait besoin de plusieurs amants; peut-être qu'il l'aurait confortée dans son porte à porte sur le chemin de l'amour.

Ti-Noire réaliserait son grand rêve américain pour ainsi échapper à son obsession de la folie.

Solange épouserait un garçon bien et chaque fois qu'elle l'aurait en elle, c'est à ce diable d'homme qui avait accepté sa virginité qu'elle songerait peut-être, pour son plus grand plaisir. En tout cas, il avait tout fait pour ça par cette mise en scène soutenue grâce à laquelle les grands décors de l'amour érigés par lui avaient environné sa conclusion flamboyante de la soirée du jour précédent.

Et Rachel, et Rachel... Elle n'échapperait pas à la simplicité de son destin, même si elle tâcherait de le faire. Voilà pourquoi sa vie se poursuivrait ailleurs qu'en cette paroisse, là où finalement, elle rebâtirait le même scénario de vie qu'elle aurait vécu en y demeurant. C'est elle des cinq qui eût été le moins malheureuse avec lui...

Marie, mère de Cécile, Cécile, fille de Marie, ah ! que de

larmes inutiles à travers les autres si nécessaires ! C'est par la douleur qu'elles grandiraient, aimeraient, vivraient, mourraient quelque part dans le prochain siècle, loin, loin en avant... dans les étoiles...

L'homme était adossé à la portière de la voiture, bras croisés, prêt à cadenasser la porte de la maison et à s'en aller à tout jamais, ignorant que sur le sentier là-bas, le long de la clôture, une volonté large et bringuebalante, armée jusqu'aux dents, marteau à la main, venait lui intimer des ordres impérieux...

Il pensa à son ordre du jour en vrac. Saluer quelques personnes encore. Confier son bazou à Roland Campeau qui l'avait acheté du père Thodore puis l'avait vendu au Cook Champagne qui le lui avait revendu, et auquel le garagiste Philias Bisson avait ajouté de la valeur en le rafistolant. Et il aurait une rencontre avec la dernière des cinq femmes de son été, Ti-Noire à qui il ferait aussi ses adieux. Il passerait la soirée au restaurant et dormirait là-même, à l'hôtel chez Fortunat. Et puis à travers tout ça, il se rendrait au cimetière et sur le cap à Foley... Et le matin suivant, il partirait avec le Blanc pour se rendre à la gare prendre le train pour retourner chez lui, dans sa région natale, en passant par Québec.

Il lui vint l'envie de se rendre une dernière fois dans la tour puis il se ravisa. Le temps lui manquait. Et puis sa réserve de souvenirs quant à ces lieux était suffisante à l'exception peut-être du fantôme de Polyte. Il retourna à la porte arrière, l'ouvrit grande et lança un autre adieu :

– Salut Polyte ! Reste icitte. J'ai fini ma visite...

Il referma et posa le cadenas. Puis il se mit au volant et s'en alla lentement mais sans se retourner pour voir les feuilles déplacées par les pneus et l'air se trouver un autre lit de décomposition...

Il ne fallut que deux minutes pour que surgisse devant

lui, au beau milieu du sentier après un léger tournant, la personne arrêtée de Marie-Ange qui, mains sur les hanches, lui barrait le chemin. Il s'arrêta et tandis qu'il descendait, elle contournait la 'machine' et arrivait à la portière.

– Où c'est que tu vas comme ça ?

– Ben... au village.

Elle jeta un coup d'œil sur la banquette arrière :

– Pis avec tout ton barda ?

– Avec l'essentiel.

– Pis tu t'en retournes par chez vous comme ça, comme si de rien n'était.

– C'était votre vœu il y a quelques jours à peine.

Elle mit sa tête en biais comme un taureau menaçant :

– Là, mon gars, tu vas nous laisser ta carte de visite pis te laver les mains de tout ? Non, ça se passera pas de même. Ou ben tu vas te faire soincer, je peux te le dire, là, moé... Pis tu sais aussi ben que moé de quoi c'est que je veux parler. La Solange est arrivée pas mal défraîchie d'icitte en pleine nuitte... Ce qui s'est passé, je le sais...

Coincé, il se ferait soincer comme elle venait de le dire. Mais comment lui échapper sans devoir se battre ?

– Votre fille est majeure...

– C'est pas la loi qui gère la vie icitte, c'est ce qu'on a dans la tête pis dans le cœur.

– Le curé m'a chassé et vous étiez d'accord avec lui.

– Après ce qui s'est passé, le curé lui-même sera d'accord pour que tu restes. On va t'organiser un mariage le temps de le dire pis ça va faire de toé un bon paroissien. C'est tout pis c'est de même que ça va se passer.

– Vous pouvez toujours pas dire que votre fille est enceinte, là, vous ?

– Elle était dans son temps du mois où c'est qu'elle peut pas en réchapper. Ça fait que... dégreye tes guenilles, tu retournes dans la maison à Polyte pis tusuite !

– Trop tard pour ça, là.

– Non, non...

– Désolé, mais j'ai plus rien à faire par ici, moi. J'ai ce qu'il me fallait...

Une parole à ne pas dire. Il songeait aux personnages de son livre. Elle pensait à ce qu'il avait fait à sa fille.

– C'est ça : t'as pris le meilleur du monde de par icitte, pis là, tu sacres ton camp sans demander ton reste. Hen hen... ça me fait de la peine, mon gars, mais c'est trop tard pour partir, pas trop tard pour rester...

– J'ai voulu dire que je suis venu écrire un livre et que j'ai tout mon matériel là, dans ma valise grise que vous voyez. Mes notes sur les personnages, les événements...

L'homme venait de montrer son talon d'Achille. Elle devait gagner du temps, et pour cela, il fallait qu'elle s'empare de cette valise.

– Moé, j'cré pas grand-chose de ce que tu me dis, mon gars, tu sauras ça.

– Je ne le cache pas, que je suis venu écrire un livre. Je l'ai dit à la réunion de l'école : vous y étiez...

– T'as pas avoué que t'étais un défroqué par exemple...

– J'avais pas à le faire. Et puis ça change quoi ?

– Montre-moi ça, ces feuilles-là, si tu veux me le faire crère...

Traqué, bousculé dans ses émotions, le jeune homme ne se rendait pas compte qu'il s'embarquait dans un jeu dangereux. Il prit la petite malle et allait l'ouvrir devant elle en l'appuyant contre la portière ouverte quand la femme voulut s'en emparer. Il comprit subitement ses intentions de chantage à la valise et ne lâcha pas la poignée. Et tira, et se laissa tomber sur la banquette avant en tirant encore... Marie-Ange fonça devant et son poids éléphantesque s'exerça tout entier contre la portière. Germain en reçut la pièce métallique entourant la vitre en plein dans l'œil et faillit perdre conscience tant le choc fut violent.

Mais il sauvegarda son bien et put quand même jeter la malle à côté sur la banquette puis s'élança en contre-attaque avec toute la force de son épaule. Désarçonnée par la portière, Marie-Ange fit deux pas en arrière, s'enfargea et tomba, quatre fers en l'air et "bloomers" exposés.

Le jeune homme avait le temps de fuir maintenant. Il referma, remit le moteur en marche et démarra le plus vite qu'il put sans risquer de faire rater l'engin.

Un peu plus loin, tandis que Marie-Ange se remettait sur ses pieds en lui lançant des imprécations, il stoppa le bazou et ouvrit la portière pour lui crier :

– Tu le savais pas que je suis le diable en personne. J'ai le démon de la chair en moi. J'ai le démon de l'orgueil en moi. J'ai deux douzaines de démons en moi... Pis si ta fille est enceinte, vieille folle, tu vas avoir le diable dans la maison, le diable tout pur...

Laissée seule, la femme se tut et pencha la tête. Elle se sentait terriblement triste de voir partir pour jamais ce "diable dans l'eau bénite".

*

Bédard arriva au village avec un œil au beurre noir. Il raconterait qu'il avait heurté la porte de l'armoire. Ce qu'il dut faire pour chaque personne qu'il visita au cours de l'avant-midi. Puis il se rendit prendre son repas du midi au restaurant et en profita pour réserver une chambre pour la nuit suivante. Après y avoir mis ses affaires, il conversa avec Fortunat, sa femme, ses filles, son fils. On tenta de le décourager de partir. Il fit comprendre à tous que la dernière page de son livre serait tournée le jour suivant. Par la suite, il se rendit prendre des arrangements avec Campeau à propos de l'auto. La bazou serait laissé derrière le magasin général, près du camp d'Armand Grégoire. Il encaissa son argent et retourna aux autres affaires prévues.

L'une d'elles consistait en une visite au cimetière. Il gara le véhicule près de la salle paroissiale et marcha jusque parmi les monuments, un calepin et un crayon dans la main. Il marcha dans les allées jonchées de feuilles rouges tombées des érables qui formaient un enclos autour du cimetière au complet. Des noms furent inscrits. Des mots pour décrire les stèles, les chaînes encerclant le terrain des exclus, pour transcrire les épitaphes...

Puis il sauta par-dessus une clôture et se rendit sur le cap à Foley voisin. Le cap des apparitions de la Vierge et des pistes du diable. Le cap qui restait imprégné des ondes de toutes ces semelles importantes à l'avoir parcouru : évêques, prêtres, le journaliste René Lévesque, Jean Béliveau, Claude Ryan et combien d'autres. Mais surtout le cap de l'espoir et de la déception. Le cap des miracles attendus, le cap du grandiose et de la foi naïve. Le cap de l'honneur et des grandes émotions. Le cap des incrédules venus pour conforter leur incroyance. Et aussi le cap où Ti-Noire s'étendait nue pour se faire bronzer en rêvant aux plages américaines, tandis que le vicaire Gilbert se scandalisait de pareille nudité et s'en servait ensuite pour nourrir ses fantasmes... et s'en libérer en attendant les suivants...

Bédard mit ses pieds dans ces formes encavées qui ressemblaient à des empreintes laissées là par quelque dinosaure quand le cap n'était encore que de la boue en voie de durcir, et il marcha en des pas très longs que des yeux ronds embusqués derrière des lunettes d'approche observaient depuis une fenêtre du dernier étage du presbytère.

Ce n'était pas le curé mais son vicaire qui cherchait à démêler des choses à l'intérieur de lui-même et s'imaginait pouvoir y parvenir en passant par ce personnage mystérieux qu'à vrai dire il ne détestait pas, même s'il avait soulevé le voile sur l'affaire des fausses apparitions...

Puis Germain se tourna vers la grosse demeure blanche et sacrée, comme s'il avait su qu'on le regardait. Le prêtre recula pour ne pas être aperçu.

*

Vint l'heure de visiter Ti-Noire. La jeune femme suivait ses pas depuis qu'il se trouvait au cœur du village par la fenêtre de sa chambre d'où elle pouvait voir le restaurant, l'église, le presbytère, le cimetière, la rue principale... Quand il vint stationner son auto sur le terrassement tout près, elle sut qu'il venait pour elle. Il lui adressa d'ailleurs un signe de la main, sachant qu'elle se tenait à sa fenêtre.

Ils avaient rendez-vous dans le hangar de la marchandise en vrac auquel on avait accès en contournant la maison attenant au magasin par un trottoir de bois sis entre l'ancienne maison rouge et l'édifice principal. Elle passerait par l'intérieur en tâchant de ne pas se faire voir par son père ou sa tante Bernadette qui devaient s'occuper de la clientèle à cette heure du milieu du jour.

C'est dans un tunnel sombre qu'ils se rejoignirent. Aussitôt, elle se jeta dans ses bras. Il la serra à l'étouffer. Et comme prévu la veille, ils se rendirent au deuxième étage de l'entrepôt où on risquait peu de les surprendre. Et quand cela serait, s'étaient-ils dit, quelle importance ! Ces minutes n'appartenaient qu'à eux et à personne d'autre. Ce serait le tout dernier épisode de leur grand rêve américain commun...

Elle portait un pantalon beige reçu l'avant-veille de sa sœur des États et un gros chandail de laine de couleur brune avec tissage aux formes de tresses accusant sa poitrine. Il la suivit dans l'escalier puis entre les empilements de sacs de moulée jusqu'au fond en un lieu sombre où il n'était plus possible de conserver de fine fleur à cause d'une épidémie de vermine. Seul Dieu les y verrait et encore, s'il ne dormait pas comme trop souvent devant la détresse de ses créatures.

Ti-Noire avait aménagé cette cachette pour eux en y mettant la veille une pile de sacs de jute qui leur servirait de coussin ou de matelas odorant.

– Viens, on va s'assire à terre.

Ce qu'elle fit la première. Il resta debout un moment pour habituer ses pupilles à la pénombre puis la rejoignit.

– Dire que c'est notre dernière heure !

– Dire, oui !

– C'est qu'on va en faire ?

– Du meilleur et du pire...

– Comme des gens mariés ?

– Disons.

– Je pense que ma tante Bernadette, elle a deviné qu'on se retrouverait ici... Elle m'a vue et m'a regardée avec un drôle d'air...

– Mais elle ne va rien dire.

– Elle ne dit jamais rien si elle pense que ça pourrait nuire à la personne. Ben fine, ma tante !

– C'est une personne qu'a pas d'ennemis. Tout le monde l'aime. C'est rare, ça.

– Pis en même temps, elle s'est jamais trouvé un mari.

– Probable qu'elle a pas cherché...

Ils se parlaient à mi-voix et cela permettrait aux mots de

rester gravés à jamais dans toutes leurs mémoires. Aussi cela pavait magnifiquement la voie à des silences exquis mouillés de baisers exigeant de fébriles absolutions de la part du vicaire si la jeune femme n'avait considéré les plaisirs de la chair comme légitimes et désirables, et s'en était accusée...

Puis le vieux démon de Ti-Noire refit surface une fois encore. Il le connaissait bien pour l'avoir combattu chez elle depuis qu'ils se connaissaient et se fréquentaient. Peur de l'aliénation mentale, peur de ce terrible héritage que pourrait lui léguer la lignée maternelle comme elle l'avait fait pour son frère.

— Si je savais donc l'avenir qui m'attend, je...

— Tu dis ça parce que tu le crains et t'as grandement tort de le craindre. Il t'apportera autant qu'il te prendra. Les aléas sont le lot des vivants... comme de se cogner contre une porte dans le noir...

Elle n'avait pas encore vu son œil de près à cause de l'obscurité ni ne l'avait remarqué en le saluant de loin depuis sa chambre.

— Justement... quand on sort de la noirceur, on évite de se cogner sur toutes sortes de choses...

Il ne voulait pas entrer sur ce terrain et bifurqua :

— Tu m'as pas vu l'œil, hein ?

— Non, c'est quoi ?

— Noir comme du beurre noir.

— C'est pour ça que tu me parles de se cogner sur une porte ?

— Ben oui, hier soir...

Elle se mit à rire et frôla le visage masculin de sa main pour aller tâter l'enflure :

— Crains pas, je vais faire attention. Pis mes doigts seront si doux qu'ils vont agir comme une couenne de lard.

Il ressentit douceur et douleur, un heureux mélange de sensations piquantes et veloutées qui alla chercher dans sa substance profonde les désirs insensés pour les projeter en puissance active dans son sang et sa chair.

– Quand... tu t'y mets, tu me... noies dans... Je ne sais... plus ce que je dis... C'est l'homme qui...

Leurs lèvres se trouvèrent.

– ... doit séduire... pas la femme...

Elle souffla :

– J'te traite aux petits oignons... pour que tu te souviennes de moi... C'est du calcul...

– C'est mieux... calculer des caresses... que des millions...

Ils se laissèrent tomber sur les sacs rudes. Suivit une longue session amoureuse qui, comme toutes les autres jusque là entre eux, ne parviendrait jamais à son ultime conclusion, comme si chacun avait voulu que l'amour se terminât dans la souffrance et l'inassouvissement.

Et le destin s'en mêla par la voix de Freddy :

– Ti-Noire, Ti-Noire, criait-il de sa voix de stentor qui résonnait par tout l'entrepôt et jusqu'au deuxième étage dans le réduit des adieux.

– Je ne vais pas lui répondre; il viendra pas jusqu'ici.

– Et s'il le fait ?

– Il se fâchera pas, il se fâche jamais.

– Ti-Noire, y a de l'ouvrage au magasin...

– Je vas y aller... Je vas dire que j'arrive de voir mon oncle Armand... Il va mal... Tu devrais le visiter avant de t'en aller... Il crache le sang... Il fera pas long...

– La consomption, c'est de même : des hauts et des bas. Tu vois le Blanc Gaboury : une semaine au lit à faire dire à tout le monde que la moitié de sa mort est écrite dans son visage et la semaine d'après avec son Plymouth à charrier les sacs de malle de la gare au bureau de poste...

– Oui, mais pas soignés, ils finissent par en mourir...

– Même soignés, on finit tous de même.

Il se fit une pause.

– Pis comme ça, c'est tout, là, nous autres, mon noir ?

– Oui et non... Ce qu'on a vécu, on va le revivre...

– C'est que tu veux dire avec ça ?

– Que ce qu'on vient de vivre, on pourra le revivre quelque part dans l'éternité... Nos âmes vont se retrouver et elles vont rebâtir nos corps...

– On pourra-t-il finir ce qu'on a commencé ou ben si on restera toute l'éternité sur notre faim ?

– C'est la faim qui préserve de la fin...

– Mon noir, laisse-moi pas sur une parabole, suis pas Marie-Madeleine...

– Le désir est plus grand que le plaisir.

– Ouais, je vas penser à ça, là...

Ils se remirent sur leurs pieds. Elle lui entoura la taille et colla sa tête sur sa poitrine. Brièvement. Sans larmes. Sans soupirs. Sans tristesse apparente. Et ils s'en allèrent. Quand ils furent à l'intersection du tunnel où il leur fallait se séparer, il ne dit que quelques mots :

– Armand, est-il chez Bernadette ou dans son 'shack' en arrière du magasin ?

– Au 'shack', je pense.

Et ce fut tout.

Germain rendit visite à Armand qui s'excusa de rester

couché et ne cessa de tousser et de remplir des guenilles de sang vermeil. Au-dessus de son canapé de cuir tout écorché, un fusil à baguette était suspendu et attirait souvent l'attention du visiteur resté debout devant la porte. Le malade le lui offrit en cadeau. L'autre le lui redonna aussitôt :

– C'est un magnifique objet que je suis fier de posséder. Je l'accepte donc et je te l'offre à mon tour.

Armand se mit à rire et cela se transforma en une quinte de toux sanglante. Puis il se calma et dit, la voix étouffée :

– Tu me dis pas comme tout le monde que ça va passer, que je vas m'en sortir encore une fois ? Tu prendrais pas de risque à me dire ça d'abord que tu lèves les feutres de par icitte pour t'en aller à demeure...

– Je le voudrais, mais j'peux pas. D'après ce que je vois, t'es mort dans trois jours, mon Armand.

Les os accusés du visage du malade s'articulèrent et rendirent un sourire mince que la chair absente pas plus que les lèvres sanguinolentes ne pouvaient livrer :

– Baptême de baptême, t'es le premier à m'encourager. J'te remercie en maudit.

Ce furent les derniers mots sérieux avant les formalités d'usage quand Germain s'en alla...

*

Bédard se rendit ensuite visiter Philias Bisson et il lui confia que Rose Martin était mûre pour lui.

– Je ne ferais jamais ça à mon ami Gus, dit le bedonnant garagiste en regardant son visiteur par-dessus les verres de ses lunettes.

– C'est pas à monsieur Gus qu'il faut faire ça, c'est à madame Rose.

L'homme en salopette noire passa sa main dans les vagues de ses cheveux foncés et plissa les yeux pour dire avec le plus grand sérieux :

– Je vas y penser, mon jeune, je vas y penser...

*

Germain visita encore quelques personnes puis il retourna mettre le bazou à l'endroit convenu et s'en alla à l'hôtel pour le reste de la journée, la soirée et la nuit.

***

Chapitre 9

Sans le savoir, Germain Bédard était devenu une star locale en quelques semaines seulement. Son mystère, son apparence physique, son implication dans le milieu, la campagne référendaire, les rumeurs à son endroit et même sa lutte avec ou contre le curé, son empathie et surtout son évident plaisir à questionner et à écouter les plus humbles : tout cela avait contribué à le nimber d'une auréole malgré les côtés noirs de sa personnalité et son intervention dans l'affaire des apparitions.

Toutefois, il n'en prit conscience que ce jour de son départ par les réactions, cette fois, non point des amies amoureuses qu'il s'était attachées ni même des amis sympathiques tels que Dominique Blais, Ernest Maheux, Philias Bisson et surtout Lucien Boucher, toutes gens qu'il avait côtoyés plus souvent que d'autres, mais par la présence d'une trentaine de ces autres-là dont plusieurs à qui il n'avait parlé qu'une fois et brièvement.

Ils se regroupèrent au magasin, debout dans les deux allées, de chaque côté du comptoir central. À croire qu'on était dimanche après la grand-messe !

Tout d'abord, il crut à une réunion de citoyens pour régler quelque cas dont il ne savait rien quand, à sa sortie de l'hôtel, il aperçut toutes ces autos et entrevit le brouhaha chez Freddy.

"Et c'est même pas l'arrivée de la malle au bureau de poste mais l'heure de l'envoi des sacs de courrier à la gare par le Blanc Gaboury..." songeait-il en traversant la rue avec ses deux précieuses petites valises et un sac à dos.

Il faisait froid ce matin-là. Du frasil blanchissait les toits et les vitres non chauffées. Le soleil matinal se faisait poli. Un temps cru.

"Pourvu que cette chère Marie-Ange n'ait pas ameuté ses troupes !" pensa-t-il aussi en faisant son entrée dans la place bondée.

Diverses voix se firent entendre quand il parut. Une rumeur si anormale que, pour la toute première fois de sa vie, il eut une pensée vers la protection de ses couilles.

L'observateur en lui errait tout à fait. Loin de lui chanter des bêtises, on lui distribua des claques sur les épaules, des poignées de mains, des bravos...

On lui fit une haie d'honneur. Même le vicaire faisait partie du groupe. Saluant à droite et à gauche, il put se rendre jusqu'au bureau de poste afin d'y saluer une dernière fois les Grégoire qu'il y trouverait. Il put en voir trois mais pas la Ti-Noire : Bernadette, Freddy et leur frère Armand debout, lui, une fois de plus.

– Comme tu vois, c'était pas encore la bonne ! déclara le tuberculeux adossé, bras croisés, à des cases à courrier.

– Ça retardera pas, mon ami, ça retardera pas.

– C'est mon plus cher souhait !

Derrière Bédard, le Blanc, visage farinacé, tout de noir vêtu, arrivé quelques secondes après lui et l'ayant suivi à pas raccourcis, entendit l'échange et fut le seul à comprendre vraiment. On se parlait de la mort avec joie et à mots couverts, et cela lui plaisait au plus haut point, lui qui l'espérait rapide autant que son collègue consomption et frère d'infortune, cet Armand dont la carcasse, tout comme la sienne, n'était plus soutenue, étançonnée que par des cure-dents aux allures de vieux os.

– Bon, ben, mes salutations à vous trois, là !

– Ti-Noire te fait dire salut, itou, dit Bernadette avec un petit regard joyeux et un brin vicieux. Pis reviens nous voir souvent, là !

– Ben beau, Bernadette !

– Salut ben ! ajouta Freddy en tirant une poffe de sa pipe puante.

Bédard qui n'avait pas posé ses valises sur le plancher fit demi-tour et contourna le Blanc.

Au même moment, curieux hasard, le curé arrivait au magasin et se questionnait lui-même sur ce rassemblement inhabituel. Il hésita un moment, ne sachant trop s'il devait prendre l'allée de gauche ou celle de droite. Il prit à droite. Les premiers à lui barrer la route se rendirent compte de sa présence et peu à peu, on s'écarta alors même que de l'autre côté, Bédard avançait entre les deux rangs refaits.

Venu voir Freddy pour l'inciter à se présenter à la mairie du village, l'abbé Ennis pensa qu'il y avait là une délégation réunie dans le même but. Quelle belle occasion de s'emparer de l'attention de cette élite paroissiale ! Malgré sa marche lente, il n'obtint pas cette considération et faillit perdre sa pipe plantée entre ses dents, et qui pencha dangereusement quand sa bouche se mit à béer.

Il venait de comprendre. On était venu saluer le diable. Impensable ! D'aussi bons paroissiens tombés sous les charmes de ce serpent d'étranger. Le pire, c'est que d'aucuns, ignorant la raison du départ de Bédard, croiraient qu'il était venu, lui aussi, lui dire au revoir. Que faire ? Que dire ? Les personnes présentes parlaient moins entre elles, maintenant que c'était la fin... *If you can not beat him, join him*, se dit-il. Une bénédiction, personne ne refuserait cela. De la magnanimité. Un vrai pasteur ne saurait garder rancœur. Un autre coup lui fut quand même donné au plexus solaire quand il aperçut son vicaire toucher l'exclu et lui glisser à l'oreille des mots à l'évidence bons.

Au beau milieu de la place, les deux ennemis se virent. Et s'arrêtèrent un court instant pour se jauger. Bédard prit l'initiative :

– Mes amis, on salue tous monsieur le curé. Comme vous le savez, on a eu un petit différend à cause de la politique municipale, mais tout ça est du passé et enterré. Tout est arrangé; tout est pardonné. N'est-ce pas, monsieur le curé ?

– Le pardon des péchés, dit le prêtre en ajoutant à ses dires l'éloquence de sa pipe pointée en diverses directions, c'est le cœur de la chrétienté.

Ce diable d'homme avait-il donc lu dans les pensées du prêtre ? Toujours est-il qu'il y alla d'une demande surprenante :

– En ce cas-là, j'aurai le même bonheur à être béni par vous que vous à me bénir... à nous bénir tous en cet autre beau jour que le ciel nous donne.

Toutes les têtes se penchèrent et même des genoux fléchirent dont ceux de Bernadette. De l'autre côté de la porte de la cuisine, Ti-Noire entendait tout et hochait la tête avec un sourire qui n'en revenait pas...

L'abbé commença la prière rituelle et leva la pipe pour esquisser le geste et se rendit compte de son lapsus gestuel pour aussitôt confier sa bouffarde à sa main gauche. Tous se signèrent. Le prêtre tendit la main par-dessus un cent de sucre (sac de 100 livres) et Bédard s'empressa de poser une valise pour la serrer. Les deux recueillirent les applaudissements de l'assemblée.

Remise sur ses jambes, Bernadette avait la larme à l'œil dans le réduit du bureau de poste. Elle tourna la tête et aperçut une enveloppe dans le carreau du courrier divers. C'était, elle s'en rappelait maintenant, une lettre adressée à Bédard. Elle s'en empara et courut vers lui. Et faillit bousculer le Blanc pour l'atteindre et la lui remettre.

Dès que la porte du magasin fut franchie par les deux exclus, Bédard et le postillon tuberculeux, le curé redevint la seule et unique vraie star de la paroisse. Et cela durerait encore deux ans jusqu'à l'arrivée d'une autre vedette, celle-là qu'il ne parviendrait jamais à déloger ni même ne tenterait de le faire : la sacro-sainte télévision.

Il n'y avait pas l'adresse de l'envoyeur sur l'enveloppe, en tout cas pas en mots, car Bédard sut aussitôt par le parfum que le papier dégageait que la lettre venait de Rose. Il ne l'ouvrit pas sur-le-champ et se contenta de fouetter sa main avec l'enveloppe blanche, tandis que la Plymouth démarrait, passait devant la maison de Bernadette puis celle des Jolicœur où vivait Rose. Il regarda une dernière fois toutes les fenêtres. Rien. Rien que du jaune immobile : des toiles abaissées, des rideaux tirés, du givre dans la vitre de la porte d'entrée. Ce qu'il lui resterait de Rose, il le tenait entre ses doigts...

À la sortie du village, il demanda au Blanc de s'arrêter.

– Je me sentirais mieux en arrière pour lire ma lettre.

– Ça adonne ben, dit Blanc sans s'expliquer.

Et tandis que Bédard s'asseyait à l'arrière, l'autre faisait coulisser la vitre de la portière en toussant et en se raclant la gorge. Et quand il eut la bouche remplie des humeurs indésirables, il cracha dehors avec fracas. Le vent levé ramena des gouttelettes dans le visage de son passager qui se savait immunisé contre le bacille de Koch.

Il ouvrit la lettre et corrigea les fautes d'orthographe par l'imagination tout en lisant, mais pas celles de la syntaxe.

"Monsieur Germain, diable dans l'eau bénite,

C'est moi, ta fleur d'été. Je sais mieux quoi faire asteur à cause de toi. La peinture, j'aime ça. Même que j'ai l'intention de louer la maison à Polyte pour aller me retrouver là de temps en temps l'été, le printemps et l'automne itou. L'hiver sans toi pour me réchauffer ça serait trop froid. T'as changé pas mal de monde en passant par ici et c'est ça qui est important. Je mange pas mon ronge parce que tu t'en vas. Si tu le fais, ça doit être mieux de même pour toi comme pour moi et pour tout le monde. Si un jour avant vingt ans tu repasses par ici tu pourras venir me voir, que ça me ferait donc plaisir. On fera ce que ça nous dira. C'est ça le mieux dans la vie : faire ce qu'on veut sans nuire à personne. Je pensais de même au fond de moi mais durant cinquante ans on m'a rentré dans la tête qu'il faut pas penser de même. Quand j'ai lâché mon mari, j'étais pas certaine de mon affaire à cent pour cent comme j'aurais dû. Toi tu m'as fait comprendre que j'ai fait c'est qu'il fallait et que je devais continuer de même. Je te remercie pour ça. J'ai pas les mots comme toi pour dire tout ce que je pense et le dire comme il faut mais je sais que tu comprends tout ce que je veux te dire justement parce que t'as les mots qu'il faut pour ça.

La vie de la paroisse et la mienne ça va reprendre le cours normal mais il va y avoir une couleur de plus dans le tableau et ça sera la tienne. Une couleur de plus, c'est pas grand-chose mais ça change tout l'air d'une chanson, d'une peinture, d'une saison...

Tu m'as fait découvrir en moi des choses que je connaissait pas et que je savais pas que j'avais. Et je sais que je t'ai apporté quelque chose moi itou autrement on aurait pas fait c'est qu'on a fait, hein...

Je t'en dirai pas plus et je mets une goutte de mon meilleur parfum sur mon papier. Comme ça, tu pourras me sentir encore un bout de temps. Et te rappeler le meilleur de moi à part tout le reste.

*Et comme tu connais ça les mots tu pourras m'écrire quand ça te le chantera. Malgré que t'es homme à vivre dans le moment présent et surtout dans le futur tout en te servant du passé pour bâtir. Ça s'oublie pas un été comme ça. Tu m'as pas aimée d'amour mais c'est ben mieux de même. L'amour à quoi ça sert d'abord que ça dure jamais plus longtemps que l'odeur d'un **parfum de rose**. Tu veux me le dire toi ?...*

C'est ça que j'avais à te dire. Là, j'arrête d'écrire. Parce que si tu me lis sur le chemin comme je pense ou même sur les gros chars nous autres et la paroisse d'ici on fait déjà partie de tes bagages pas de ta journée...

Je garde en moi le meilleur de toi.   Rose..."

L'homme remit la lettre dans son enveloppe et le tout dans une poche intérieure de son parka à carreaux rouges sur fond noir.

– Tout va comme tu veux ? Veux-tu revenir en avant ?

– Continuons comme ça !

On avait dépassé la maison de Marie pendant que le jeune homme lisait sa lettre. Personne n'y était de toute façon. Et voici que l'on passait maintenant devant l'école de la

Grand-Ligne. Il sortit un calepin et entreprit d'écrire la fameuse lettre par laquelle il déclarerait son sentiment amoureux à l'élue de son cœur qu'il ne reverrait pourtant jamais.

Les cinq noms défilèrent de nouveau dans toutes ses mémoires : Rose, Rachel, Ti-Noire, Solange, Marie... Puis il traça lentement les lettres une après l'autre en en-tête.

Ti-Noire...

Elle était la plus vulnérable de toutes malgré ses dehors assurés et vaporeux. La plus rêveuse comme lui quand elle ne transportait pas des sacs de jute pour les conforts de l'amour. La plus douce malgré le toupet dont elle savait faire preuve à l'occasion. Et une âme compliquée et inquiète tout comme lui...

Il n'avait pas fini de revoir toutes les raisons de son sentiment pour elle à la base desquelles était le je-ne-sais-quoi qui déclenche le phénomène en l'être humain, que Blanc interrompit sa réflexion :

– Veux-tu vivre jusqu'à cent ans, toi, Bédard ?

La question incluait toute la problématique de celui que la mort attend au prochain tournant et qui n'a même pas fini de traverser le temps de sa jeunesse, un énorme questionnement que le postillon évacuait le plus souvent en le crachant par la vitre. Bédard lui fit une réponse brève mais qui contenait des livres et des livres de toutes les réflexions de l'humanité sur la vie et la mort :

– L'importance de ma vie est si minime par rapport à l'éternité et si infime par rapport à l'univers que je ne veux jamais y tenir, à cette vie-là, au point de souffrir pour la garder.

Le Blanc le regarda par le rétroviseur. La peau de son visage s'étira sur un sourire élimé.

Ils ne se dirent plus un seul mot jusqu'à la gare. Et se

donnèrent la main sans plus quand Bédard fut sur le point de monter dans le wagon à voyageurs.

Plutôt de repartir comme d'habitude avec les sacs de courrier, Blanc regarda le train partir dans les rugissements habituels et les grincements des roues, la vapeur soufflée et sa lenteur, et le suivit du regard jusqu'à sa disparition au loin dans une courbe de la voie ferrée.

Le diable dans l'eau bénite allait vers son destin.

***

Chapitre 10

La paroisse redevint d'un calme absolu. Couchée sur son plateau, réglée comme du papier à musique, elle ouvrait un œil somnolent parfois, le temps d'une volée des cloches, pour échapper une larme à l'un des quinze ou vingt enterrements de l'année ou bien pour expulser une étincelle quand un nouveau-né légitime recevait le sacrement de baptême et un prénom bien mérité...

Il y avait la messe du dimanche, les vêpres, les deux messes du matin, les retraites paroissiales, les rogations, la semaine sainte, l'Avent, le mois de Marie, la procession de la Fête-Dieu, le carême, la fête de saint Joseph, du Sacré-Cœur, les visites de l'évêque, la confirmation des enfants, les inaugurations au goupillon, les funérailles, les neuvaines, les baptêmes, la semaine sainte, Noël et toutes ses messes et décorations, Pâques, le dimanche des rameaux, les communions solennelles, l'Épiphanie et tutti quanti sans oublier la fête de la Circoncision de Jésus qui donnait un avant-goût des horreurs du vendredi saint.

Il ne restait aux gens que le temps de vaquer à leurs travaux obligatoires et celui de procréer. Comment accueillir un nouveau joueur comme la télévision qui divertissait déjà les Américains depuis 1948 ?

Ah ! mais on a tout le temps ! songeait le curé qui longeait des monticules de terre jonchant la rue principale sur la moitié du village ou presque.

Qui oserait dire qu'il ne se passait plus rien à Saint-Honoré ? On avait deux maires maintenant, deux conseils municipaux et une certaine émulation entre les deux administrations. Tout bien réfléchi, le curé ne s'accommodait pas si mal de la grande division paroissiale, la 'sépârâtion', comme le disait Ernest.

Quand on se sent moins fort, on se fait plus inventif, plus combatif devant les aléas de la vie. On avait enfin décidé de régler la question, aussi vieille que le village, de l'aqueduc et des égouts. Fini l'approvisionnement en eau potable à même des puits de surface dispersés aux quatre coins de l'agglomération et vidés en deux minutes quand on y branchait la 'pompe à feu', ce qui obligeait le curé à dépenser trois fois plus de médailles pour stopper la malice des incendies ! Fini les puisards merdeux qui attiraient les mouches par myriades durant la belle saison, et à toutes les maisons dont les moustiquaires se couvraient par épaisses couches bourdonnantes que pas même le DDT, vaporisé en abondance, ne parvenait à chasser !

Et voilà que le grand chantier d'excavation avait été ouvert en même temps qu'on avait éventré le revêtement bitumineux quelques jours plus tôt.

C'était juin 1951.

Rose Martin aussi s'apprêtait à marcher sans regarder devant elle et en faisant attention où elle posait les pieds. Ce serait ardu de faire son porte à porte à travers ce brouhaha. Il n'avais pas plu et pourtant, la glaise limoneuse graissait la portion de la chaussée qui n'était pas enterrée. Et puis les pneus sans-gêne des autos et camions transportaient sur les trottoirs des résidus boueux.

Vendre des produits de beauté à travers pareil désordre, distribuer des parfums quand les odeurs de terre mouillée, d'argile humide et d'eaux usées occupent la rue principale depuis le Grand-Shenley jusqu'à l'église et dans quelques semaines jusqu'aux extrémités du village, voilà qui risquait de décourager les ventes. Ou qui sait de les augmenter.

Tous ces désagréments, ce n'était rien pour les gens ordinaires à comparer à l'enfer qu'aurait à traverser l'aveugle Lambert à moins de vivre tout son été et son automne dans l'enfermement le plus total.

Le pauvre homme n'avait pas le choix. Plus aucun point de repère pour lui et sa canne blanche. Sa femme, elle-même handicapée par ses jambes et son poids énorme, devrait l'accompagner, le guider, l'empêcher de buter sur les monticules, de prendre une mauvaise direction, de tomber dans un trou béant pour n'avoir pu suivre en ligne droite l'une ou l'autre des étroites passerelles de bois qui faisaient le pont entre les deux côtés de la rue aux cinq ou six maisons.

Rose l'aperçut qui se morfondait, assis sur sa galerie, interdit de marche à cause de ses yeux perdus et du progrès qui excitait tous les autres villageois malgré les inconvénients qu'il entraînait à sa suite. Sortie de chez elle, rendue au trottoir, elle lui cria par-dessus la tranchée malodorante :

– Monsieur Lambert, c'est pas ben drôle pour vous, ça, asteur : de la terre partout...

– Je l'sais pas : j'la vois pas.

– Ça vous 'colouer' (clouer) sur votre galerie jusqu'aux neiges quasiment, là.

Il éclata d'un rire empourpré d'impatience :

– As-tu d'autre chose à me dire que de tourner le fer dans la plaie, Rose ? Ça va être de même pis c'est tout'.

– Qui c'est qui va s'occuper de la malle du presbytère ?

– Le curé, le vicaire, ma femme... pis peut-être ben toé quand ça va adonner, hein ?

Il rit de nouveau.

– Moi avec ma 'ronne' Avon, j'ai pas trop le temps... Ah! le vicaire aura ben le temps, lui...

Elle regrettait d'avoir mis son nez trop long dans ce qui ne la regardait pas et salua :

– Bon, ben, je m'en vas voir mon monde.

– Pis la mère Jolicœur, elle ?

La question pouvait vouloir dire deux choses : "comment elle va" ou bien "quoi, tu la laisses tuseule encore aujourd'hui".

– Elle fait un somme comme à tous les jours. Ben le bonjour là.

– Ouais...

Gros sac valise accroché à son épaule, la femme se mit en marche vers le magasin où elle emprunterait une passerelle de madriers pour se rendre chez la marchande de coupons, Éva Maheux.

Tout en évitant les cailloux et les plus grosses plaques de boue grasse, elle faisait le bilan des événements depuis le départ de Germain Bédard l'automne précédent.

Tout égalait rien. Ou si peu de chose. Un quotidien lent ponctué des aléas du temps qu'il fait et des dévotions imposées. Aucun amant de tout l'hiver, pas même Pit Poulin malgré leurs avances muettes dans la tour de la maison à Polyte. Le policier ne s'était pas manifesté. Pas une fois elle ne l'avait vu dans le village. Avait-il trop à faire dans sa propre paroisse ? Ou bien ménageait-il sa monture c'est-à-dire sa voiture ? Peut-être avait-il rencontré l'amour et ne voulait-il pas risquer les foudres d'une fiancée possessive ou pire, celles du curé Ennis et de son collègue de Saint-Évariste qui à eux deux avaient plus que le poids requis au gouvernement pour faire sauter un agent de la police provinciale. Tout prêtre qui le désirait pouvait parler au téléphone directement dans le tuyau de l'oreille du premier ministre Duplessis advenant un cas grave ou jugé tel par lui.

Quel autre homme attirer sans trop de risques ? Le prof Beaudoin : bien trop constipé. Le vicaire : fafoin et infantile. Philias Bisson : tout absorbé par sa mécanique. Roland Campeau : si timide qu'elle devrait le violer. Il y avait bien les fils Jolicœur de Montréal qui rendaient visite à leur vieille mère à l'occasion, mais ils avaient chacun leur femme; or Rose ne touchait pas aux hommes mariés par principe. Ou ferait-elle exception pour un inconnu de passage ? C'était à voir. Cela dépendrait du personnage.

Donc un hiver froid et blanc avait vécu.

Armand Grégoire avait survécu. Le Blanc aussi. Mais la femme de Lucien Boucher se mourait. Quelques semaines, quelques jours et ce serait son enterrement. On disait qu'elle ne pesait plus que soixante livres. Une grande douleur pour sa famille, son mari. Le désarroi dans le rang neuf. Si jeune. Si forte. Et fauchée dans la fleur de l'âge.

Ti-Noire et Rachel s'étaient quant à elles refermées sur elles-mêmes comme à l'intérieur d'un igloo. Chacune à son affaire, pas jasante, rêveuse, inquiète... Marie Sirois était redevenue taciturne comme auparavant. Seule Solange Boutin parmi les cinq grandes amies du 'diable dans l'eau bénite' paraissait avoir retrouvé tout son équilibre. Même qu'elle se laissait fréquenter maintenant par le Cook Champagne; et plusieurs entrevoyaient un mariage prochain entre ces deux-là, pour leur plus grand bonheur et surtout celui de Marie-Ange qui avait eu chaud pour sa fille quelques semaines après le départ de son suborneur de Germain Bédard.

Rose avait reporté à plus tard son projet de louer la maison à Polyte pour y exercer son talent de peintre dans le studio vide du deuxième étage. Les propriétaires voulaient trop en loyer : dix piastres par mois. Elle avait offert cinq. Chacun restait sur ses positions. Peut-être que les Boutin, las d'attendre un nouvel étranger, en viendraient à son prix.

Et les mois avaient englouti les jours et les jours avaient dévoré les heures. Et le vendredi d'avant, une grande pelle mécanique venue de Notre-Dame-de-la-Guadeloupe avait fait son apparition avec ses longues promesses bruyantes; et opérée par un certain Paul Gilbert, elle avait commencé à étriper le ventre de la rue.

Le dimanche, un personnage singulier avait fait à son tour son apparition. Un inconnu. Un étranger qui établit ses pénates à l'hôtel chez Fortunat. Le bruit de son arrivée avait couru et bien plus encore quand on entendit celui d'une première explosion de dynamite dans le champ à Georges Pelchat pas loin de chez Rose. Cela s'était produit la veille sous la gouverne et la surveillance d'un Européen immigrant, spécialiste en explosifs durant la guerre et engagé par le conseil pour faire sauter tout obstacle rocheux important rencontré par la pelle mécanique dans l'excavation nécessaire pour l'installation de l'aqueduc ainsi que pour le creusage de la grande fosse destinée à recueillir les égouts publics.

Un homme qui vient de loin et joue avec des explosifs attire l'attention. Encore faut-il le voir. Et Rose espérait le rencontrer bientôt pour savoir quel air peut bien présenter un gars qui a fait sauter des voies ferrées, des chars d'assaut et peut-être même des camions bondés de soldats ennemis, S.S. il va sans dire.

Elle en était là dans sa réflexion quand, devant la porte du magasin général, elle faillit buter contre l'impressionnante personne noire de l'abbé Ennis que précédait sa pipe fumante.

– Tiens, bonjour ! Madame Rose sort par beau temps en dépit des travaux. Notre madame Jolicœur conserve son état stable ?

– Vous inquiétez pas, je l'abandonne pas à son sort. Elle dort en toute sécurité, là...

– Je dors tranquille. Je sais qu'au besoin, Bernadette est pas loin.

– Je ne peux pas rester à son côté vingt-quatre heures sur vingt-quatre. Faut faire l'épicerie, aller à la messe...

– Et un peu de commerce, ajouta-t-il en désignant le sac valise avec sa pipe.

– Faut ben vivre ! J'peux pas négliger ma clientèle non plus. C'est entendu avec les fils à madame Jolicœur.

– Je disais ça comme ça... Et à part ça, Rose, aucune nouvelle de l'étranger ?

– Je le connais même pas, le gars à la dynamite.

– Je parle de ce prêtre défroqué qui a déshonoré notre paroisse de sa présence l'été dernier... et qui a fait sans doute bien plus de dégâts que plusieurs caisses d'explosifs...

Il passa dans la souvenance de la femme tous ces feux d'artifice qu'elle avait vus grâce aux mains expertes de Germain dans son studio de l'amour, de l'art et de la liberté; elle sourit en coulisse.

– Disparu à tout jamais. Aucune nouvelle. Aucune importance. Pis au fond, une chance qu'il a passé par icitte, sinon l'aqueduc, on l'aurait eu dans cinq ans, dix... Comme dit monsieur Ernest : pas de 'sépârâtion, pas d'aqueduc pis pas de 'sours'...

— Le fumier a ses bons côtés en effet.

Soudain, une porte s'ouvrit et le magasin livra un petit homme inconnu, au visage tout piqué de noir en raison d'une barbe drue que pas un rasoir n'aurait pu faire disparaître. Son visage s'éclaira quand il vit le prêtre. Il s'approcha, la main tendue et en saluant sans arrêt comme un Japonais.

— Bon'jourr mèssieu lè courrè. Jè souis Andrrè Rrroussnak, lè dynamitèrre...

Et tandis qu'ils se serraient la main, l'homme fit quelques clins d'œil nerveux sans toutefois lorgner une seule fois du côté de Rose.

— C'est vous, le maître de la T.N.T.

— Dè quoi ?

— De la T.N.T.

— Ah ! La T.N.T. ouè... ah! ouè...

Et il éclata de rire, ajoutant, les deux mains ouvertes, doigts écartés pointant vers le ciel :

— Bang ! Bang !

— Le presbytère fut secoué comme par un tremblement de terre hier.

— Lè prrèsbytèrr... oun trremblèman dè tèrr... ouè, ouè...

Rose leur tourna le dos et s'engagea sur la passerelle sans dire un mot. Le curé l'oublia. Grusnek garda toute son attention au prêtre, mais il flirtait déjà avec l'image de la femme qu'il avait captée de son œil exercé alors même qu'il se trouvait encore à l'intérieur du magasin.

Rose aussi l'avait en tête, ce visage-là à la dangereuse

virilité et ça l'aidait à traverser les planches branlantes sous lesquelles stagnait une grande flaque d'eau brunâtre dans une tranchée empuantie.

– Vous savè, mèssieu lè courrè, dè nos jourrrs, lè vrrè progrrès pourr l'awèrr... il faut què ça saute... Bang !

Le prêtre fronça les sourcils d'inquiétude :

– Si pour avoir le progrès en 1951, il faut que ça saute, qu'est-ce que ça sera en l'an 2000, je vous le demande.

Grusnek pencha la tête et en profita pour balayer le postérieur de Rose tout en disant :

– Ça, vous aut' mèssieu lè courrè pis moè, on sèrra pas là pourr lè voèrr...

Le curé leva la tête vers le fronton du magasin et lut le chiffre de l'érection de la bâtisse : 1901. Il soupira :

– En effet, nous serons ailleurs en 2001... oui... bien ailleurs...

***

Chapitre 11

Rose dit en guise de salutation :

– C'est effrayant, l'été qu'on va passer dans la vase pis dans la bouette !

– Y a un prix à payer pour le progrès, commenta Éva en y ajoutant son petit rire rassurant qui en faisait une vendeuse si efficace.

La marchande avait transformé son magasin au cours de l'hiver. Tablettes ajoutées très haut près du plafond pour les tissus et morceaux de vêtement ayant quelque chose à voir avec la féminité : jupons, brassières, ouate et coton à fromage dont les mères faisaient des serviettes hygiéniques aussi discrètes qu'essentielles. Beau grand et large miroir sur un mur de la seconde pièce servant de salle d'essayage et de réservoir de chapeaux et accessoires. La mode étant au 'trench coat' en gabardine, elle avait acheté quatre rouleaux de ce tissu, du gris, du noir, du beige, du brun. Assez pour couvrir vingt dos fiers au moins. Et elle avait doublé son étalage de patrons et de boutons. Humphrey Bogart, s'il avait su, serait venu se faire mesurer une verge ou deux de ce tissu miracle qui se moquait de la pluie, de la pauvreté, de l'anonymat, de tout. Un 'trench coat', c'était... c'était... la mode... Comment s'en passer alors ?

Des changements pour satisfaire tout le monde. Les conformistes comme Elmire Lepage n'iraient plus se plaindre au curé de voir un buste de carton habillé d'un soutien-gorge sur le comptoir à portée de vue des enfants, les petits gars s'entend... Et les avant-gardistes comme Rose, Ti-Noire et Jeannine Fortier trouveraient de quoi se donner des airs hollywoodiens.

Et puis Éva avait ajouté une nouvelle ligne, une arme secrète à son arsenal de produits à vendre, un accessoire magnifique dont elle ne soufflait mot qu'aux oreilles des clientes plus jeunes : les costumes de bain. D'une seule pièce car malgré ses cinq ans, le bikini n'avait pas fait son apparition encore dans la Beauce et même ailleurs dans le Québec puritain de 1951. Elle les cachait dans des boîtes insérées sous celles contenant les 'slips' sur les plus hautes tablettes et ne les montrait qu'aux seules intéressées après avoir chassé sans pitié les garçonnets fouineurs qui, invariablement, après une disparition rassurante, revenaient coller leur œil impudique sur la fente entre les deux portes séparant la cuisine du magasin.

Rose ne venait pas pour acheter mais pour vendre et elle commença à étaler sur le comptoir ses produits en vedette et ses nouveautés. Le Gilles, cet apprenti sorcier qui avait inspiré les enfants Lessard dans l'affaire des apparitions de la Vierge l'année précédente en même temps qu'il entrait dans sa puberté, alla se cacher sous la galerie extérieure et attendit que la femme sorte du magasin pour voir ses dessous par-dessous, par les interstices entre les planches ajourées. On ne risquait pas de l'y apercevoir puisque le bas de la galerie était entouré d'un lattage serré.

Son jeune frère, moins audacieux, se contenta quant à lui de s'asseoir dans l'escalier de la cuisine, et de surveiller les deux femmes par-dessus, par l'entrebâillement de la porte mal fermée. Soudain, tandis qu'Éva se penchait pour examiner quelque chose, l'enfant se rajusta sur ses fesses et Rose perçut le mouvement. Elle leva les yeux et l'aperçut. Et lui sourit largement sans révéler sa présence à sa mère par le regard ou autrement. Embarrassé, l'enfant se poussa sur la marche contre le mur et sortit du champ de vision de la quinquagénaire.

Puis voilà que son père survint. Il entra et laissa la porte se refermer avec fracas après l'avoir ouverte jusqu'au bout du ressort qui la ramenait à sa place. L'homme en colère marcha de son pas le plus lourd jusqu'à la porte du magasin qu'il ouvrit en vociférant :

– Moé, je vas te fermer ça, la boutique de forge, que ça sera pas trop long, hen, hen, maudit torrieu...

André se blottit dans la pénombre, terrifié par son paternel encore une fois sorti de ses gonds.

Éva était malheureuse de pareille intrusion. Elle n'aimait guère voir son mari et la Rose ensemble quelque part depuis la séparation de la femme d'avec son Gustave, et surtout depuis ce fameux voyage à Québec dans le même taxi alors que tous les deux avaient couché là-bas, elle chez Ovide Jolicœur et lui à l'hôtel Saint-Roch. En tout cas, c'était la version officielle qui lui avait été servie. Mais... ouais...

– Tu vois ben que j'suis avec une cliente; c'est pas le temps de venir chialer.

Comme s'il n'avait rien entendu, Ernest reprit de sa voix

tonitruante :

– Avec c'est qu'ils font dans le chemin, là, pas un torrieu de client va venir icitte avant les neiges. Comment veux-tu qu'un ch'fal travarse su' trois, quatre madriers ?

– C'est une traverse à monde, pas à ch'faux...

– C'est ça que j'te dis.

Témoin de l'échange, Rose intervint pour dégager la marchande que son mari avait l'air d'attaquer pour une chose tout à fait hors de son contrôle, comme s'il eût été envieux de voir que la clientèle humaine puisse se rendre au magasin tandis que la clientèle chevaline ne pouvait atteindre la boutique :

– Ernest, c'est grâce à la 'sépârâtion' comme tu dis, si on l'a l'aqueduc. T'étais le plus chaud partisan de la division de la paroisse. Tu l'as voulu : tu l'as eu... T'as pas à te plaindre du progrès.

Ces paroles attisèrent le feu que l'homme avait déjà au cul et il fulmina contre la femme d'autant que de voir son étalage de 'fanfreluches' lui faisait penser qu'elle venait arracher de l'argent à sa femme avec ses frivolités :

– Toé, là, Rose Martin, tu les portes 'sour' ton bras, tes guenilles à vendre, t'as pas à te plaindre du pigrassage qu'ils font dans tout le village c't'été.

– Tu 'saras' Ernest Maheux que j'vends pas des guenilles. Avon, c'est la meilleure qualité de produits pour les femmes...

Elle s'arrêta un moment et le toisa de la tête aux pieds pour ajouter :

– On sait ben, toé, les produits de beauté, c'est pas trop ton fort.

Il fit des hochements de tête vers l'avant en disant :

– Quossa' donne dans la vie, ça ? C'est-il ça qui donne à manger pis qui met un toit sur la tête ?

Rose posa deux yeux durs sur la perruque de l'homme :

– La petite couverture de poils que t'as sur la tête, Ernest, tu l'aurais pas pis t'aurais gardé celui-là que le bon Dieu t'avait donné si t'en avais pris soin comme une femme prend soin d'elle...

Terriblement humilié par sa calvitie, Ernest venait de se faire jeter tout rond dans le feu de l'enfer par cette fantasque de Rose qui montrait le front qu'elle avait tout le tour de la tête. Il resta bouche bée, un moment interdit, puis tourna les talons et rejeta la porte derrière lui.

Éva ressentit un grand soulagement. Elle qui croyait que Rose et Ernest s'embrasaient mutuellement quand ils se rencontraient, se rendait bien compte qu'ils se comportaient plutôt comme le feu et l'eau. Et tant mieux ! Elle fut la première à parler :

– Tant mieux, ce que tu lui as dit, Rose ! Ça va lui montrer, à ce tannant-là, à venir mettre son nez dans nos affaires de femme.

Elle acheta deux fois plus qu'elle ne l'aurait fait sans cette prise de bec.

Rose partit contente. Elle s'arrêta un moment sur la galerie pour examiner de haut la tranchée profonde dans la rue et surtout pour tâcher de repérer l'homme à la dynamite. Il avait disparu. À deux pieds sous elle, des yeux vicieux balayaient son fond de culottes, heureusement blanc comme neige...

*

Ti-Noire vint s'asseoir dans la vitrine au bout du comptoir des dames, lettre tenue en des mains précautionneuses sous des yeux remplis de nostalgie et d'attention. Germain

Bédard lui écrivait avec régularité tous les deux mois.

Il écrivait qu'il progressait dans son travail et qu'il lui était plus ardu de se constituer un cercle d'amis qu'à Saint-Honoré où il avait fait des miracles à ce propos, ce qui avait peut-être fait partie de ces prodiges invisibles appelés par une foule croyante, même une foule abusée et trompée comme celle qui s'était tant extasiée durant plusieurs semaines au soleil couchant des samedis de la Vierge sur le cap à Foley.

Il avait fallu plusieurs lettres pour que la jeune femme se convainque de ce beau grand sentiment qu'il disait avoir ressenti pour elle, plus que pour quiconque dans sa vie. Il l'avait persuadée aussi que cet amour exigeait une séparation définitive pour devenir éternel. Et puis, bien malgré elle, Ti-Noire savait par sa curiosité vigilante au bureau de poste, que le jeune homme n'avait écrit à aucune des autres depuis son départ, ni à Rose, ni à Solange, ni à Rachel, ni même à Marie. Elle n'aurait pourtant ressenti aucune jalousie envers l'une ou l'autre et souhaita même qu'il écrivît à la veuve Sirois... Enfin, elle parlait souvent à ces femmes et avait vu l'image de Germain fondre en elles comme neige de l'hiver au soleil du printemps.

Une nouvelle conviction lui vint ce jour-là : l'amour de Germain pour elle atteindrait son plein épanouissement, son point maximum quand elle s'en irait vivre aux États comme elle le souhaitait depuis si longtemps. Et voilà qu'on venait d'apprendre que Jean-Yves, son frère névrosé, revenu à une certaine stabilité mentale à l'hôpital psychiatrique, serait de retour à la maison dans quelque temps, probablement avant la fin de l'été, au plus tard en automne.

Elle relut la lettre plusieurs fois, ponctuant sa lecture de longues pauses songeuses. Puis la remit dans son enveloppe qu'elle inséra à l'intérieur de sa blouse rouge, dans son soutien-gorge. Et se rendit au bureau de poste, le pas définitif :

– Papa, dit-elle, un index dirigé vers Québec et l'autre vers New York, aussitôt que Jean-Yves revient, moi, je m'en vais au États. Pis je sais que tu voudras pas en discuter plus que je le veux, moi.

L'homme qui remplissait des formules, assis derrière un bureau, leva la tête et la regarda par-dessus ses lunettes mais il ne dit pas un mot. Elle put lire sa tristesse. Armand qui venait d'arriver par le couloir du hangar l'entendit et entra pour répondre à la place de son frère :

– C'est ce que t'as de mieux à faire, Ti-Noire. Un plus bel avenir t'attend là-bas que par icitte.

Bernadette qui était à faire du classement de chaussures à la mezzanine entendit elle aussi ce qu'avait déclaré sa nièce et ce que lui avait dit son oncle Armand au nom de tous. Et elle entendit surtout le profond silence de Freddy, un silence venu du fond du cœur...

*

Ce dimanche-là, le vingt-quatre juin, fête nationale des Canadiens français, un corps était en exposition au salon funéraire de la salle paroissiale. La femme de Lucien Boucher avait rendu l'âme le vendredi; on l'enterrerait le lundi matin. Il avait fallu ouvrir les portes pliantes pour donner à la pièce sa pleine grandeur et cela ne suffisait pas puisque des visiteurs se trouvaient des deux côtés du long couloir, assis sur des chaises à parler du temps chaud, de l'aqueduc municipal et de la venue au salon la veille du député Raoul Poulin dont Lucien était l'organisateur en chef dans la paroisse.

Lucien était effondré, désemparé, privé de ses moyens, prisonnier dans une sorte de torpeur intensément douloureuse. Il lui arrivait de pleurer, la main devant le visage, les tempes battantes. Plusieurs enfants en bas âge lui restaient. Il se désolait autant pour eux que pour lui-même. Ils étaient tous là, assis sur le premier rang de chaises, à se regarder sans insister, à chercher à comprendre, à s'étonner d'être ainsi vêtus de noir.

Le plancher de bois était maintenant tout crotté depuis la porte jusqu'au cercueil, de tant de pas graisseux. Les pneus des voitures avaient charrié la boue de la rue jusqu'à la porte de la salle et là, les pieds avaient pris le relais pour entrer à l'intérieur cette terre visqueuse. Dominique Blais, homme des pompes funèbres, survint et vit cette souillure. Il sortit aussitôt après un regard bienveillant au veuf et à ses enfants, et se rendit au logement voisin, naguère celui de Rose et Gus, maintenant habité par Marie-Ange et Georges Boutin.

– Je viens vous emprunter un seau et une 'mop'... C'est pas beau, le plancher du salon...

– Ah ! la vase, y en a partout. On en a jusque dans les oreilles. À midi, quand le salon a ouvert, c'était propre comme un sou neuf.

– Je le sais, c'est moi qu'a ouvert le salon à midi.

– Oui, c'est vrai... Écoute, je vas y aller donner un coup de 'mop'...

– Vous êtes payée pour le ménage du soir, pas pour torcher le plancher à journée longue.

– J'me mettrai toujours pas à compter les coups de 'mop', là... C'est vrai que c'est plein de monde aujourd'hui... J'y vas, occupe-toé pas.

Dominique tourna les talons et se retrouva face à face avec le curé.

– Bonjour... ça c'est une visite qui va encourager la famille. Je vous dis que le veuf, il prend ça chaud.

Le prêtre ne nourrissait aucun ressentiment envers Lucien qui avait présidé à la division de la paroisse. Il compatissait avec grande sincérité à la douleur de cet homme et des siens. Ce deuil était aussi le sien et les mauvaises langues qui affirmaient que l'abbé Ennis ne se présenterait pas au salon et l'espéraient, pourraient toujours ravaler leur salive.

D'un vif coup d'œil discret, caché par ses verres et les montures de ses lunettes, le prêtre embrassa toute la salle réunie là pour soutenir la famille en deuil. Il marcha jusqu'au cercueil et s'agenouilla.

La rumeur baissa de plusieurs crans. Au respect dû à la dépouille et à la douleur morale des proches venait de s'ajouter celui qu'imposait d'emblée ce curé parfois autoritaire mais rarement injuste, bien qu'il préférât la compagnie de l'élite paroissiale à celle des pauvres.

Ni fervent, ni saint homme, en plein contrôle de ses émotions à part sa colère parfois envers les semeurs de zizanie et de scandale venus d'ailleurs, l'abbé était au point culminant de sa vie et de sa carrière, rassuré sur la vraie place des choses y compris celle de Dieu, comme forces d'intervention dans la vie humaine.

Certes, il utilisait le pouvoir de médailles coupe-feu sans y croire, mais il le faisait pour plaire aux gens, sachant que le peuple s'attend à du merveilleux de la part d'un prêtre, peuple qui le croit branché avec le ciel via une ligne directe. Et que de puissance protectrice lui conférait cette foi naïve dans les durs moments de chacun des paroissiens ! Et quelle bouée de sauvetage il devenait pour les malades, les agonisants, les endeuillés !

L'abbé Ennis était sans doute le meilleur prêtre qu'une paroisse du Québec puisse avoir en 1951. N'allait-il pas jusqu'à fermer les yeux sur les frasques de certains paroissiens comme Dominique Blais, Rose Martin et même Fernand Rouleau ? Il avait bel et bien deviné, senti ce qui s'était passé entre Rose la séparée et ce prêtre défroqué... L'homme voyait les ragots comme de la fumée : quelque chose de signifiant à ne pas négliger sans toutefois s'en servir comme une sorte de témoignage de cour propre à faire condamner la personne fautive visée par les médisances.

Il ne fut pas long à prier. Autre chose de bien plus important l'attendait. Il se releva et se dirigea vers Lucien qui se mit debout. Ils s'étaient vus encore tout récemment lors de l'administration des derniers sacrements à la moribonde; mais voici une nouvelle rencontre qui ne ressemblerait aucunement à la précédente. Lors de son ultime visite à la femme agonisante, il avait palabré sur la soumission généreuse à la volonté divine, un moyen, il ne le savait que trop, pour fléchir la volonté des petites gens éprouvés et s'en emparer. Mais il ne le faisait pas dans ce but sauf que les mots du réconfort avant la mort lui étaient assez malaisés.

Par contre, quand l'irrémédiable survenait, l'abbé était alors de première force pour réconforter les âmes en deuil. Il tendit la main que serra Lucien :

– Mon ami, mon cher ami, pas toujours en accord avec moi et je ne t'en fais pas le reproche, loin de là, je suis avec toi... avec toi...

– Merci, merci beaucoup, monsieur le curé. Elle est mieux comme elle est... mais c'est pas simple pour ceux qui restent, vous savez.

Le prêtre parlait peu en de telles circonstances, mais il avait l'écoute et surtout la question facile.

– Qu'est-ce que tu penses de nos travaux d'aqueduc ?

– Ça s'est décidé vite et à l'unanimité au conseil.

– Je dois bien admettre que sans la séparation, il aurait fallu attendre quelques années encore. Quand les choses se seront un peu tassées, vas-tu nous revenir en politique ? Je sais que ce n'est pas le bon moment de parler de ça, mais...

– Pense pas...

– As-tu trouvé où placer tes enfants en attendant ? J'imagine bien...

– Oui, ils ont chacun une famille d'accueil...

Ses yeux rouges et bouffis s'embuèrent encore.

– Pour en revenir aux travaux d'égout, entends-tu les coups de dynamite de chez vous ? Il a sauté une charge de trente-trois bâtons avant-hier.

– Je vous pense. Ça s'entend jusqu'aux limites de Saint-Benoît.

Le prêtre avait une idée derrière la tête en menant la conversation : il voulait en arriver à suggérer à Lucien de tourner son regard vers la veuve Sirois qui, selon lui, ferait une excellente seconde épouse pour le cultivateur. C'est en parlant de veuvage qu'il devait y parvenir après divers détours :

– L'avenir, c'est demain et pas hier. C'est ce que j'ai souvent répété à la veuve Sirois. Et voici qu'elle vit bien mieux maintenant. La manufacture, c'est un progrès pour la place. Elle gagne sa vie, madame Sirois, et c'est tant mieux. Pour une femme, c'est plus dur que pour un homme. Elle a eu du mal à nourrir sa famille. Une personne courageuse, vaillante comme dix...

Des arrivants s'approchèrent pour présenter leurs condoléances au veuf et autres proches. Perdu dans son complet noir, Ernest fut le premier d'entre eux, tandis que sa femme restait à prier devant la dépouille.

– Sympathies, marmonna-t-il en serrant la main de Lucien.

– Merci, Ernest !

– Sauve-toi pas, dit le curé au forgeron qui allait s'éloigner. Viens nous parler des travaux. C'est un peu déplaisant pour toi, on l'imagine.

– Maudit aqueduc : j'ai perdu tous mes clients. Ils s'en vont voir Georges Pelchat. Lui, il a vendu son terrain pour la fosse sceptique pis en plus que les travaux, ça le badre pas pantoute. Tout pour les mêmes... C'est ça, la maudite politique. C'est toujours de même. Moé, j'en profite jamais... Toujours les autres... Je vas te fermer ça, c'te boutique de forge là pis aller gagner ma vie dans le fond de l'Abitibi, maudit torrieu. C'est ça qu'il va arriver...

– Ernest, tu te plains pour te plaindre. Avec ta terre de la Grande-Ligne et les travaux que tu dois y faire de ce temps-ci, t'as pas le temps de t'ennuyer.

– Suis pas cultivateur au complet, moé. Ma femme veut pas. Je fais un peu de foin, un peu de sucre, un peu d'avoine, un peu de "pétaques"... Même pas assez d'animaux pour manger tout le foin que je produis, faut que je le mette en vente. Personne a besoin de ça. Y a Clodomir qui se gênait pas pour se servir, mais...

– Moi, j'en ai besoin, Ernest, dit Lucien.

– C'est sûr, mais j'peux pas le donner non plus, hein...

Le prêtre était satisfait. Le veuf s'intéressait à quelque chose d'autre que sa douleur morale. Et Ernest aurait de quoi se mettre sous la dent. Il était temps qu'il se tourne vers d'autres paroissiens. Il s'éloigna, se dirigea vers deux jeunes hommes qui, debout au fond de la salle, conversaient : Jean-Louis Bureau, jeune homme ambitieux et beau parleur en qui le curé voyait un futur député et le professeur Beaudoin, grand, bien peigné et froid comme de la glace.

Marie-Ange venait d'arriver avec sa 'mop' mouillée qu'elle promena sur le plancher depuis la porte jusqu'au prie-Dieu. Éva y priait encore. Ou bien son esprit voyageait-il quelque part dans le passé, peut-être même le futur. Elle regardait fixement le visage de la morte et ne parvenait pas à comprendre pourquoi cette femme si vivante et si forte, qu'elle servait depuis des années à son magasin, était devenue en quelques mois pareil sac d'ossements dérisoire. À sa peine devant si navrante image s'ajoutait sa crainte de la terrible maladie, la pire qui se puisse imaginer pour elle...

Marie-Ange ne se gêna pas pour la déranger dans sa réflexion :

– Veux-tu lever tes pieds rien qu'un peu, Éva ?

– Ah !... Ben je vas me lever au complet...

– Te dérange pas. C'est juste pour enlever un peu de terre à terre... Tout chacun en traîne avec ses pieds pis ça finit par être malpropre sur le plancher.

La marchande rejoignit son mari en train de poursuivre sa discussion avec Lucien; elle présenta ses sympathies au veuf. Puis elle se rendit auprès des enfants que tous ignoraient et qu'elle parvint vite à faire sourire par sa bonne humeur vite retrouvée et toujours aussi communicative.

Puis les gens les plus humbles, les plus pauvres, les plus simples d'esprit de la paroisse firent leur apparition : les Lepage, frère et sœurs, le visage plissé de trop d'années de misère, de travail, de soleil, d'hygiène déficiente. Jos, le plus jeune des quatre, sexagénaire tout de même, menait la marche. Suivirent Elmire, Anna et Marie, trois petites bonnes femmes en noir dont la personne dégageait des odeurs de mucre et de substances corporelles dégradées.

L'homme resta debout et ses trois sœurs s'agenouillèrent sur le prie-Dieu, Marie, la plus âgée, encadrée par les deux autres. On ne voyait au village qu'Elmire, allant dans les magasins sans y acheter grand-chose, et Jos qui travaillait encore à la beurrerie et ne se débarrassait jamais de la senteur du lait de beurre imprégnant ses vêtements, ses cheveux en épis et sa barbe toujours longue de deux ou trois jours, comme si après l'avoir rasée, il attendait la repousse avant de sortir de leur maison de la rue des cadenas. Anna et Marie ne sortaient que pour se rendre à la basse messe du dimanche ou bien au corps quand il s'agissait de personnes qu'elles avaient bien connues dans leur vie, ce qui était le cas de la femme de Lucien Boucher, élevée dans le rang neuf comme elles-mêmes et qu'elles avaient vue grandir.

Dans le couloir qui servait de fumoir, au fond, près de la salle des Chevaliers de Colomb, trois hommes devisaient. Fortunat Fortier, l'hôtelier commerçant de terres et les deux nouveaux maires, celui du village, Alphonse Lapointe et celui de la paroisse, Honoré Champagne, cultivateur et, comme Fortunat, lui aussi commerçant de terres et de roulant.

C'était la bonne entente et la bonne humeur et il ne semblait pas que la loi du plus fort soit suspendue au-dessus de leurs propos et derrière leurs préoccupations. Chacun savait qu'il avait son rôle à jouer dans la vie de la communauté et ne cherchait jamais à écraser son concitoyen. C'est cela que parvenait à réaliser une culture conviviale où les chicanes étaient dépourvues de haine et où les différends n'empêchaient pas l'entraide. Paradoxalement, des génies inspirés appartenant au futur et à l'individualisme féroce qui grandirait dans la seconde partie du siècle qualifieraient cette époque de grande noirceur, tandis qu'elle en était plutôt une de grande chaleur humaine. Mais elle serait brusquement interrompue quelques années plus tard par l'arrivée de la télévision dont l'effet majeur serait "d'égocentriser" les gens jusqu'au dessèchement total de la fin du 20ième siècle...

1951 verrait la fin non pas que de la femme de Lucien Boucher mais de tout un monde de coude à coude... et le prochain retour en force de la grande loi des peuples guerriers par la glorification des meilleurs et le mépris des moins bons...

Lucien Boucher fut ému autant par les condoléances des Lepage que par celles des Bureau, des Bilodeau, des Beaudoin, des Maheux, des Lambert, des Grégoire...

***

Chapitre 12

Un soir, Rose le coinça, cet Européen qui passait par derrière chez elle après le souper pour se rendre examiner ses bruyants travaux à quelque distance. En réalité, cette fois-là, il en revenait à la brunante. Le personnage portait des habits propres. Et il était bien peigné, signe de propreté, indice d'un bain, après le dur labeur du jour.

– Vous nous en avez donné un bon coup aujourd'hui?

L'homme tourna la tête et l'aperçut dans la porte de la cave, une épaule appuyée contre le chambranle et la main gauche sur la hanche. Peu versé en langue française, il n'était pas tout à fait certain du sens de la question et dut s'approcher. Il dit avec un accent qu'elle trouvait charmant voire sensuel:

– Ah! C'est madamè Rrrose!

Depuis l'arrivée de l'artificier au village, elle avait eu l'occasion de rencontrer l'étranger et de converser un peu avec lui à quelques reprises.

Pour lui parler de la dernière explosion de l'après-midi, elle avait préparé des mots allusifs, bourrés de sous-entendus:

– Vous deviez avoir... un gros bâton... pour me faire réagir comme je l'ai fait.

Il pensa au bruit d'une détonation:

– Vous savè, ça dèpend dou sens dou vent.

– C'est comme l'odeur...

Elle s'était aspergée de son plus subtil parfum.

– Entrez une minute, j'aurais quelque chose à vous montrer...

Il fut presque forcé de la frôler tant la porte était étroite. Et quelques-uns de ses sens furent allumés: au moins la vue, le toucher et l'odorat. Et comme elle lui parlait du bruit le plus sensuel qu'il connaisse, celui de la dynamite qui saute, il ne manquait plus à ce jeune veuf solitaire qu'un dernier sens à être excité: le goût.

– Allons par là... là-bas, à l'établi...

Une lumière jaune éclairait cette portion de la cave. Sur la table longue se trouvaient quelques outils et un pot rempli de liquide ainsi que des verres.

– Une bonne limonade froide avec de la glace?

– Vous avè oun frrigidairre! déduisit-il.

– Comme à l'hôtel pis au presbytère. C'est pratique. Surtout aujourd'hui...

– Il a fait cent dègrrés, jè pense.

– J'aurais voulu vous en apporter après-midi, de la limonade, mais le monde, vous savez, ça jase pour rien...

– C'est pas dè rrèfus.

Court, un peu voûté, l'homme faisait plus que ses quarante ans, mais il possédait un œil électrique, rempli d'étincelles, vif comme l'éclair.

Après de la petite conversation et des gorgées rafraîchissantes, elle lui proposa une visite des lieux, un pas en avant vers des choses plus intimes que l'homme comprendrait s'il n'était pas un parfait imbécile. Ils furent bientôt dans la chambre de Rose, au deuxième étage, une pièce peu éclairée, gardée à belle température par les grands arbres protégeant du soleil ce coin de maison.

Elle s'approcha du lit qu'elle sonda du bout des doigts de la main droite:

— Un bon matelas, ça, André. Touchez...

Il n'en fallut pas plus.

Tous les ponts sautèrent ensemble. Toutes les mines, tous les obus, tous les bâtons de dynamite que l'homme avait fait exploser durant la guerre et après, et qu'il avait gardés en toutes ses mémoires, éclatèrent en même temps d'un seul coup. Sans besoin de se l'annoncer, de se le demander, de se le dire, ils se dévêtirent dans la même demi-minute et leurs vêtements s'empilèrent les uns sur les autres. La femme eut un moment de crainte en apercevant ce monstre de chair qui se balançait au bas du ventre de l'artificier slave. À part Philippe Boutin dont l'appendice était notoire et dont elle n'aurait jamais voulu pour raison d'immensité, Rose n'avait jamais vu ou entendu parler de pareil organe. Il est vrai que les femmes taisaient ces choses en ce temps-là et ignoraient tous les aspects de la sexualité humaine à part le devoir de l'acte et celui encore plus impérieux de répondre aux questions des prêtres au confessionnal sur le sujet de leur soumission chrétienne au lit...

"Ça pourrait pas être pire que d'accoucher!" se dit-elle alors qu'elle s'asseyait sur le bord du lit.

Il resta debout et s'approcha.

"Seigneur, dans quel guêpier s'était-elle donc fourrée? Voulait-il qu'elle prenne ce monstre dans sa bouche? Passe toujours entre les jambes, mais entre les lèvres..."

L'homme prit son organe et le frotta contre elle, son épaule, sa poitrine, son ventre, puis plus haut, l'autre épaule, le cou... Il s'en servait comme d'une sorte de rouleau à pâte... Frôla la nuque, la joue, la tempe...

Pour fuir la chose et du même coup se préparer à la recevoir, elle se laissa tomber sur le dos. L'homme alors mit sa propre chair de côté et il déploya tous ses efforts à embraser celle, généreuse, de la femme. Ses mains, sa bouche entamèrent une exploration savante de toutes les zones érogènes du corps de Rose. Jamais elle n'avait connu un homme aussi raffiné et de cette capacité d'allumer toutes les mèches de sa substance.

Ce n'est pas un monstre qui la pénétra par la suite, mais le plus doux objet dont une femme puisse rêver. Ils explosèrent au même moment et ce fut, de loin, le plus grande détonation de l'été 1951 à Saint-Honoré...

***

Chapitre 13

Comment donc échapper à cette laideur nécessaire à laquelle le quotidien vous confronte et qui vous jette chaque matin le regard dans ce cloaque immonde, et vous fait sentir les dessous fangeux, malodorants de cette terre pourtant créatrice et source de vie ?

Rose, l'œil bas, regardait par sa fenêtre de chambre la rue éventrée par les travaux des hommes, déchirée par la pelle mécanique, déchiquetée par la dynamite. Voici une fosse à perte de vue appelée à dispenser l'eau vivante en même temps qu'elle libérera le village de ses substances recyclables. L'eau pure qui entre par un tuyau; l'eau impure qui sort par l'autre...

Mais elle avait trois choses encore, trois armes efficaces pour élever son âme bien loin au-dessus des chaînes du quotidien : les parfums, l'art et l'amour. Il lui fallait les combiner, ces ascenseurs du cœur et de l'esprit, comme au beau temps de ce 'diable dans l'eau bénite' qui l'avait tant aidée à cesser de dilapider sa vie en la diluant dans une mer d'ennui comme elle l'avait fait jusqu'à la cinquantaine.

Le point de rencontre des trois éléments serait la maison à Polyte. Comme naguère. Elle en avait glissé un mot aux Boutin et le projet en était resté au point mort. Puis ils avaient vendu leur terre y compris cette maison que l'on disait hantée par ses fantômes du passé et qui avait été violée à plusieurs reprises depuis le départ de son dernier occupant. Qu'à cela ne tienne, ce pourrait être plus facile de la louer, maintenant qu'un autre cultivateur du rang, Jean-Pierre Couture, la possédait.

C'est sa femme qu'il ne faudrait pas effaroucher. Pas simple de louer une maison isolée, en 1951, quand on est une femme séparée et objet sans doute de rumeurs croustillantes circulant de bouches fières et scandalisées à oreilles attentives et scandalisées...

– Moi, ça m'arrive de faire de la peinture, vous savez, madame Couture, et je dois me concentrer sur ce que je fais. Comme n'importe quel artiste, vous voyez. Quand je pars pour la journée, je confie madame Jolicœur à Bernadette... pis c'est comme ça. Personne en souffre. Je m'en servirais deux jours par mois, de votre maison dans le bois, trois au plus...

Elle avait au bout du fil un personnage timoré qui aurait donné sa main à couper pour quiconque le lui aurait demandé. Sa voix même était petite et battue :

– Je vas en parler à mon mari quand il va revenir, là...

– Savez-vous, j'aurais un parfum à vous faire essayer, madame Germaine... Ah! c'est gratis, là ! Un test pour la compagnie. Ça vous le dirait-il ? Vous pourriez arrêter le prendre dimanche après la grand-messe...

– Ben...

– Ça me ferait donc plaisir !

– Ouen...

Elle obtint ce qu'elle désirait. On lui laisserait la maison pour rien du tout pourvu qu'elle fasse de son mieux pour la garder dans le meilleur état possible, ce qui n'inclurait pas les réparations majeures. On lui laissa la clef ce dimanche-là après la messe et Germaine prit le parfum promotionnel.

Comment se rendre là-bas avec tout son barda ? Chevalet, pinceaux, toiles, nourriture et breuvages etc... Les deux taxis locaux passaient leur journée longue dans un aller et retour à Québec et un séjour là-bas. Restait le Blanc Gaboury qui la terrifiait à cause de sa maladie, ce postillon malade de consomption avec qui elle avait fini par se résigner à voyager du temps du 'diable'. Il l'y conduirait en se rendant à la gare le matin et l'y reprendrait en revenant le soir après souper, moyennant un dollar du voyage.

Juillet tournait ses dernières pages brûlantes. Bloquant la seule voie disponible, la Plymouth noire s'arrêta devant la porte de la maison Jolicœur et le nez de Rose. La femme avait transporté toutes ses affaires près du trottoir et attendait. C'est qu'elle les mettrait elle-même dans le coffre arrière afin que le jeune homme malade ne les touche pas.

Il descendit et ouvrit le hayon :

– Vous voulez que je vous donne un coup de main ?

– Non, non... je m'en occupe...

– C'est comme vous voudrez...

Il s'éloigna de quelques pas en regardant où il mettait ses souliers pour ne pas engluer les semelles et il parla en faisant dos à la femme :

– Une chance que l'été est sec parce que ça serait sale dans les maisons à cause de tout ça.

– Ça l'est déjà assez de même. Faut garder les châssis fermés.

– La maison à Polyte, ça va vous faire comme... comme un chalet, là, vous.

– Oui, comme un chalet... C'est correct, Blanc, j'ai fini.

De tout le temps que dura le trajet, elle retint sa respiration. Elle aspirait en tournant la tête vers la vitre ouverte et expirait à l'intérieur pour ainsi déjouer les microbes. Et elle songeait le plus possible à cette phrase bien connue de Bernadette Grégoire : "La tuberculose, si on l'a pas encore à mon âge, c'est parce qu'on est vacciné contre ça par la nature." Bientôt, on fut sur le sentier menant au bois.

– Vous êtes ben certaine que y a pas de roches qui affleurent par là ?

– Je l'ai demandé à Georges Boutin : c'est sûr.

– Ah ! pis c'est à moi de m'ouvrir les yeux itou...

La maison apparut à travers le feuillage vert et se précisa dans toute sa déchéance. Vitres cassées. Aulnes en repousse à travers les marches de l'escalier. Blessure par balle au toit de la tour. Elle soupira en s'imaginant ce que ce devait être devenu à l'intérieur mais ne fit aucun commentaire. La Plymouth recula près de la galerie arrière; Rose vit à ses affaires comme au départ, tandis qu'il ne faisait qu'ouvrir et refermer le hayon tout en s'éloignant de quelques pas entre les deux gestes pour s'adonner avec elle à de la petite conversation inutile et sans danger ni conséquence.

Quand l'homme se remit au volant, il ne démarra pas de suite et se plut à contempler l'image que venait de lui donner cette femme encore verte, si bien enveloppée, vêtue d'une robe blanche à petites fleurs rouges et d'un fichu dans les cheveux qui lui rajeunissait l'air de dix ans au moins. Lui vint alors un désir comme ceux de sa jeunesse avant la venue en lui de ce mal mortel. Un sursaut de vie. Un bref instant d'agrément charnel, plus éphémère qu'un soupir.

– Tu m'oublieras pas à soir, là, lui dit-elle en insérant la clef dans le grand cadenas noir pendu aux crampes mélangées fixées à la porte et au chambranle.

Il leva doucement la tête, la regarda, murmura :

– Je vas être là...

Il partit. Elle entra en laissant ses choses derrière elle. Une saisissante odeur de remugle vint la chercher. Une clarté molle semblait somnoler sur tous les murs de la cuisine et du salon, sur des portes à demi ouvertes et sur l'escalier menant au deuxième. Elle eut soudain l'impression qu'il ne se trouvait là aucune vie, pas même celle d'une souris qui trotte ou d'une araignée qui complote quelque part dans le camouflage de sa toile tendue. Et quel fantôme attardé voudrait perdre son temps dans pareil endroit ?

Un craquement se fit entendre soudain. Rose, qui ne faisait que regarder sans bouger un doigt ou un orteil, tressaillit. Ce devait être un vacuum provoqué par l'ouverture de la porte d'entrée et l'expulsion d'air à travers les trous dans les carreaux. Que de souvenirs en ce lieu singulier ! Que de vibrations, que d'ondes retenues par les boisures ! Et ce n'était pas tant là encore que la femme avait atteint les sommets de l'amour et de l'art et qu'au second étage qui lui fit signe de venir.

Elle délaissa ses choses et accrocha son regard à l'escalier qu'elle atteignit bientôt et dont elle commença de gravir les marches. Il lui parut en montant qu'une ombre furtive ou peut-être bien une éphémère lueur traversait le clair-obscur là-haut. Les marches craquèrent. Elle ne se souvenait pas de ce bruit. Aucun fil d'araignée ne se colla à sa main gauche qu'elle tenait haute pour briser les toiles au besoin.

Rendue en haut, la femme s'arrêta dans l'ombre tranquille du grand studio. La noirceur était trouée par un pan de lumière venu de la tour. Il n'aurait pu en être autrement puisque la pièce ne contenait rien du tout à part cet air humide et lourd portant plus d'odeurs que la seule vieille senteur de renfermé qu'elle avait perçue partout depuis en bas.

Soudain, un bruit d'ailes lui parvint et le battement frôla sa tête. Un moineau, pensa-t-elle. La voilà, l'ombre aperçue en montant. Non, Rose ne croyait pas aux fantômes pas plus qu'elle n'avait jamais cru aux apparitions de la Vierge sur le cap à Foley ou à Lourdes.

Elle retourna en bas entrer ses choses, à commencer par une lampe à l'huile qu'elle mettrait dans le studio, puisque la maison n'était pas branchée sur le courant électrique ni ne le serait du reste. Quand elle éclaira la pièce, le spectre qui l'avait effleurée plus tôt lui apparut : c'était une chauve-souris suspendue, tête en bas, dans l'angle du plafond. Cela expliquait l'absence d'insectes dans la maison malgré l'humidité ambiante et les trous béants dans les vitres.

Quand tout fut transporté en haut et disposé à sa mesure, elle se rendit compte qu'elle avait oublié d'emporter un petit banc pour s'asseoir devant le chevalet posé sous la lumière tombée de la tour. Bon, elle travaillerait debout. Oui, mais quoi peindre ? Quel paysage gravé dans sa mémoire ? Quel personnage réel ou imaginaire ? Tiens, pourquoi pas cette pièce aux murs jaunâtres abritant une vie solitaire pendue là-haut ? Et pendant qu'elle s'adonnerait à son art bien amateur encore, elle aurait tout le loisir de se complaire dans sa liberté, son désir, ses émotions bien dosées, ses pensées les plus agréables. C'était pour se sentir bien qu'elle était venue dans ce lieu d'enfermement et elle se sentait très bien. À part Blanc Gaboury et Bernadette Grégoire, personne au monde, et peut-être de l'autre monde, ne savait où elle se trouvait et ça lui plaisait hautement.

'*Le temps suspendit son vol*'. Quelques heures plus tard, elle eut faim. Et mangea sur place des sandwiches aux œufs et des gâteaux Vachon, assise au milieu du plancher, jetant parfois un œil sur son chef-d'œuvre en progression.

Son esprit voguait ailleurs toutefois. Il voyageait dans le passé et le futur. Elle revoyait le Pit Poulin venu enquêter en ce lieu même et qui l'avait découverte cachée derrière sa toile dans la tour, tandis que Germain, resté dans le studio, se chamaillait avec le curé Ennis. Près d'un an avait passé et jamais le Pit n'avait donné suite à leur entente tacite. Comment s'y prendre pour le faire venir là ? Comment faire bouger un policier sinon en se plaignant d'un crime commis ? C'est cela, elle lui téléphonerait le jour suivant pour lui dire qu'un vol avait été commis à la maison à Polyte et qu'elle doutait quelqu'un... Quand il serait là, elle n'en parlerait même plus et on s'intéresserait à un autre art que celui de la peinture...

Tandis qu'elle planifiait et rêvait d'une chaude rencontre avec le policier provincial, un bruit de moteur se fit entendre. Une auto assurément et qui s'arrêta tout près de la maison dehors. Ce ne pouvait être le Blanc à si bonne heure. Un pêcheur peut-être ? Jean-Pierre Couture, le propriétaire aux longs favoris à la mode du dix-huitième siècle ? Elle aurait voulu que ce soit Germain Bédard. Non, le bruit de sa 'machine' sonnait bazou, tandis que celle-ci avait un moteur qui ne claquait pas et tournait avec régularité, signe qu'il s'agissait d'un véhicule récent.

Elle emprunta l'escalier et se retrouva en bas au beau milieu du salon nez à nez avec Pit Poulin, le premier qu'elle eût espéré là ce jour-là mais le dernier qu'elle aurait cru y voir. Il avait frappé et n'obtenant pas de réponse, il était entré.

– Ah ben ! si c'est pas Pit !

– Si c'est pas madame Rose !

– Veux-tu ben me dire...

– J'ai parlé avec le Blanc à la gare; il m'a dit que vous étiez venue ici pour faire de la peinture. J'ai pensé vous payer une petite visite en passant.

Elle lui toucha la main et rit :

– Pas pour m'arrêter toujours ?

– Si vous me le demandez...

– Je pensais que tu m'avais oubliée complètement... La dernière fois, tu te souviens...

– Comme si c'était hier.

L'homme était en devoir, arme à la ceinture et chemise kaki sur le dos, cheveux pâles coupés court et bien peignés, regard bleu étincelant.

Ils se rendirent dans le studio où à travers de la petite conversation, elle parla de ses parfums. Même qu'elle voulut en essayer un sur lui. À odeur de lavande. Elle lui en mit un soupçon avec le bout de son index sur une main puis sous une oreille... La chair de chacun chavira...

Il arriva alors ce qui devait arriver et qui était écrit dans les étoiles depuis toujours. Il devint son amant par ce chaud jour de fin juillet sur des couvertures qu'il avait prises dans sa voiture et mises sur le plancher de bois du studio.

La chauve-souris ne broncha pas. En fait, elle était aveugle et en plus elle dormait comme un loir...

***

Chapitre 14

– À Spaudling, ils payent mille piastres, eux autres, pour une bonne maîtresse d'école. Ça fait que ben... elle va sacrer son camp de par icitte pis c'est pas moé qui vas la retenir, maudit torrieu, non... Six cents piastres qu'elle a par icitte pis ils veulent pas y donner une maudite cenne noire de plus. Pis le bois de chauffage est fourni, à Spaudling... c'est dix, douze piastres par hiver, ça...

Parlant du départ imminent de Rachel, Ernest suait, s'énervait, manipulait un fer à cheval enterré de braises dans le feu de forge, et il tournait la manivelle du soufflet.

Les clients avaient trouvé leur chemin pour venir à la boutique : ils passaient simplement par la rue de l'hôtel où une importante traverse de la rue principale éventrée avait été aménagée, puis ils contournaient l'hôtel par l'arrière, passaient sur le terrain du père Ti-Jean et leur cheval arrivait enfin le nez en plein sur la boutique.

C'était Lucien Boucher, venu faire travailler les sabots de sa jument noire, ce qu'il avait négligé de faire à cause des circonstances dramatiques dans lesquelles il s'était trouvé plongé par la maladie et la mort de sa femme. L'homme écoutait plus qu'il ne parlait, toujours prisonnier de son deuil et de son chagrin après quelques semaines seulement de son veuvage. Le sujet l'intéressa tout de même :

– Y a une loi que tu dois connaître, Ernest... Pas une vraie loi, là, mais comme une sorte de... manière de faire... Ça s'appelle la loi de l'offre et de la demande... Une loi économique disons pour se comprendre un peu mieux, là... Vois-tu, les gens de par icitte, ils ont trop fait instruire leurs filles... Trop, c'est une manière de dire : on n'a jamais trop d'instruction... Ce que je veux dire, c'est qu'un produit monte de prix quand il en manque... T'as dû voir ça dans le domaine du fer... Des maîtresses, y en a une par porte par chez nous, tandis qu'à Spaudling pis la région de Mégantic, c'est un peu reculé par le tonnerre... l'instruction, eux autres, par là-bas...

– Huhau ! Lucien. C'est sûr que les terres sont moins bonnes par là-bas, mais ça rend pas le monde cruche, ça, pour autant... Huhau ! là, huhau !

– Reculé... c'est une manière de dire... Je me comprends. Comme ça, Rachel nous quitte pour d'autres cieux, pour d'autres lieux ?

– Du monde, c'est pas un produit, ça, comme du fer ou ben du Corn Flakes... C'est un syndicat qu'il faudrait pour les maîtresses d'école.

– Le vrai problème, Ernest, c'est que les commissions scolaires ont pas d'argent. Les taxes coûtent les yeux de la tête. Faudrait les baisser. L'aqueduc, ça coûte les yeux de la tête au monde...

– Au monde du village.

– Si en plus, faut monter les taxes pour donner des grosses augmentations aux maîtresses d'école...

– T'es contre ça, toé ? Je te pensais plus...

Le sujet fut abandonné par l'arrivée impromptue du vicaire Gilbert dont on perçut la noire soutane plus par le bruit de drapeau qu'elle faisait à cause de son pas nerveux et rapide, que par sa couleur fondue dans la grisaille des lieux, le soleil lui-même n'osant trop y entrer à cause de toute cette suie lourde encrassant les vitres.

– Bonjour, monsieur Maheux, bonjour monsieur Boucher.

Il n'attendit ni n'entendit leurs réponses :

– Je viens faire faire des pieux de métal pour les buts cet hiver...

– Vous êtes de bonne heure vrai, on est encore au cœur de l'été ! s'étonna Lucien.

– C'est avant qu'il faut se préparer, pas pendant.

– C'est pour quoi faire que vous voulez ça, là, vous ? demanda le forgeron.

– C'est pour planter dans la terre debout, comme ça, et pour y ancrer les buts solidement...

– Vous allez faire tuer du monde avec ça.

– Ça se fait de même partout ailleurs. C'est quoi le problème, monsieur Maheux ?

– Faut pas piquer ça trop creux dans la terre gelée pour que ça obéisse advenant un coup...

– C'est vrai, intervint Lucien. Autrement quelqu'un pourrait s'empaler...

– Faut que les buts tiennent en place.

– Faites-les en bois dans votre 'shop' ! dit Ernest.

– On l'a fait, mais ça tient pas. Le froid, ça rend le bois dur comme de la roche et cassant... On passe notre temps à courir les buts.

– L'idée est bonne, mais pas trop d'avant dans la terre, insista Ernest en tournant le fer dans le feu.

– Un accident, c'est vite arrivé, dit Lucien. Et ça pourrait tuer le hockey dans la région. De toute manière, sa mort s'en vient vite...

– Qu'est-ce... que vous... voulez dire ? bégaya l'abbé.

– Qu'avec la télévision qui est à nos portes, les jours du hockey amateur sont comptés.

Ernest comprenait lui aussi et il délaissa le soufflet dont le grondement s'éteignit vite pour enchérir :

– On va voir les meilleurs à la télévision : Maurice Richard pis les autres. Qui c'est qui va vouloir voir Laurent Bilodeau pis Jean-Yves Grégoire ensuite de ça ?

– Jean-Yves est-il de retour ? fit le prêtre qui songeait à l'équipe à former pour la saison à venir.

– Ils l'attendent d'une journée à l'autre.

Le vicaire, au rappel des amours entre Rachel et Jean-Yves, se fit allusif :

– Et... mademoiselle Rachel... elle ne l'attend pas ? On a appris qu'elle quittait la paroisse...

– Ça, ça regarde personne d'autre qu'elle...

Le prêtre fit un clin d'œil à Lucien qui haussa les épaules.

Dans le travail, le cheval, pas encore enfargé, bougea la patte et eut un bref hennissement. Quelqu'un d'autre venait par là sans doute. Et Rose parut, moulée, brillante dans l'embrasure de la porte où elle s'arrêta pour habituer ses pupilles à la sombre lumière des lieux.

– Ah! mon doux Seigneur, y a des hommes forts ici ! Je vas peut-être trouver les bras qu'il me faut.

Pour une fois, son langage était direct et la phrase disait ce qu'elle voulait dire. Les trois hommes, eux, trouvèrent plus d'un sens aux mots...

Elle voulait qu'Ernest lui fabrique un meilleur chevalet que le sien : facile à transporter et à installer.

– En réalité, c'est autant une bonne tête que je cherche que des bras...

Elle venait tisonner l'esprit de compétition en parlant ainsi de bras utiles et de tête solide. Ernest rajusta sa perruque mince et se souvint de son altercation avec elle ainsi que des injures échangées.

– Approche, Rose, viens te chauffer...

– Le soleil suffit aujourd'hui...

– Ça, c'est trop vrai, dit Lucien.

– Surtout avec l'humidité qu'on a aujourd'hui, d'ajouter le vicaire qui ne perdait pas de vue toutefois ses 'pines' à enfoncer dans la glace de la patinoire pour retenir les buts.

La femme s'avança. Lucien lui livra passage et se tint derrière en biais, épaule à épaule avec le prêtre, tandis qu'elle exposait son besoin.

Ernest fit son commentaire :

– C'est en bois de cèdre qu'il te faut ça, ton 'joualette', avec des pentures en aluminium... 'légerte'. Pis moé, j'ai ni un ni l'autre...

– On a ça à l'atelier, au presbytère, fit valoir le vicaire.

Sa phrase ne recelait aucune proposition quant à ce chevalet requis par elle.

– Vous pourriez-t-il m'en faire un ? Suis prête à payer le prix qu'il faudra.

Vivement, l'abbé fit une parade :

– Oui, madame Rose, mais pas avant le printemps prochain.

– Vous pourriez me vendre le bois, tout ce qu'il faut pis monsieur Maheux...

Ernest se déroba à son tour :

– J'aurai pas le temps avant la fin de l'été dans le p'tit moins, là...

Il y eut une pause. Rose ne savait plus où donner de la tête. Lucien proposa son aide :

– C'est une affaire de rien : je pourrais vous fabriquer ça aujourd'hui, le temps que j'attends ma jument... si monsieur Maheux me permet de me servir de ses outils...

– La boutique est à toé, mon gars.

– Et il faudrait là, que vous restiez pour me donner vos instructions, madame.

Tout arrivait à point. La femme était aux anges. Ce veuf ferait peut-être un bon amant, d'autant que le Pit Poulin se faisait plutôt rare, craignant hautement une relation trop suivie.

– C'est beau... Je vais voir à ma malade le temps que vous irez au presbytère chercher le bois de cèdre pis les pentures... Ça va faire combien, monsieur le vicaire ?

– Écoutez un peu... ça sera gratuit.

– Monsieur le curé sera pas forcément d'accord.

– C'est à la fabrique, ce bois-là, donc à tout le monde de la paroisse. Tiens, vous finirez par nous faire une peinture de l'église ou du presbytère : ça pourrait servir de paiement.

Ce fut l'entente générale et l'harmonie.

La femme retourna chez elle et mit du petit ragoût sur le poêle et une légère attisée pour réchauffer la chaudronne et son contenu. Assez pour trois, d'autant que la mère Jolicœur mangeait comme un poulet. Et puis Rose avait l'intention de recevoir Lucien à dîner. Ensuite, elle ne manqua pas de s'enduire d'un parfum qu'elle n'avait pas encore utilisé : à base de magnolia.

Le curé donna son aval. Lucien le salua en passant et revint avec le nécessaire une heure plus tard. Il se mit au travail et le forgeron le regarda faire par-dessus son épaule pour apprendre sans en avoir l'air. Puis Rose revint et il retourna à son feu.

Elle rejoignit le veuf à l'établi à bois située à l'autre extrémité de la boutique. Soucieuse, Éva vint voir ce qui arrivait. Son mari lui résuma la situation. Soulagée, elle retourna à son magasin. Alors il s'empara de la patte du cheval et l'emprisonna entre ses jambes, coffre à outils à portée de la main. Il lima, lima et lima sur toute la périphérie du sabot, écorna en se gardant d'écornifler, puis ajusta le fer et le cloua. Il ne pouvait entendre ce qui se disait à l'autre bout de la boutique ni ne prêtait oreille à ce qui lui parvenait comme des murmures lointains.

– Quelle grandeur qu'il vous faut ça, là, vous ?

– À peu près comme ça.

Elle désigna la forme voulue avec ses mains ouvertes puis le toucha au bras pour lui demander quelque chose :

– Tu devrais me dire tu, Lucien, ça me ferait me sentir un peu plus jeune.

– Ah ! on peut toujours essayer...

Le travail progressa. On parla des petites choses de la paroisse, des maîtresses d'école, du mariage annoncé de Solange Boutin et Eugène Champagne qui, disait-on, attendaient que la rue soit refaite pour ne pas avoir à sortir de l'église et tomber sur des tas de terre bleue puante... Il fut aussi question de Ti-Noire qui, elle aussi, tout comme Rachel Maheux, était sur le point de s'en aller pour de bon.

Soudain, leur échange fut brutalement interrompu quand Ernest cria de loin :

– J'ai trois pattes de faites, pis là, je m'en vas manger.

– C'est drôle, j'ai trois pattes de faites itou, répondit Lucien qui parlait du chevalet, lui, non du cheval.

– Pis moi, faut que je retourne à la maison, dit Rose qui ne s'attarda pas.

De toute façon, elle avait atteint son but. Son menuisier de l'heure la rejoindrait bientôt chez elle pour faire honneur au ragoût bien mijoté. Quant aux ragots, ils mourraient dans l'estomac d'Ernest, Lucien ayant affirmé qu'il mangerait au restaurant et s'étant dérobé à la vue du forgeron grâce aux monticules de terre et à la circulation malaisée de la seule voie encore passable sur la rue principale...

– Ça se laisse manger, dit Lucien pour féliciter Rose.

Il se sentait un peu mal à l'aise de se trouver là. Comme s'il avait été en train de trahir la mémoire de sa femme. Et puis il avait devant lui une femme séparée, pas une veuve. Ce serait plus catholique si c'était Marie Sirois. Et plus normal puisque la différence d'âge serait en sa faveur d'une dizaine d'années et non pas en celle de la femme comme maintenant.

Rose savait que de telles pensées jouaient sûrement contre elle. Voilà pourquoi elle devait sortir son artillerie lourde pour gagner la bataille. Et sans fafiner. Le truc de l'album de photos en était un bon, le meilleur peut-être comme prétexte. Ça lui permettait de s'approcher de sa proie, de la frôler, de l'embaumer, de la faire entrer dans son aura de féminité, de l'enrôler dans son désir...

– J'ai une photo de ta femme icitte, le savais-tu ? Elle était haute comme ça. Tu veux la voir ? Viens un peu en haut avec moi...

Elle le prit par le bras. Il la suivit docilement dans les marches de l'escalier, le regard sur son postérieur et sur ses jambes restées bien galbées malgré le temps, les grossesses.

– Assis-toi sur le bord du lit, là...

Elle se pencha en avant, ouvrit un tiroir de commode et revint avec l'album.

– Je peux m'asseoir à côté de toi ?

– Ben... ouais...

Elle plaça l'objet sur son genou gauche de façon que le couvert retombe sur celui de Lucien. Et l'ouvrit, et le tint jusqu'à ce que le revers de sa main touche le genou que l'homme ne sut retenir de bouger. Pourtant, elle ne retira pas sa main de suite et mit sa tête en biais comme pour appuyer sa pause interrogative :

– Ça te met pas à la gêne toujours d'être icitte ?

– Un peu là, mais ça se 'tough' comme disent les gars de bois.

Elle rit et fit glisser sa main le long de la cuisse dans son geste de la ramener sur la première page.

– Comme je te l'ai dit : c'est pas d'hier, le portrait. Ça date de sa communion solennelle. C'est les sœurs qui avaient pris ça. J'en avais une cette année-là. Thérèse, tu la connais...

Il hocha la tête :

– Ça doit pas être la même année. Thérèse est plus jeune que ma femme était.

– De combien ?

– Cinq, six ans, peut-être sept...

– Tu m'en diras tant. Dans ce cas-là, j'ai peur qu'on la retrouve pas... Cherchons pareil, hein !

Il comprit qu'elle avait utilisé un prétexte pour l'attirer là et ça le contraria. Rose commençait d'avoir une réputation de femme à la cuisse légère et il ne voulait pas y être associé. L'œil de la paroisse sur lui se chargerait d'ironie. Il tira sur lui, pour s'y enfermer, les pans du manteau de sa dignité. Et referma l'album. Et dit avec plus de fermeté que celle qu'il sentait dans son pantalon, de retour au vouvoiement :

– Madame Rose, on va retourner à la boutique, terminer le chevalet si vous voulez l'avoir aujourd'hui. Et il faut que je reprenne ma jument pour retourner à la maison. Les enfants, vous comprenez...

– Ta jument, elle va bien ? ironisa la femme.

– J'ai une automobile itou, vous devez le savoir.

– Oui, pis une belle, toujours cirée pis reluisante comme un plancher du presbytère.

Il se leva. Elle soupira.

– Bon, d'abord que t'es si pressé.

– Ben... je vous remercie pour le repas.

Elle fit une tentative désespérée et mit sa main entre les cuisses de l'homme, plus haut que les genoux.

– Qui devrait remercier l'autre, tu veux me dire ? Quand on peut se donner un coup de main... Tu m'as pas dit comment tu trouvais mon parfum ?

Il se dégagea et fit quelques pas vers la porte, blagua :

– C'est mieux que ce que sent Ernest Maheux : lui, il sent la suie pis le tabac à pipe sans compter le cheval.

– Pis la sueur pis tout le reste... Pauvre Éva !

– Ah! un homme qui travaille, c'est comme ça.

– As-tu un bain à la maison ?

Il répondit, embarrassé :

– Ça va venir...

– Reviens un de ces soirs : j'en ai un icitte. Pis de la belle eau chaude...

– Là-dessus, je vais y aller.

Elle ne pouvait plus le retenir et le suivit sans rien dire. Attristée. Mécontente. Avec un sentiment d'échec au cœur. Avec un autre, pareille rencontre aurait pu constituer une sorte de préambule, de préliminaire, mais pas avec cet homme-là. C'était peine perdue et elle le savait, le sentait...

– On ne peut gagner à tous les coups, dit-elle tout haut pour se protéger quand il eut refermé la porte derrière lui.

Et pourtant, elle prit de l'inquiétude et alla se mettre devant un miroir en long... Se regarda, toisa ses formes, songea à toutes ces femmes, même jeunes, toutes en bourrelets puis s'en prit à son parfum.

– C'est trop... prononcé, ça... Ça peut faire fuir un homme...

Puis elle accusa diverses choses relevant de Lucien lui-même. Son veuvage trop récent. Sa peur d'une vraie femme, qui sait. On aurait pu le voir entrer... Les qu'en-dira-t-on...

L'explication la plus simple passait à côté de ses raisonnements : Lucien avait eu peur du péché de la chair, pour lui comme pour la plupart des gens encore, un péché très très mortel...

***

Chapitre 15

Il ne restait plus tout le long de la rue principale qu'une longue cicatrice crénelée en cette fin du mois d'août 1951. Pour reléguer aux oubliettes tous les désagréments de la pose de l'aqueduc, non seulement lui appliquerait-on un pansement d'asphalte l'été suivant, mais, année d'élection provinciale obligeant, il semblait acquis que la rue serait habillée d'un beau manteau neuf tout noir d'un travers à l'autre.

En tout cas, Georges Pelchat, nouveau maire du village et grand organisateur de Duplessis, le promettait, le garantissait...

Rachel Maheux et Ti-Noire Grégoire jasaient au fond du magasin dans une pièce sombre attenant au bureau de poste. Freddy et Bernadette étaient tous les deux partis pour Québec. Ils coucheraient chez Ovide Jolicœur (et leur sœur Berthe) à Sillery puis iraient prendre Jean-Yves à l'hôpital Saint-Michel-Archange pour le ramener chez lui après une longue période d'enfermement et de médication qui avait conduit à la guérison de sa psychose.

Les deux jeunes femmes ne se parlaient pas de ce retour. Elles ne l'avaient pas fait depuis la demi-heure qu'elles échangeaient ni ne le feraient d'ailleurs, chacune ayant toutes les raisons de croire qu'à s'y livrer, c'est en terrain miné qu'elle marcherait et surtout, forcerait l'autre à marcher.

Il fut question du Cook Champagne qui avait enfin mis la patte sur une fille à marier, du vicaire qui ne jurait plus que par la saison de hockey à venir et passait ses journées dans la cave de la salle paroissiale à peindre les bandes de patinoire flambant neuves commanditées par des gens d'affaires du village et de la région, de Rose qui avait loué la maison à Polyte pour censément s'y reposer par l'art...

– Pis peut-être ben pour se payer un homme "per-ci-per-là", ajouta Ti-Noire avec un grand rire sonore.

– Elle est sorteuse ? demanda l'autre à mi-voix.

– Ça se parle en tout cas.

– Me suis toujours demandé si elle pis Germain, il s'était pas passé quelque chose...

Ti-Noire toucha l'autre au bras :

– T'es ben naïve, Rachel, tu sais ben que oui. Mon oncle Armand l'a vu entrer chez elle plusieurs fois... par la porte de la cave... et en ressortir passé minuit. Penses-tu que c'était pour dire leur chapelet ?

Leur départ imminent rendait les confidences plus aisées, curiosité aidant, suscitant des questions en chacune. Abaissée, la vieille barrière de la pudeur, il fallait remplir coûte que coûte le plus possible son album à souvenirs avant le grand départ vers une nouvelle vie.

– Tu crois que... qu'il l'aimait ?

Ti-Noire regarda dans un lointain connu d'elle seule :

– Ça... j'en suis moins sûre, ma noire...

– Comment ça ?

– Elle aurait pu être sa mère, hein... Vingt ans de différence, c'est pas rien...

– Ça empêche-t-il l'amour ?

– J'espère que non.

– Donc...

– Il était pas en amour avec elle, ça, je peux le dire.

– Tu sais des choses que j'ignore... et que je voudrais savoir, mais t'es pas obligée de me les dire.

– Attends donc un peu, toi, il me vient une idée, là...

Ti-Noire croisa les bras et sourit en coulisse.

– Je vas t'en dire si tu m'en dis toi-même. L'as-tu aimé, Germain Bédard, toi ?

– Je pensais que je l'aimais quand il était par ici, mais...

– Comme ils disent : t'aimais l'amour plus que le gars.

Rachel fit plusieurs hochements affirmatifs :

– C'est ça, c'est ça.

– Croirais-tu que Germain, il aimait Marie Sirois ?

– Pense pas... Il la protégeait... Son côté prêtre...

– Es-tu capable de garder un secret ?

– T'en as, des questions.

– C'est la dernière et ensuite je te fais une grande confidence.

– Ben oui, je peux garder un secret... et puis je m'en vais de par ici demain.

– Attends-moi ici, ma noire, je reviens. S'il vient quelqu'un, fais-le attendre.

– O.K !

Ti-Noire quitta les lieux. Rachel se sentit seule dans ce grand magasin silencieux. Elle prit conscience d'un grand vide intérieur devant la page à tourner. Pas si facile d'arracher ses racines du sol natal. Par exemple, elle avait toutes les chances de ne plus jamais revoir cette amie et voisine dont elle admirait la désinvolture apparente et l'audace tranquille, et qui possédait si bien l'art de faire rire les gens en tout temps et surtout dans les pires circonstances. Partir, c'est mourir un peu, songeait-elle encore quand Ti-Noire revint en parlant, un petit paquet de lettres dans la main :

– Tiens, prends ça, tu les liras quand tu seras là-bas à Spaudling. C'est des lettres que... que j'ai reçues de Germain depuis son départ. Ça va te faire comprendre des choses, je pense. Ça va t'aider. Moi, j'en ai plus besoin. Tu vois, je suis pas sûre que je partirais pour les États après-demain si je les avais pas eues, ces lettres-là... Ça fait réfléchir, ce qu'il y a là-dedans, tu vas voir, ma noire...

– Vu qu'il te les a envoyées à toi, c'est pas le trahir un peu que de me les confier comme ça ?

– Come on ! Tiens, prends... C'est pas du feu, c'est du papier... Je te dis que ça va t'aider...

Ti-Noire le croyait sincèrement et elle avait raison. Si Rachel avait connu le fond du cœur de Germain du temps qu'il était là, peut-être en aurait-elle été blessée, mais plus maintenant, et lire ces lettres l'aiderait à y voir plus clair en elle-même.

– Bon...

– Et... "pas touche" avant d'être rendue à Spaudling, tu promets ?

– Promis.

– Asteur, ma noire, disons un peu de mal des autres.

Rachel fronça les sourcils. L'autre la rassura :

– Du bon mal, du bon mal... Le Gilou, on le voit pas souvent, tu lui diras de venir me voir avant que je parte. Je te dis, celui-là, il est fin comme dix... Je l'aime assez que je l'emprunterais quand il vient de la visite. C'est plaisant, un enfant vivant comme ça...

– L'autre, le dernier, il est plus tranquille, lui.

– C'est vrai : sont pas pareils pantoute, ces deux-là. Ah ! il doit être fin itou, le André... mais... pas pareil... j'sais pas...

Il n'en fut pas dit davantage. Le ressort de la porte du couloir menant au hangar laissa entendre son étirement plaintif et Armand parut dans l'autre entrée du bureau de poste. Les yeux exorbités par l'effort de sa marche et le manque d'oxygène, il dit en hésitant :

– Salut... les filles ! Comme... dirait Jésus... Christ... "Encore un peu de temps... et vous me verrez... encore un peu de temps... et vous ne me verrez plus..."

Faisait-il allusion à leur départ ou bien au sien ? Aucune ne voulut vérifier. Il sourit d'un seul côté du visage; et devant leur silence, il dut reprendre par un énorme coq-à-l'âne :

– Paraît que Marilyn Monroe est en train de... tourner un autre film ? Ça va s'appeler '*Comment épouser un millionnaire*'. J'en connais plusieurs que ça va intéresser.

– Moi en tout cas, approuva Ti-Noire en levant son petit doigt.

On attendait un commentaire de Rachel. Il ne vint pas. Elle salua et fut sur le point de s'en aller.

– Si je te revois pas, bonne chance à Spaudling, lança Armand.

– Je vas te voir demain matin quand tu vas partir.

– Merci à tous les deux, là...

*

Une demi-heure avant le temps, Rachel traversa la rue avec ses deux valises noires et les déposa sur le perron du magasin où elles attendraient l'arrivée du Blanc Gaboury. C'est par train qu'elle se rendrait à Mégantic puis par taxi jusqu'à sa paroisse d'accueil.

Éva était soucieuse mais pas inquiète ni anxieuse. Des enfants, c'est fait pour partir de la maison un jour ou l'autre, se disait-elle en mesurant de la dentelle rose pour la femme à Rosaire Beaulieu qui viendrait prendre sa commande durant la journée.

Ernest tapait fort sur l'enclume pour qu'on le sache très occupé. Néanmoins, Rachel franchit de nouveau le chemin et alla saluer son père qui aurait du mal à cacher son inconfort une fois de plus :

– Bon, ben, suis venue vous dire que je partais.

L'homme brandit son marteau :

– Tu vas gagner ben mieux ta vie par là-bas que par icitte. Ils veulent pas payer leur monde par icitte...

C'était sa façon à lui d'exprimer son regret devant ce départ qui ne serait pas le dernier ni le plus triste...

– Bah ! je vais revenir à Noël et durant l'été.

Il posa son marteau et fit une moue sans la regarder :

– Ça... qui c'est qui peut dire ?...

– Ben je vais y aller, le Blanc va arriver pis je voudrais pas le manquer...

– Fumez, fumez...

Elle tourna les talons et sortit. L'homme planta un fer à cheval dans les braises et grommela :

– Ils veulent pas payer leur monde, ça fait que les meilleurs sacrent leur camp de par icitte. C'est comme ça, maudit torrieu... Ça peut pas faire autrement...

Il faisait un peu frais ce matin-là et Ti-Noire avait jeté un chandail blanc sur ses épaules. Elle ouvrit la porte du magasin pour faire entrer la voyageuse. Les deux jeunes filles se parlèrent un moment de petites choses puis Rose Martin s'amena. Elle venait saluer une bonne cliente, non point en raison de la quantité de ses achats mais de leur régularité.

Cette attention plut autant à Rachel qu'à Ti-Noire. Comme si quelque chose de Germain Bédard habitait Rose et comme si c'était cela qui venait dire adieu autant à l'une qu'à l'autre. Et Rose ne s'attarda pas, sachant bien que l'heure du Blanc était proche. Quand elle eut quitté, Ti-Noire demanda :

– As-tu tenu ta promesse de pas lire mes lettres avant de partir ?

– Oui, Ti-Noire, je l'ai tenue. Dur à croire, hein ? Mais aussi j'ai compris ce qu'elles veulent dire... et c'est que Germain, c'est avec toi qu'il était en amour, tandis qu'il cherchait à me faire croire qu'il l'était avec moi. Pis qu'il a dû faire la même chose avec Marie Sirois...

– Pis Solange Boutin pis madame Rose même...

Rachel ajouta, dubitative :

– Ou ben il était démoniaque ou ben il était divin...

– En tout cas, celui qui arrive est ni l'un ni l'autre, c'est un mort-vivant comme mon oncle Armand...

Blanc savait depuis la veille qu'il aurait Rachel comme passagère : il mit ses valises dans le coffre et il entra. Les deux jeunes filles s'étreignirent puis se séparèrent...

– Bonne vie, ma noire, lança l'une comme salutation finale.

– La tienne va l'être en tout cas, c'est certain, ça.

Leurs sourires tristes se rencontrèrent et ce fut tout. Pour toujours...

Une douzaine d'heures plus tard, le taxi revenant de Québec s'arrêta devant la porte du magasin. Il ouvrit la portière et un jeune homme descendit lentement de la voiture grise, tournant la tête vers la chambre de Rachel dans des gestes semblables à ceux d'acteurs dans un film qu'on fait tourner au ralenti. Tout son visage était couvert de peau pelée. Dans le magasin, sa sœur l'attendait, une larme à l'œil. Bernadette lança à Ernest qui sortait de la boutique :

– Rachel est partie finalement ?

– À matin. Ah ! ils veulent pas la payer comme du monde par icitte...

C'est ainsi que Jean-Yves apprit son départ définitif. Il allait entrer suite à son père et devant sa tante, lorsque le vicaire arriva en courant, tout essoufflé, tout heureux :

– Notre meilleur joueur de hockey ! Halte-là, halte-là, halte-là, Saint-Honoré, Saint-Honoré...

– Ça fait longtemps que j'ai pas patiné, dit le jeune homme à petite voix plaintive...

Vingt-quatre heures plus tard, au même endroit, les Grégoire assistaient au départ de Ti-Noire pour les États. Arrivés tard la veille, sa sœur et son beau-frère étaient venus la chercher. Il ne restait plus qu'elle à monter dans la voiture. Elle serra sur elle sa sœur, la muette, qui grognait, secouait la tête et pleurait. Puis sa mère qui éclata de rire pour exprimer son mécontentement. Jean-Yves se laissa embrasser sans rien dire ni bouger. Au tour de Bernadette...

– En tout cas, j'ai ben hâte de voir ton futur mari, là...

– Je fais juste partir, ma tante.

– Ça fait rien; le tien, il t'attend là-bas.

Et Bernadette lui fit un clin d'œil complice. Ti-Noire serra ensuite la main de celui qu'elle regretterait le plus : son père. Freddy ne broncha pas et choisit de rire nerveusement.

– Oublie pas de nous écrire. On sait lire...

La jeune fille avait le cœur trop serré pour parler. D'un demi-geste, elle salua son oncle Armand resté dans l'embrasure de la porte puis elle jeta un semblant de coup d'œil à l'église en contournant l'auto.

Quelque chose lui disait-il quelque part en son for intérieur qu'elle reviendrait dans son village natal trois fois seulement dans les quarante années suivantes ?...

***

Chapitre 16

Le Cook tâtait quelque chose dans sa poche de pantalon et ça l'excitait fort. Le temps de l'attente achevait. Pour le moment, il fallait patienter et regarder la caméra droit dans l'œil afin de faire voir aux générations futures un coin de ce jour inoubliable. Son mariage venait d'être célébré dans l'église.

C'était le début de septembre 1951, un mois qui marquait le vrai retour à la normale à Saint-Honoré après ces années troubles dispensatrices d'événements aux sens divers pour chacun, depuis l'affaire des fausses apparitions à celle du séjour d'un diable défroqué en passant par la division de la paroisse et cette énorme chirurgie de la grande artère du village.

Particulièrement efficace, le maire Georges Pelchat avait même obtenu du gouvernement la pose d'un pansement bitumineux de fortune couvrant la plaie courante de la rue principale sur une portion qui allait de chez Rose à au-delà de la rue des cadenas. Tout le cœur quoi ! Cela fit virer plusieurs portes du rouge au bleu. Et ce n'était rien encore à comparer avec ce que 1952 réservait au hameau redevenu tranquille et soumis, catholique fervent et à penchant duplessiste.

Frères et sœurs, oncles et tantes, cousins et cousines, amis, voisins et connaissances se tassèrent les uns sur les autres dans les marches du perron derrière les mariés. En ce moment, Solange ne pensait qu'à sa robe blanche et à son diadème tandis que son mari rêvait d'autre chose... qui lui faisait tant envie... ahhhh....

Quand ils furent tous là, le photographe Gamache de Saint-Georges entra sa tête sous le tissu noir couvrant la caméra et il visa entre les époux pour les situer dans le point focal. Puis il embrassa de son regard aiguisé tous les assistants. Et il émergea pour mettre bon ordre aux choses. Par gestes vers d'aucuns, il les fit boucher un trou ou se montrer mieux en montant une marche, puis il désigna la main enfouie du Cook, mais le jeune homme ne comprit pas et tourna la tête pour voir qui à l'arrière ne comprenait pas. Gamache, avec sa propre main faisant mine de glisser hors d'une poche imaginaire parvint enfin à livrer son message au marié qui cacha son embarras sous son habituel rire nerveux allant jusqu'au raclement de gorge.

– Ça doit être parce que j'ai trop hâte...

– Tout vient à point à qui sait attendre, fit l'artiste, imperturbable.

Les photos furent prises. Puis l'auto louée à Jacob Drouin vint prendre les mariés. Dernière photo avant le départ. Le chauffeur, après avoir félicité les tourtereaux leur dit qu'il attendrait un moment pour donner la chance à tous de se rendre à leur voiture. Le Cook ne parvint plus à se retenir et se penchant sur Solange qui s'attendait à un petit bec sucré, il mit de nouveau sa main dans sa poche et en sortit son paquet de Zig Zag.

– Ça te fait rien que je m'en roule une ?

Jacob l'excusa en s'adressant à la mariée qu'il regardait par le rétroviseur :

– Un mariage, c'est beau, mais ça énerve... et ça donne envie de fumer...

Une seule voix masculine aurait suffi à convaincre la jeune mariée. Deux, c'était la vérité en béton armé.

Et Gamache le photographe qui était apprécié non seulement à cause de la qualité de son travail mais aussi grâce aux surprises qu'il réservait à ses clients par des photos imprévues braqua sa caméra sur l'auto et quand le Cook abaissa la vitre sans savoir qu'il se trouvait là, et cracha du bout de la langue une lanière de tabac qui lui était restée collée à la lèvre inférieure, la scène fut croquée pour la postérité...

– Ha ha ha, maudit qu'on a un bon photographe ! fit le Cook en allumant.

Jacob, un homme qui ne mâchait pas ses mots, lui dit :

– Brûle pas le siège parce que ça coûte cher de recouvrir ça : quinze, vingt piastres...

Solange enchérit :

– Pis attention à ma robe : ça brûle vite, c'est du tulle.

Jacob lança de sa voix forte :

– C'est à soir qu'il faut qu'elle prenne en feu, la mariée, pas à matin.

Bien plus attaché à l'argent qu'au tabac, plus invétéré fumeur qu'indécrottable fesse-mathieu, le Cook sortit ses deux mains par l'ouverture de la portière et d'un geste vif, habitué, il étêta sa cigarette puis en glissa le mégot dans sa poche de veste.

– Je m'en vas dire comme vous autres : c'est pas le temps de fumer pantoute...

*

Les choses n'allaient pas si mal pour Marie Sirois depuis un an à l'exception du pénible départ de cet homme qu'elle aimait et que sa fille Cécile aimait tout autant. Par son travail à la manufacture, elle gagnait honorablement sa vie et le pain de ses enfants, et commençait déjà à songer aux cadeaux qu'elle leur ferait au Jour de l'an prochain.

C'était vendredi, le deux novembre. Pour la première fois de leur vie, les fillettes feraient du porte à porte, soulignant ainsi avec deux jours de retard puisque le 31 octobre tombait au beau milieu de la semaine, la fête de l'Halloween, tout comme plusieurs autres enfants du village. Auparavant, on les aurait prises pour des petites mendiantes en raison de l'extrême pauvreté de leur mère, mais voilà qu'à elles comme aux autres, on donnerait des sous noirs pour le pur plaisir de la chose. Autrement, Marie ne leur aurait pas donné la permission de frapper aux portes des villageois.

Ainsi donc, on ferait d'une pierre deux coups : fêter les disparus et leurs fantômes en combinant la fête des Morts à celle des Esprits...

Masquées avec des cartons dessinés découpés sur des boîtes de Corn Flakes, l'une en sorcière, l'autre en très vieille dame et la troisième en chat, les fillettes quittèrent leur demeure quelques minutes après six heures avec défense de se rendre chez les Rouleau, premier voisin et propriétaire de la maison que la veuve habitait depuis quelques années déjà. Elle ne manquait pas de raisons pour leur faire cette recommandation sévère... Les filles partirent le cœur léger en dansant et pépiant.

Il était six heures et quart.

De coutume, le vendredi soir, elle se rendait au village faire de l'épicerie, mais cette tâche avait été remise au lendemain pour ne pas empêcher les enfants de s'amuser. Elle aurait bien pu le faire quand même, mais elle voulait être là quand ses enfants reviendraient lui raconter les joies rencontrées sur leur parcours.

Et le temps passa, les minutes s'écoulèrent, les demi-heures marquées par le son de l'horloge. Soudain, la femme crut entendre un bruit près de la maison. Elle regarda l'heure. Les fillettes devaient revenir. Elles auraient pu allonger leur tournée d'une heure encore, puisque c'était congé d'école le jour suivant.

Puis un pas dans les marches de l'escalier extérieur lui dit qu'il ne s'agissait pas d'elles. Un visiteur adulte annonçait le bruit lourd. Et en effet, l'on frappa à la porte. Elle se rendit ouvrir et sursauta en apercevant le personnage. Ce n'était ni un enfant ni une femme mais un homme. Et masqué. Le même masque que portait Cécile en partant : celui d'une très vieille dame au visage plissé. Le cœur de Marie fit un bond. Le visiteur parla sans faire entendre le son de sa voix et seulement par des mots soufflés :

– Je voudrais ben entrer, ma... da... me...

– Ben... oui...

Et avant qu'elle ne réagisse autrement que par un visage anxieux, il entra et referma la porte derrière lui. Ce court moment permit à la veuve de toiser l'arrivant en examinant ses vêtements. Il portait des pantalons du dimanche en tissu fin et noir et des souliers noirs bien cirés avec des 'claques' basses qu'on appelait des canots. Et un veston qu'elle entrevit seulement, puisque le visiteur portait un 'trench coat' noir non boutonné avec un col de fourrure, vêtement appelé 'station-wagon' (*prononcé à l'anglaise*).

S'il fallait que ce soit ce Fernand Rouleau de malheur !
Pourquoi portait-il le masque de Cécile ? Où étaient les filles
en ce moment ? L'anxiété frôlait l'angoisse maintenant chez
elle. Si au moins elle avait pu voir la tête de cet homme,
mais il l'avait enfouie dans un chapeau enfoncé jusqu'aux
oreilles et, lui aussi, tout noir.

– Qui c'est qui veut me jouer un tour, là ?

– Je suis celui que vous attendez pas, souffla la voix.

– Non... pas Germain, pas toi, Germain Bédard ?

– Je suis celui que vous attendez pas, souffla de nouveau
la voix avec plus d'insistance.

Elle s'énerva :

– Je t'attendais pis... je t'attendais pas en même temps...
les deux...

– C'est pas Germain Bédard, ça me fait de la peine, ma...
da... me...

Elle fit trois pas et s'empara d'une chaise berçante qu'elle
poussa vers le visiteur :

– Coudon, quand ça vous le dira de vous identifier, vous
le ferez...

Le personnage se mit à rire, d'un faux rire fêlé, égrian-
ché. Il parut à la femme qu'elle connaissait ce son sans ton.

– Les petites filles sont allées passer l'halloween...

– Et moi aussi, ma... da... me...

– Voulez-vous de la tire Sainte-Catherine ? J'ai fait la
mienne d'avance cette année.

– Je vas ôter mon masque si vous devinez qui je suis,
ma... da... me Sirois...

Elle répondit des noms lui passant par la tête et qu'elle
rapprochait tous, pour une raison ou une autre, de la couleur
noire; et à chacun, le visiteur masqué hochait la tête négati-

vement :

– Dominique Blais ?... Jean-Yves Grégoire ?... Fernand Rouleau ?... Arthur Quirion ?... Sais pas... Monsieur le vicaire, quen... Philias Bisson ?...

L'homme alors retira son chapeau et sa chevelure noire à la couette hitlérienne lui barrant le front apparut. Une tête connue. Et pourtant la veuve très perturbée ne parvenait pas encore à y mettre un nom. Force fut au personnage d'ôter son masque à la fin. C'était nul autre que Lucien Boucher.

– De ce que vous m'avez fait peur, vous !

– C'est ça que je voulais.

– Assisez-vous.

– Serai pas longtemps. Vos petites filles sont parties, vous dites ?

– Passer l'halloween. Elles étaient assez fières.

– Vous en avez trois, je pense.

– J'avais un petit gars itou, mais il est mort comme vous le savez.

L'homme pencha un peu la tête :

– Oui, j'étais allé au corps justement.

La femme saisit du reproche dans la voix, la moue, les mots. Il devait regretter ne pas l'avoir vue au corps de sa femme. Il l'avait remarqué. Et pourtant elle s'y était rendue et avait même offert ses condoléances à tous ceux qui se trouvaient auprès du corps à ce moment-là. Sauf que Lucien s'était absenté un long moment du salon funéraire en cette fin de dimanche après-midi et qu'elle avait fini par s'en aller, pensant qu'on saurait quand même. Et intimidée par la présence de trop de gens à la fois, elle avait oublié de signer son nom sur le registre des visiteurs.

– Et moi, suis allée au corps de votre dame, mais vous

étiez parti. Je vous présente mes sympathies avec des mois de retard.

Il releva la tête :

– Suis content de vous l'entendre dire. Monsieur le curé m'a dit des bons mots à votre sujet ce jour-là et... bon, les choses ont mijoté comme on pourrait dire dans ma tête... Me suis dit que peut-être... vu que je suis veuf et que vous êtes veuve... Je me présente d'une drôle de manière, là, mais c'était pour surmonter ma... ma gêne... J'ai beau faire des discours en public, des fois, je perds mes vrais moyens, vous comprenez...

Bouleversée par la crainte, voici que Marie l'était maintenant par l'espérance. Qu'un homme aussi important de la paroisse s'approche d'elle et surtout, qu'il le fasse de cette manière aussi gauche, lui, un cultivateur renommé et un politicien chevronné, la touchait dans le plus sensible de son cœur.

– Assisez-vous, assisez-vous... J'ai du Coke, vous en voulez un verre ? demanda-t-elle en espaçant des pas vers la cuisine.

– Ça serait pas de refus.

– Pis ôtez votre gros 'coat' : il fait chaud icitte-dans. Mettez-le là, sur le moulin à coudre.

– Vous cousez, vous ?

– Je sais tout faire. Faut ben quand on est veuve pis mère de quatre enfants... ben trois asteur, là...

Lucien avait besoin de quelqu'un, même d'aussi pauvre que Marie, pour refaire sa vie. Et la veuve Sirois attendait au fond depuis des années qu'il se présente, ce protecteur d'elle-même et de ses enfants, l'homme fort et paternel pour qui elle saurait tout faire et qui saurait tout lui dire...

C'est ainsi que la malchance de la femme à Lucien Boucher fit la chance de la veuve Sirois...

Il arrive une fois sur des milliers aux plus démunis de n'avoir pas besoin de se masquer et de passer l'halloween à petite pitance d'un sou à la fois pour que le gros lot frappe à leur porte. C'est une pensée semblable qui serait un jour injectée telle une drogue lénifiante et irrésistible à toute la population sous forme de billets de loterie et d'invitations au casino... Mais aucun lot, si grand serait-il, n'atteindrait jamais la valeur d'une main tendue à son semblable; rares hélas ! seraient ceux qui le comprendraient alors... Tous pourtant le diraient sans vraiment le croire...

***

Chapitre 17

Grâce aux efforts méritoires du vicaire qu'appuyait de toutes ses forces le curé en cette matière, le club de hockey local remporta le championnat de la ligue régionale et même la prestigieuse coupe Comrie, pendant beauceron de la coupe Stanley, et que même des équipes américaines de Jackman, Augusta, Waterville et Portland convoitaient et venaient disputer en vraies 'disputeuses'.

Jean-Yves Grégoire fut une des plus grandes stars de l'hiver et, à échelle, il n'eut rien à envier au Rocket Richard. Et puisqu'il était aussi un gentilhomme sur la glace autant qu'habile compteur, il reçut des applaudissements aux quatre coins du comté, ce qui lui rappelait parfois la vieille rumeur si souvent entendue dans la grande salle à l'hôpital psychiatrique.

À la dernière partie du tournoi visant à désigner les meilleurs et les plus forts, on put se rendre compte que le public ne déifiait pas seulement les battants et les gagnants mais aussi qu'il était capable d'aduler et d'adorer les oiseaux comme la chanteuse Alys Robi qui vint chanter le *Ô Canada* de sa belle voix de rossignol.

Les petits Maheux assistaient à ce match mémorable, emmenés à Saint-Georges par leur frère aîné enfin guéri de sa tuberculose. Et le benjamin pleura de bonheur de voir tout cet amour qui déferlait par vagues incessantes sur la glace. Moins sensible que son frère cadet, le Gilles aimait crier avec de gros adultes des rangées voisines : "Tue-le, tabarnac, tue-le... Écrase-z-y la face après la bande, l'hostie..."

Stimulé par ces retombées de gloire, le presbytère décida de donner une grande impulsion aux jeux d'été sous l'égide de l'O.T.J. Tennis, croquet, balançoires pour les petits, mais aussi balle molle, ballon volant et courses chronométrées.

Le curé nourrissait le désir secret et ô combien emballant de voir un champion émerger parmi ses jeunes paroissiens. Un Jesse Owens des Olympiques de 1956 qui sait, puisqu'il était un peu tard pour faire d'un fils de cultivateur ou de forgeron de village un Roger Bannister de celles de 1952, et pour que soient troquées les bottes à tuyau graissées de crottin de cheval contre des espadrilles de compétition que les gamins mal éduqués appelaient si vulgairement et au mépris de la belle langue française, des 'chouclaques'.

"Ah ! soupirait-il parfois, s'ils avaient tous été élevés au latin et au grec !"

Mais il fallait de l'argent pour payer les équipements et accessoires requis. La fabrique paroissiale payait déjà bien assez pour les activités régulières de l'O.T.J. Pas question de piger dans les surplus de la caisse de la quête du dimanche : c'était là la part de Dieu, du culte. On ne pouvait tout de même pas investir davantage sur le sport que sur la religion, autrement, le sport deviendrait une religion. Évidemment, cette philosophie, comme toutes les philosophies, avait son exception : le hockey.

Parties de cartes avec grand gros lot, fêtes à la tire à côté de l'église, proposant non seulement de la tire mais toutes les générosités de la cabane à sucre, œufs dans le sirop, oreilles de christ, fèves au lard et même, caviar de l'événement, du bon saucisson de bologne Fédéral vulgairement appelé par les enfants mal élevés du 'baloné'... Les paroissiens n'en finissaient pas de délier leur bourse. Et le curé, qui visait de nouvelles retombées glorieuses pour la paroisse, prêchait la forme physique, la santé et exemplifiait les vainqueurs. Par exemple, il disait souvent du bien en chaire de ce Jean Béliveau maintenant très célébré par le journal *Le Soleil* pour ses hauts faits parmi les AS, un jeune homme dont il s'était pourtant méfié en 1950 parce que, séjournant dans la paroisse pour œuvrer sur les lignes électriques, il payait les enfants le soir pour courir ses balles de tennis...

Men sana in corpore sano ! Tel fut le leitmotiv du pasteur bien-aimé en ce printemps 1952.

On avait la volonté, on avait l'argent, on avait le matériel humain et aussi l'autre, il ne manquait plus, songea le curé Ennis, qu'un adjoint au vicaire. Le vicaire à qui il ne faisait pas entière confiance, loin de là. Trop farfelu ! Incapable de surveiller plus d'une chose à la fois. Et de toute façon, la tâche était bien trop lourde pour un seul homme. Comment arbitrer un match de ballon volant et, en même temps, minuter les coureurs du cent-mètres ? Vendre du Coke et au même moment juger les prises à la balle molle ?

Le curé communiqua avec son ami, le premier directeur du séminaire Saint-Victor et obtint ce qu'il voulait. Un séminariste viendrait seconder son vicaire en juin, juillet et août. Ce ne serait pas le premier à séjourner dans la paroisse ni le dernier, mais celui-là, pas encore ordonné prêtre, et qu'on appelait déjà l'abbé Laroche, s'avérerait le plus dynamique de tous. C'est en tout cas la promesse que fit à son sujet le Père supérieur de son institution.

Le jeune homme en soutane arriva dans la paroisse avec une petite valise noire. Il était venu avec le père Tom Gaboury qui remplaçait son fils, le Blanc, trop malade une fois de plus pour aller chercher les sacs de courrier à la gare du village voisin. Une grosse équipe s'affairait déjà aux préparatifs en vue de la pose de l'asphalte sur la rue principale. Cela serait complété en quelques jours et on fêterait la Saint-Jean-Baptiste par une parade régionale sur ce magnifique et odorant revêtement qui témoignerait devant toute la Beauce de la solidité du gouvernement duplessiste et de sa capacité de se renouveler. Ah ! quel bel endroit ! se dit le futur prêtre, un natif de Saint-Martin, paroisse voisine qui fournissait au Québec non seulement le député provincial mais aussi le député fédéral, frère et concitoyen du précédent.

Le père Tom le reconduisit de suite au presbytère. Par respect pour la soutane, il ne voulut pas le laisser marcher. Les adolescents, qui attendaient la malle devant le magasin, le virent les premiers dans l'auto passant lentement sous leurs yeux. C'était un jeune personnage blondin aux traits juvéniles, à l'œil bleu, à la fossette au menton : un vrai poupon qui attirait vite les regards des jeunes filles et... de certains jeunes gens aussi dans leur... inavouable.

Ernest aussi l'aperçut, lui qui fumait sa pipe, jambes accrochées à la garde de la galerie, reculé loin dans sa berçante, la pensée partie et le cœur pesant. Il ruminait encore une fois sur sa décision de fermer définitivement boutique. Le contre ne faisait pas le poids avec le pour, et ce qui l'en empêchait encore, c'était simplement une indécision qu'il détestait mais qui lui collait à la peau comme une toile d'araignée. Il faudrait une étincelle pour que la dynamite en lui explose...

Mais un jeune homme d'une vingtaine d'années, Normand Labbé, ne put le voir, puisqu'il était chez lui au fond de la rue des Cadenas, à rêver dans sa chambre à une jeune fille qui lui faisait battre le cœur, Roxanne Poirier du bas de la Grand-Ligne, jeune fille dont la famille vivait pas loin du village, tout proche de chez Marie Sirois.

Élevé dans la violence par son père, il n'avait pas le courage de se déclarer à elle. Crainte de se faire éconduire. Peur de l'échec et de l'humiliation. Revenu des chantiers depuis un mois, il avait souvent bu ces dernières semaines et il se promenait le soir en titubant, pieds nus, flacon de bagosse sur la poche de fesse, rage retenue au cœur et au cul.

– Tiens, c'est vous, l'abbé Laroche ! s'exclama le vicaire qui faisait son entrée, bras allongé et main tendue, dans le bureau du curé et à son appel.

– En personne ! Et heureux de vous rencontrer !

Le curé faisait osciller sa personne imposante dans la chaise à bascule et tirait sur sa bouffarde en observant et examinant à la loupe cette première rencontre entre ses deux aides.

– C'est un hasard si nous ne nous sommes jamais vus, n'est-ce pas ? Un malheureux hasard, il va sans dire.

– On aura plus de deux mois pour se rattraper.

– Assoyez-vous, messieurs. Des fauteuils vous attendent, dit le curé.

Cette invitation signifiait qu'il voulait reprendre l'initiative et il ne pouvait le faire sans devoir rentrer dans son autorité.

– Si vous n'êtes pas fatigué, mon cher Benoît, nous allons tout de suite répartir les tâches sur vos quatre épaules. Quand chacun sait ce qui l'attend dans une entreprise commune, tout va pour le mieux et la réussite est à moitié acquise dès lors...

Laroche attendit une seconde pour donner la chance au vicaire de dire son mot. Devant son silence nerveux, il commenta :

– C'est très bien dit...

Pour se rattraper, le vicaire l'interrompit :

– C'est vrai, ce que vous dites, monsieur le curé, c'est tout à fait vrai, n'est-ce pas, Benoît ?

Le séminariste ouvrit les mains et, l'œil rieur et un brin inquiet, il fit une proposition :

– Je suis encore pas mal jeune. Au séminaire, tous m'appellent Ben. Vous pouvez le faire aussi : ça me plaira. Mais si vous trouvez que ça fait trop familier...

Le vicaire interrogea le curé du regard. Le curé mit sa tête en biais :

– Je n'ai aucune objection, bien au contraire. Ben, c'est bien et ça va vous rapprocher de la jeunesse. Quand on est un jeune prêtre, c'est une bonne chose.

– Et moi, j'approuve, fit le vicaire en riant rouge. Vous savez, moi, on m'appelle Ti-Toine parfois et ça ne m'offusque pas du tout. Pourvu que le respect demeure et que le ton soit au respect...

Leur collaboration fut valable. Laroche comprit vite que le vicaire avait besoin d'exercer sur lui son autorité et il s'y soumit, du moins en apparence. Il obéissait sauf si l'autre, après lui avoir confié une tâche, voulait lui en attribuer une autre avant qu'il n'ait accompli la première.

Pour faire la promotion de l'O.T.J., ils préparèrent un char allégorique en vue de la parade du 24 qui aurait lieu au village et y réunirait des délégations de tout le comté. Quelle magnifique occasion de faire valoir les autorités civiles et religieuses, et de célébrer les élites dans tous les domaines, qu'une fête nationale soulignée avec faste et apparat ! Quel défilé princier, royal ou impérial que celui de la démocratie hiérarchisée !

Et ce fut une grande réussite. Commencée par une belle messe, la journée permit tout d'abord à la moitié de la paroisse de faire connaissance avec ce beau séminariste que d'aucunes allèrent jusqu'à comparer avec l'acteur américain Alan Ladd. Puis le plus grand orateur beauceron de tous les temps, le député docteur Raoul Poulin s'adressa à la foule réunie devant et autour de l'église. Tous les chars furent chaudement applaudis et le lendemain même, ce serait l'ouverture des activités estivales de l'O.T.J.

Certains ne furent pas de la fête et péchèrent par manque de convivialité.

Ernest tourna le dos à la parade et continua de ruminer sur son problème et son écœurement que ni l'asphalte neuf ni le défilé monstre n'avaient réduit.

Dans sa chambre blanche, le Blanc Gaboury avait de plus en plus de mal à trouver son oxygène et maintenant, il appelait la mort, tandis que son cousin propre, le jeune Normand Labbé passa la journée de la Saint-Jean soûl comme la botte.

Roxanne et ses deux sœurs plus jeunes furent là, près de l'église, le soir du vingt-cinq, pour l'ouverture des activités de l'O.T.J. Elle aussi avait vu le beau séminariste et quelque chose au fond de son cœur lui disait qu'il était encore temps de sauver ce bellâtre du célibat et du refoulement de ses gènes. Bien sûr, elle ne verbalisait pas ces inclinations ou alors les aurait prises pour des péchés des plus mortels, mais ces choses grenouillaient là, en son for intérieur, sous forme d'émotions et de sensations qui balayaient son âme et son cœur comme des coups de vent, des tornades, des torsades...

Certains la comparaient à Marilyn Monroe à cause de ses courbes bien accusées et de ses cheveux blonds. Et parfois, elle s'en donnait aussi le regard sucré et les paupières somnolentes. Pauvre Ben Laroche qui devrait affronter pareille bombe avec pour seul bouclier sa mince soutane noire ! Et pas même sa mère dans le voisinage pour le protéger. Par chance, il y aurait le vicaire sur le terrain et à travers lui, l'œil très paterne du bon curé...

Ils se virent pour la première fois entre la bâtisse servant de restaurant et d'aire de repos semi-chauffée pour les hockeyeurs l'hiver, et le jeu de croquet des dames que différenciait de celui des gars la longueur des manches des maillets, laquelle évitait aux filles qui frappaient la boule de devoir trop se pencher en avant avec toutes les conséquences graves que cela aurait pu avoir dans le cœur des jeunes gens et entre leurs propres jambes.

Benoît demeura interdit pendant un moment, lui qui sortait de l'étroit snack-bar avec l'intention de se rendre à l'autre bout du terrain animer un match de ballon volant et où il ne manquait plus aux équipes mixtes qu'une joueuse afin d'équilibrer les forces adverses.

— Demande à Roxanne si elle veut jouer ! lui cria de loin le vicaire.

— Jouer ? répéta Ben en regardant la jeune fille avec un air médusé. Oui, au ballon volant... Il nous manque une personne.

— Le jeu de ballon, je connais pas, dit-elle de sa voix enfantine. Mais...

— On va te le montrer.

— O.K !

Puis s'adressant à ses deux sœurs :

– Jouez au croquet, les filles, en attendant... quand ça sera votre tour...

Elle passa devant le séminariste qui ne put se retenir de balayer les courbes de son pantalon heureusement pas trop ajusté. Il ne put non plus s'empêcher d'imaginer ce que sa blouse blanche à fleurs roses contenait. Une prière fut sa bouée de sauvetage. Mais le démon de la chair revint à l'attaque sur le champ de ballon, surtout quand la jeune fille bougeait et sautait.

Alors que le match se déroulait, un jeune homme passa sur la rue principale, pieds nus, sans tourner la tête. Et pourtant, il avait tout vu, tout deviné, tout anticipé dans une de ces perceptions globales que seul un cerveau envahi par une substance chimique peut avoir. Il n'avalait pas l'affreuse image de ce séminariste en soutane jouant avec sa Roxanne à qui pourtant il n'avait jamais osé adresser la parole.

Benoît, cette nuit-là, discuta avec lui-même et avec l'aide de la Vierge Marie, il parvint à sublimer son attirance charnelle pour la jeune femme. Il se dit qu'il deviendrait son ami, son frère, son père même, tout sauf plus que tout ça...

Et le soir suivant eut lieu un autre match. Et Normand Labbé passa de nouveau pas loin; et sa rage augmenta encore. Et il but davantage de bagosse du flacon qu'il gardait dans sa poche de fesse. Et le séminariste fut de nouveau attaqué par le grand démon de la chair, mais il s'en moqua... Et Roxanne trouva de nouvelles façons de courir et de lever les bras pour que son corps ondule mieux et plus langoureusement.

Le grand démon, pas fou, imita le curé et se dota lui aussi d'adjoints pour l'été, débordé qu'il était par toutes ces âmes courant en tous sens et ce trop-plein sportif qui risquait de fatiguer les sens... Le troisième jour, l'un d'eux inspira l'abbé Ennis, lui souffla à l'oreille l'idée saugrenue de se rendre visiter des amis du temps de sa dernière cure à Dorset. Et un autre besogneux infernal suggéra au vicaire de se rendre à Beauceville voir sa mère pas si malade que ça...

Et voilà qu'une charge écrasante retombait sur les épaules de Ben Laroche... Mais celle des travailleurs de l'enfer ne l'était pas moins, eux qui n'étaient pas encore syndiqués...

***

Chapitre 18

Le Blanc était à l'agonie. Pour de vrai cette fois. Il refusait obstinément les secours de la sainte religion toutefois. Se faire administrer, disait un mythe, donne souvent au malade une rémission de plusieurs jours avant la mort.

"J'en ai rien à cirer d'une rémission," redisait sans cesse le jeune homme à son vieux père contristé.

"Mais la rémission de tes péchés ?..."

"Encore moins, le père. J'ai fait quoi pour mériter ça ? C'est pas moé qu'a quelque chose à se faire pardonner, c'est lui, en-haut, qui sait pas encore comment bâtir une personne humaine sans lui clouer la souffrance, la maladie pis la mort au derrière comme prime à l'ignorance pis à l'ennui."

Le vieux Tom hochait la tête et lissait sa grosse moustache quand le Blanc soufflait des mots aussi graves et terribles.

"Allez dire ça au reste du monde de par icitte : sont pas

à l'article de la mort, eux autres. Pas à moé. Mes péchés ? J'ai pas demandé la vie, moé, pourquoi c'est faire que je serais coupable de ce que la vie m'a forcé à faire ? Pourquoi le bon Dieu en punit d'aucuns avec sa maudite tuberculose pis pas les autres ? Pourquoi moé pis pas mon frère Philippe ? J'ai pas été plus méchant que vous, le père, depuis que j'existe."

Le père Tom ne parvenait pas à comprendre pareille révolte de la part de son fils agonisant. La religion, elle, donnait réponse à cela.

"C'est l'orgueil de l'homme qui empêche sa résignation devant la mort !" prêchait le curé en chaire quand il apprenait qu'un moribond s'accrochait trop à sa misérable existence et refusait les derniers sacrements.

Sauf que le Blanc, loin de s'accrocher, avait depuis plusieurs années la volonté d'en finir avec ce qu'il appelait ce "un petit peu de rien" qu'était sa vie terrestre.

Pas plus qu'il ne lui avait demandé la permission pour lui transmettre la vie, pas plus le vieux Tom ne le fit quand son fils entra dans un semi-coma, n'ouvrant plus que sporadiquement et fort peu les paupières de l'œil gauche, pour téléphoner au presbytère. Mais il raccrocha effondré. Les deux prêtres étaient partis à l'extérieur de la paroisse et on ne pouvait pas les rappeler. Dieu finalement tournait le dos au Blanc qui s'était détourné de lui...

Mais le vieil homme ne jeta pas la serviette aussi facilement. Il fit une courte prière puis décida de faire venir un prêtre d'une paroisse voisine. Problème : le central téléphonique fermait à sept heures du soir et il était passé cette heure. Alors lui vint une inspiration. Ce jeune futur prêtre qu'il avait fait descendre au presbytère et dont toute la paroisse parlait avec admiration, ferait bien l'affaire... Il résolut de l'envoyer chercher par son fils Philippe qui devait bien se trouver quelque part pas loin...

Roxanne lança un grand cri de joie et frappa le ballon de ses deux poings joints. Benoît, sur le même rang de joueurs, vit la poitrine généreuse se soulever et s'abaisser. Si le ballon traversait le filet et n'était pas renvoyé, ce serait le coup de grâce de l'équipe adverse...

Toute la jeunesse du village s'amusait aux quatre coins des lieux otéjistes, berceau peut-être d'une future vedette olympique.

Une litanie de jurons et blasphèmes fit trembler sur leurs fondations l'hôtel, le magasin général et l'église elle-même. Normand Labbé avait le feu à toutes les parties sensibles de son corps et plus encore aux pieds et au visage qu'aux autres. Assis sur le trottoir, adossé aux pierres du terrassement devant l'hôtel, rongé par l'envie et la jalousie, le jeune homme tétait son flacon et s'en prenait au ciel pour son impuissance, son embarras, sa peur d'aborder cette jeune fille dont il rêvait jour et nuit. Et voici qu'elle riait grâce à quelqu'un d'autre et avec ce faux prêtre. Ils devaient se moquer de lui, de sa faiblesse, de son incapacité de fraterniser, de jouer avec les autres de ce maudit ballon-là... Pas loin qui riait à fendre l'âme, un adjoint du grand démon applaudissait à ce chant d'injures à Dieu qu'il trouvait si doux à son oreille enflammée...

Depuis près de deux ans que Ernest jonglait et jonglait à la pertinence de fermer boutique, il le faisait encore ce soir-là, pipe fumante entre les dents et pieds accrochés à une marche de l'escalier. Un collaborateur du grand démon ajouta son souffle à la jonglerie du forgeron et fit de si louables efforts que l'homme baissa ses jambes, mit sa pipe dans le crachoir et se leva, l'œil rouge bourré de décision...

Il sortit de la maison sans dire un mot et, indifférent à la rage crachée du jeune Labbé qui lui parvenait devant les cris enjoués et emmêlés de la jeunesse plus loin, il marcha jusqu'à la boutique, y entra et poursuivit jusqu'à l'établi à bois sous lequel se trouvaient des seaux de peinture. Il sonda le poids de plusieurs et finit par mettre le plus lourd sur la table. Et l'ouvrit avec un ciseau à bois. Et planta l'outil dans la peau qui recouvrait la portion liquide du contenu... Il devait bien y avoir un pinceau quelque part...

Les joueurs de ballon étaient maintenant dispersés, répartis aux autres aires de jeu. Roxanne se rendit près d'une construction de bois servant d'estrade et s'y accrocha les bras pour reprendre son souffle. Benoît la suivit. Ils se mirent à jaser, ignorant à la fois les vociférations du blasphémateur, trop éloignées et ivres pour être parfaitement intelligibles et les joyeusetés qui fusaient de partout comme les étincelles d'un feu de cèdre sec ...

– T'as vite appris à jouer, ça, je peux te le dire.

– Avec un aussi bon professeur !...

Fille de cultivateur, forte et belle, Roxanne n'avait pas eu l'occasion une seule fois de rencontrer Germain Bédard l'été de son séjour dans la paroisse puisqu'elle l'avait passé au loin, chez sa tante Blanche à Valleyfield où on l'avait envoyée à sa demande même pour y trouver du travail dans une filature. Mais l'ouverture de la manufacture l'avait ramenée dans sa paroisse natale. Il lui semblait maintenant, à elle et à ses parents, qu'elle devrait "s'élever" un mari... Mais elle le voulait beau rare et Ben répondait, oh oui ! à cette exigence.

Ils s'entretinrent de petites choses. Elle répondit à ses nombreuses questions sur sa vie en ville...

Normand cessait parfois de jurer et de boire pour se mettre sur ses jambes et repérer Roxanne. Elle portait une blouse vert pâle ce soir-là, mais quels qu'aient été ses vêtements, il aurait reconnu sa silhouette agréable entre des milliers d'autres. Pourtant, c'est autant ce blondinet en soutane qu'il cherchait du regard; et de l'apercevoir qui flirtait avec elle, lui, le nouveau venu, la vedette instantanée, l'étranger, l'horripilait. Et il se reprenait d'insulter Dieu, ses anges, ses saints pour éviter d'avoir à confronter son rival imaginaire. Ou pour se fabriquer un lit de courage pour le faire bientôt...

Sur la galerie, le père Tom regardait son fils revenir du haut du village sur sa moto légère. Il lui lança un cri de colère :

— Tu te promènes dans le temps que ton frère se meurt.

— Ça fait des années qu'il se meurt, baptême...

Philippe venait de s'arrêter au pied de l'escalier et il était resté en selle.

— Là, ça y est. Va donc chercher le petit prêtre Laroche...

— C'est pas un prêtre, le père, c'est un séminariste.

— Le vicaire est parti. Le curé est parti. Pas moyen de trouver un prêtre nulle part. Lui, il va faire ce qu'il faut.

— Il peut pas administrer l'Extrême-Onction que je vous dis, le père. Il est pas ordonné...

— Va le chercher pis tusuite...

— O.K ! d'abord...

De retour auprès du mourant, Tom l'entendit marmonner dans ce qu'il jugea être du délire :

— C'est pas... un prêtre... qu'il me faut... c'est... une femme... une belle... fille... comme... la Roxanne...

Tom agrippa son gros chapelet noir sur la table de chevet

et se le mit entre les doigts pour faire son signe de croix et prier. Si la mère du Blanc n'était pas morte, elle saurait bien, elle, le remettre dans le droit chemin...

Ernest parvint enfin à mettre la main sur la bouteille verte qu'il cherchait depuis un long moment en s'impatientant un peu plus à chaque tablette qui la lui refusait. Il la souleva à hauteur des yeux pour en mesurer le contenu qu'il devinait déjà par le poids. En vain. Ces bouteilles à larges épaules destinées au gros gin De Kuyper ne laissaient pas voir leur intérieur si facilement.

Il la secoua, l'ouvrit et la tint au-dessus du seau de peinture. Et en vida une partie... C'était de l'huile de lin qui lui permit d'obtenir un mélange assez fluide pour lui permettre d'accomplir le dessein incontournable qu'il avait en tête maintenant...

— Je sens qu'on va passer un bel été, fit Roxanne qui appuyait son regard intrigant sur le visage de son interlocuteur.

— J'espère bien ! En tout cas, je suis venu pour ça.

— Ah oui ? ! Merveilleux !

— Bon, je vais devoir aller ouvrir le restaurant. J'en vois qui attendent pour étancher leur soif...

— Un bon Pepsi, ça ferait du bien.

— Il n'en reste pas, mais il reste du Coke en grosses bouteilles.

— Pepsi, Coke : pour moi, c'est du pareil au même.

Ils marchèrent côte à côte vers la petite bâtisse. Ben fouilla dans sa poche de pantalon sous sa soutane et il en sortit un trousseau de clefs, s'apprêtant à ouvrir la porte quand il reçut en plein dos un objet qui le fit vaciller.

– Maudit bon Dieu sale de Jésus-Christ de tabarnac...

Pas loin derrière eux, Normand Labbé s'était élancé et avait frappé de toutes ses forces le ballon laissé par terre. Et voici qu'à sa souffrance morale s'ajoutait une intense douleur physique venue de son gros orteil que son démon gardien mordait cruellement en plus...

Ben pouvait absorber le choc et l'humiliation, mais il ne pouvait pas laisser ce gars-là scandaliser la jeunesse du village. Il voulut le prendre en douceur et se dirigea vers lui sous le regard inquiet de plusieurs, surtout celui de Roxanne.

Philippe Gaboury conduisait son bicycle à moteur (*Weezzer*) sans se presser, sûr que le futur prêtre refuserait de l'accompagner et de se rendre au chevet du Blanc.

Ernest finissait de ramollir les poils d'un pinceau qu'il avait mouillés du mélange de peinture et d'huile de lin et essuyait contre une planche. Tous ces préparatifs laborieux ne lui permirent pas cependant de changer d'idée. Et il se mit en marche vers la sortie de son pas le plus sûr.

– C'est que tu me veux, hostie de christ de curé, toé ?

La voix titubait. Le jeune homme fermait les yeux mollement et les rouvrait. De toute évidence, il était soûl. Mais pas assez pour être mis hors d'état de nuire aussi aisément.

Les adjoints du grand démon se félicitaient comme jamais en ce moment même. Tout leur souriait. Roxanne et Ben se trouvaient maintenant sur une planche savonnée et à la première occasion, ils succomberaient à leur chair en chaleur. Normand Labbé semait la zizanie à l'O.T.J. Il donnait un exemple extrême et magnifique en jurant pire que ce charretier qu'il était. Ernest était sur le point de goûter le plaisir ultime de la colère vengeresse. Le Blanc quant à lui mourrait sans les derniers sacrements...

Quand le chat est parti, les souris dansent. Si le curé avait su ce qui se passait en plein cœur de son village, on aurait aperçu une haute colonne de poussière dans le rang Grand-Shenley suite à son auto lancée à fine épouvante sur le chemin du retour...

— On pourrait peut-être jaser un peu, mon ami. C'est à parler qu'on se comprend, n'est-ce pas ?

— C'est à parler qu'on se comprend, n'est-ce pas... Il parle ben le petit monsieur en soutane... Ben éduqué, lui... Ouais... Tabarnac de tabarn...

Ben lança sa main en avant et la mit sur la bouche de l'autre pour empêcher ses jurons de sortir. L'abbé recula, étonné, mais il reprit vite l'initiative et fonça sur son rival qui le reçut et fut repoussé contre le mur de la bâtisse où il s'écrasa avec fracas. Tout un choc ! Abasourdi, il se dégagea rapidement.

Roxanne s'empara du bras du jeune homme ivre. Il en fut plus qu'ébranlé à son tour.

— C'est quoi que tu fais, toi ?

Le bruit de la moto de Philippe vint ajouter à la confusion générale et surtout à l'indécision. Ben ne savait plus quoi faire. Normand hésitait. Il avait voulu provoquer le séminariste et le résultat de son action différait passablement de ce qu'il en avait escompté. Roxanne se sentait troublée par son propre geste. Devenus inattentifs à leurs jeux, les jeunes les regardaient faire.

— Mon frère se meurt, on a besoin de vous, lança Philippe qui s'arrêta entre le séminariste et son adversaire.

— Les prêtres sont partis tous les deux.

— Ça, on le savait. Mais venez, vous.

– Je ne suis pas ordonné, moi.

– Le bon Dieu passera pas de remarque là-dessus.

Ben hésita. Il regarda la main de Roxanne qui tenait toujours le bras du jeune homme intempérant. Son démon gardien lui dit de rester et de régler ce problème d'abord... de récupérer la belle jeune fille avant qu'elle ne se rapproche de cet ivrogne déjà à moitié damné, en tout cas bien plus proche de l'enfer que le séminariste...

– Embarquez avec moé, dit Philippe. Là, sur le rack en arrière du siège.

Benoît accepta malgré la tentation de refuser. Et Roxanne les vit s'éloigner sans forcément le regretter. Elle se mit à parler doucement à Normand qui se radoucit et fit sa rentrée dans la docilité, l'humilité, la timidité...

Après avoir beaucoup ouvert sa grande gueule depuis quelques jours, des riens la lui fermèrent. Et son pauvre démon gardien dut se préparer à se faire chauffer la couenne par son patron.

Le démon de la chair quant à lui, pour éviter de tout perdre, tisonna du mieux qu'il put et à en perdre son souffle chaud, la libido de la jeune femme et celle, un peu ramollie par le gros gin, de Normand Labbé...

Quelques minutes plus tard, Ben fermait les yeux du Blanc après l'avoir béni. Le moribond venait de rendre l'âme en sa présence et le père Tom était rassuré.

Une troisième fermeture se produisait au même moment. Et c'est Ernest qui, monté dans une échelle, avait fait en sorte de l'exprimer à toute la paroisse par cinq grosses lettres blanches tracées sur la porte de la boutique : F A R M É.

Un éclat de rire l'attendait quand il fut redescendu :

– Fermé, ça s'écrit avec un E, pas avec un A, dit Gilles à

son frère, mais assez fort pour que leur père l'entende.

– C'est encore mieux de même, dit le forgeron sans regarder ses fils. Comme ça, ils vont se le dire encore plus...

Les démons de l'orgueil, de la luxure, de l'envie, de la gourmandise, de la colère, de la paresse, de la jalousie redoublèrent d'efforts cet été-là. Seul celui de l'impureté fit quelques pas en avant, un semblant de progrès, parvenant à pousser Roxanne à se faire tripoter par son nouvel ami Normand Labbé... Délurée par son séjour à Valleyfield, elle lui guida les mains dans sa brassière...

La saison en enfer fut bien pénible pour d'aucuns qui s'était mal acquittés de leur tâche dans la Beauce. Par bonheur pour eux, la pression sur leurs épaules pointues fut relâchée le sept septembre suivant. En fait, tous les démons y compris leur grand patron pouvaient maintenant prendre une retraite bien méritée. C'est qu'elle venait de faire son apparition à Saint-Honoré, la grande... télévision. Nuageuse, neigeuse, mais bien réelle et efficace. Comme on était loin des apparitions de la Vierge ! L'était-on tant que ça ?

C'est le curé Ennis qui eut le premier appareil. C'est lui qui le premier vit la première émission : un bulletin de nouvelles.

"Ici Radio-Canada. Au microphone : Henri Bergeron..."

***

Chapitre 19

À Saint-Honoré, la télévision, ainsi que la sainte Vierge elle-même en avait donné l'exemple, choisit d'apparaître à d'aucuns seulement en 1952. Après s'être fait désirer si long-temps, voici qu'elle se ferait attendre dans l'envie des autres.

Paul Brousseau fut le premier à l'avoir. Le jeune père de famille possédait une entreprise de plomberie et une petite quincaillerie en face directement des grandes portes de l'église. Un lieu privilégié et béni pour vendre plus, surtout le dimanche. Même que l'entrepreneur fougueux possédait deux appareils dont un dans la vitrine pour éblouir et attirer le public. Et sur la bâtisse, il lui avait fallu ériger une vérita-ble tour Eiffel pour capter quelques canaux montréalais et américains.

En même temps que lui, le curé Ennis, homme confor-miste pour ses ouailles mais avant-gardiste pour lui-même, fit orner le toit du presbytère de cette immense toile d'arai-gnée métallique capable d'attraper au vol les mystérieux et inconstants signaux du ciel...

Mais que de neige, mais que de neige sur les écrans tout neufs ! Tant de neige en fait que les cultivateurs s'approchant de la vitrine de la quincaillerie s'exclamaient avec le plus grand dédain :

"On en voit tout l'hiver, des tempêtes, pas de danger qu'on va s'en acheter pour durant l'été itou !"

Et cet hiver-là fut pour le moins neigeux aussi bien dehors et que sur les écrans. 1953 s'amena... Un printemps de sucre comme il ne s'en était jamais vu dans les érablières. Puis un nouvel été entra dans les chaumières... On attendait l'érection d'une antenne émettrice à Québec pour se procurer la boîte magique dont se moquaient les cultivateurs.

Ah! mais les gamins et jeunes adolescents du village s'agglutinaient, eux, comme une grappe de raisin, dos tourné à l'église, devant cet écran blizzard qui parfois, accidentellement, déversait des images un peu plus nettes, ce qui provoquait encore plus d'exclamations ébahies et d'onomatopées naïves que les déclarations bizarres des enfants Lessard sur le cap miraculeux en 1950.

Si laide et inutile fut-elle, la divine télévision commençait en douce à distiller ses nombreux poisons en les présentant comme des remèdes miracles à l'ennui, à l'ignorance, à la stagnation.

Passivité, uniformité, aliénation individuelle et collective, obésité, individualisme, matérialisme seraient ses premières substances enrobées de papier attrayant, ses premiers cadeaux de Grec, avant qu'elle ne se mette à diluer, quelques décennies plus tard et sans même s'en cacher ni s'en défendre, des valeurs autrement pires : violence, déification des stars, du pouvoir de l'argent, de la loi du plus fort, en remplacement de la convivialité, de l'entraide, de la solidarité authentique. Il ne faudrait qu'un petit demi-siècle pour que la télévision passe de l'erreur à l'horreur... Mais ça, on avait bien le temps : ce serait l'an 2000. L'an quoi ?

Entrée dans le presbytère tout d'abord, elle avait, croyait-on dans toute la paroisse, la bénédiction du ciel pour prendre sa place dans les moindres salons. Et pour s'attaquer à la créature humaine et la "zombiliser" en la rongeant par l'intérieur comme un incontrôlable cancer.

Ses premières victimes donc : les plus vulnérables.

Le mercredi soir, les garçons parvenaient à glaner des images de la lutte professionnelle. Et ça les excitait au plus haut point.

Gilles Maheux sentait le besoin de montrer qu'il était lui aussi le plus fort en quelque chose : un champion de n'importe quoi. Il pensa que ce serait pas mal ardu d'essayer de dominer directement les autres gamins par la seule force de ses bras en raison de sa taille bien trop réduite en proportion de son agressivité latente. Il devait se créer une image forte. Et sans même y réfléchir, il emprunta la voie détournée pour accéder au pouvoir...

Pendant un message publicitaire de la brasserie Dow, il décida d'exercer son poing et les muscles de son bras gauche –il était gaucher– sur une affiche en tôle annonçant Coca Cola clouée au mur de la maison de Brousseau contiguë au magasin.

Paf! Fracas épouvantable. Rires de Gilles. Crainte des autres. Le bruit, l'audace du geste impressionnaient. Six copains se regardaient les uns les autres en hésitant. Paf! Paf! Silence respectueux des autres entre les coups frappés sur la tôle bruyante qui se déformait aux endroits où l'affiche était embossée.

La porte de la maison s'ouvrit au dixième paf. Brousseau qui était à faire des mamours à sa femme parut en achevant de mettre ses culottes d'overall. Paf! une fois encore et re-re-paf !

– Toé, mon christ de Maheux, là, tu fais mieux d'arrêter de fesser là-dessus...

– Mange de la marde, christ de Brousseau !...

Les garçons étonnés et inquiets mais fascinés par la situation s'éloignèrent de quelques pas pour observer la suite des événements.

– Je t'avertis, dit Brousseau, l'index menaçant, fais pas ça, le jeune, parce que tu vas te faire soincer...

La voix du petit homme maigre aux cheveux en brosse et au nez pointu, claquait dans l'air du soir comme un fouet à mise. Gilles l'imita pour mieux le ridiculiser :

– C'est-il de tes affaires, tabarnac ?

– C'est ma maison icitte, pis c'est mon magasin... C'est ma télévision pis tu vas sacrer ton camp d'icitte, petit morveux à Maheux !

L'homme n'attendit pas son reste et rentra. À la télé, Bobby Managoff servait la prise du sommeil à Don Leo Jonathan et les images se faisaient moins enneigées... Les gamins se regroupèrent, oubliant le court conflit réel du moment d'avant...

Pendant ce temps, sur un coteau près du village, cachée derrière un immense tas de sciure de bois près d'un moulin, la voiture de police de Pit Poulin oscillait un peu sur place. Sur la banquette arrière, Rose s'y faisait appliquer une prise dans un duel moins spectaculaire que celui de la télé. La femme livra son inquiétude soudain quand la lune émergea d'une masse nuageuse :

– C'est la première fois qu'on vient si proche du village... Les gamins vont nous surprendre...

– Ben non ! Ils oseraient pas approcher : c'est un char de police...

– Quant à ça... pis les pires tannants sont poignés devant la télévision à Brousseau, je les ai vus tantôt.

– Si t'as la police de ton bord, t'as pas besoin d'avoir peur de rien...

– Dans ce cas-là, continuons ce qu'on faisait...

Paf! Paf! Paf! Re-paf! Pendant que Jonathan, le beau vilain, reprenait le dessus sur le bon Managoff à sourcils lourds, son adversaire moins bel homme mais autrement meilleur du dedans, Gilles reprenait son fracassant manège en abattant son poing sur l'affiche rouge et blanc qui annonçait le divin Coke.

Brousseau ne tarda pas à se montrer, enculotté et chemise pâle à moitié boutonnée. Il ne dit pas un mot et descendit les marches de ciment de la galerie, tandis que les garçons faisaient des pas en arrière et que Gilles courait pour se mettre dans la rue qu'il considérait lui appartenir autant qu'à l'autre.

Les blessures infligées à la chaussée par la pose de l'aqueduc l'année précédente avaient disparu tout à fait sous un revêtement bitumineux tout noir et flambant neuf qui avait valu un lucratif contrat à un organisateur de Duplessis de Saint-Georges, nouvellement équipé pour asphalter les chemins.

Gilles resta à une distance respectable pendant un moment et son adversaire le toisa et mesura mentalement cet écart les séparant. Puis il s'élança comme un félin à l'attaque, mais le gamin plus vif que lui se déroba; Brousseau perdit l'équilibre et tomba en pleine face...

– Ha ha ha ha, fit le garçon, plié en deux de bonheur.

La lutte à la télé se perdait dans le brouillard neigeux.

Sur le coteau, là-haut, Pit s'enfonçait dans Rose.

Au presbytère, le curé pouvait entendre le vicaire s'énerver devant les lutteurs embrouillés et il hochait la tête.

Par chance que le macadam n'avait pas eu le temps de durcir : l'homme tombé ne fut qu'abasourdi pendant un moment et il put se relever pour tâcher de sauver la face. Cette fois, il prendrait tout son temps, multiplierait les feintes, piégerait l'adversaire, finirait par s'en emparer et par le soumettre dans une douloureuse prise de cou devant tous ses amis, devant l'église, devant la paroisse, la province, le monde...

– Mon tabarnac de Maheux, tu vas y goûter.

– Essaye donc, pour voir, ha ha ha ha...

– Mon petit christ, je m'en vas te moucher, moé.

– J'sus chez nous icitte... c'est ma rue icitte...

– Si t'es pas élevé, m'en vas t'élever, moé...

L'homme s'approchait à pas de chat. Le garçon ne bougeait pas d'une ligne et gardait tous ses muscles prêts à l'effort de l'esquive. Les spectateurs étaient médusés. Aucun n'osait plus rester sur la propriété de Brousseau et tous maintenant se trouvaient à distance respectable dans la rue.

Gilles exultait. Il se sentait quasiment le champion de quelque chose maintenant. Mais il lui restait beaucoup à faire quand même pour dorer son image et surtout l'accrocher bien haut au-dessus des têtes. Lui qui avait joué un tour aux enfants Lessard en les aveuglant pour leur faire croire que la Vierge leur apparaissait, et ça, après leur avoir fait ingurgiter des textes latins tout déformés qu'ils rendaient ensuite devant la foule ébahie au moment crucial, avait finalement été démasqué. Incapable de tirer la fierté qu'il aurait dû pour avoir ainsi berné, à lui tout seul, une paroisse, un pays, émerveillé depuis le début de l'été par la magie de la télé, il lui fallait coûte que coûte obtenir son diplôme de coq de village, et l'occasion de le faire maintenant était en or.

Soudain, Brousseau fonça. Gilles sauta vers la gauche. L'autre avait prévu un mouvement sans savoir lequel et il s'arrêta pour attaquer aussitôt, vif comme l'éclair qu'il était. Le jeune adolescent fut pris de court. Il comprit qu'il ne pouvait plus se dérober, alors il sortit ses griffes en utilisant ses mains ouvertes pour grafigner le visage déjà endolori de son attaquant. Surpris, l'homme s'arrêta une seconde puis utilisa la même tactique. Et voilà qu'on put assister à un véritable combat de coqs humains.

Pit là-haut achevait de remettre en place sa ceinture. Rose, comblée, était prête à retourner chez elle. Elle resterait sur la banquette arrière et s'y coucherait au besoin pour se dérober aux regards que ne manquerait pas d'attirer l'auto de la PP. Puis il mit en marche. Il fallait descendre du coteau et reprendre la rue de l'hôtel qui, à sa jonction avec la rue principale, les mettrait en plein à la vue des combattants et de leurs spectateurs.

Les deux adversaires s'agressaient mutuellement avec leurs mains, leurs pieds, avançant, reculant, s'arrêtant pour reprendre leur souffle. Reprenant le duel de coqs kangourous. Le jeune frère de Gilles, parmi les autres, prenait pour lui malgré qu'il doive subir sa domination souvent violente depuis des années. Pour faire une pause et en même temps se fouetter en vue d'une autre attaque, les belligérants se mirent à s'invectiver. Et pour faire encore plus sérieux, ils ajoutèrent des blasphèmes à leur vocabulaire

– Mon maudit c... de Maheux, je vas te casser les deux bras pis les deux jambes.

– T'as peur que t'en chies dans tes culottes, maudit c... de Brousseau sale !

– Peur d'un morveux comme toé ? Ha ha ha...

– Ha ha ha... chien sale...

– Heu heu... approche, approche...

Et Brousseau ferma les poings et les mit haut devant lui à la façon de Rocky Marciano, le champion de boxe de l'heure. Gilles l'imita en riant de lui...

L'auto de police approchait lentement. Personne ne la vit, mais de l'intérieur, les deux occupants purent se rendre compte qu'une bataille se déroulait. Qu'on les aperçoive et on s'arrêterait tout net pour les observer ! Que Pit intervienne et des nez trop longs auraient tôt fait de découvrir la passagère à l'arrière.

– Couche-toi, Rose, vite.

Elle eut néanmoins le temps de voir sous les lumières combinées de la pleine lune, du lampadaire et de la vitrine les deux combattants qui s'élançaient l'un contre l'autre. Il a de la vigueur, ce petit Maheux, songeait-elle en s'allongeant sur la banquette. S'il peut vieillir un peu...

– Bouge pas, je dois aller les séparer...

Il gara l'auto et mit le gyrophare en marche puis descendit et se dirigea vers les féroces compétiteurs... qui cessèrent et l'attendirent...

– Il se passe quoi au juste ?

– Il veut me sacrer la volée, lança vivement Gilles.

– Ben voyons, monsieur chose, s'en prendre aux enfants, c'est pas correct...

– C'est lui qui a mis le trouble, là...

– Le trouble, lui ? Mais il est plus petit que vous, monsieur chose...

– Je m'appelle pas chose, je m'appelle Brousseau...

Gilles éclata de ce rire qui séduisait tout le monde et il toucha le policier. En même temps, un éclair de génie le frappait :

– Pis c'est rien qu'un maudit libéral...

Paul protesta :

– C'est pas un crime d'être libéral, tu sauras, mon jeune...

Pit s'adressa à l'homme :

– Je vous connais, monsieur Brousseau, mais votre nom m'échappait... bon, écoutez, êtes-vous capable d'arrêter tout ça là ?...

Infériorisé par la dénonciation politique devant un agent de la police à Duplessis, le petit Brousseau pencha la tête. Il venait de perdre la face devant le morveux à Maheux. Et Gilles accrochait bien haut son image de brave...

Quand Pit dispersa tout le monde, il y avait un combat de nains à l'écran du téléviseur. Little Beaver était en train de cracher dans le maillot de Fuzzy Cupid. Le policier hocha la tête, se mit à rire et retourna à son véhicule.

Rose rentra à la maison sans être vue.

La vieille Jolicœur dormait comme la plupart du temps.

**

Partie 2

Chapitre 20

Les générations nouvelles ne font pas que pousser depuis leur sol hérité, elles possèdent toujours le fracassant audace de pousser dans le dos des précédentes qui ont alors pour grand réflexe de se replier sur elles-mêmes autour d'un sempiternel leitmotiv : "Dans notre temps..."

Au milieu des années cinquante, on assista au triomphe des salles de cinéma dont on avait pourtant trompeté l'imminente agonie provoquée par l'arrivée de son fossoyeur : la télévision. L'image du petit écran, loin de remplacer celle du grand, la renforça.

Et puis ce fut la floraison des salles de danse.

Saint-Honoré ne possédait ni salle de cinéma ni salle de danse, et la jeunesse frétillante devait s'expatrier le samedi soir pour trouver son divertissement dans la paroisse voisine. Sa rue principale se vidait. Le village ressemblait à un dortoir pour enfants et pour croulants...

Comme prévu par d'aucuns, le hockey local perdit de son intérêt et Maurice Richard fit son entrée fracassante et spectaculaire, sur une seule jambe, dans les foyers de toute la paroisse. Plus de ligue régionale. Fini la convivialité, les coups de coude et les coups d'épaule; d'autres ligues verraient le jour dans les années 60, mais elles auraient pour principale fondation la recherche d'un profit et non plus comme naguère, du pur plaisir sportif.

L'été, ce ne fut guère mieux. Les jeunes désertèrent les terrains de l'O.T.J. Les filles surtout. Il se créait des équipes de balle molle qui ne tenaient jamais le coup bien longtemps. Se désolant devant des changements plus rapides qu'il ne l'aurait cru, le curé eut un sursaut d'énergie et fit en sorte que l'on investisse plusieurs milliers de dollars pour aménager un vrai terrain de tennis d'allure professionnelle avec enclos, surface drainée et recouverte de sable ultra-fin. Faute d'un Jesse Owens, Saint-Honoré produirait peut-être un Robert Bédard, champion canadien de tennis.

Ce furent ceux qui fréquentaient les collèges qui s'emparèrent du nouveau court l'été. Les fils et filles de cultivateurs s'exclurent d'eux-mêmes.

Commença la grande époque du contact indirect entre les personnes, celui qui passait par le spectacle, la musique à tue-tête et diverses choses toutes plus 'contrôlantes' les unes que les autres.

Un restaurant ferma ses portes, un nouveau ouvrit les siennes voisin du garage. Les jeunes gens du village s'y réunissaient, attirés par sept adolescentes et jeunes filles qui faisaient partie de la famille du restaurateur. Dépassée par les événements, de plus en plus consciente de son âge, Rose n'en devint pas une cliente régulière comme elle l'était de l'autre auparavant.

Le policier provincial cessa de la voir et la femme souffrait de solitude en cette année 1954. Comme ça lui arrivait parfois, elle fit de nouveau le bilan des hommes disponibles en cette fin d'un avril ensoleillé qui avait considérablement attisé sa chimie corporelle. Il n'y en avait que deux en tout et pour tout. Deux garagistes : Philias Bisson et Paul Champagne qui venait d'acheter le commerce de scies mécaniques de Roland Campeau.

Philias, c'était gagné d'avance. Elle le devinait par ses manières, ses regards au bureau de poste, ses paroles quand elle passait devant les portes du garage lors de sa tournée Avon.

Qu'il se décide donc ! Elle croyait qu'il hésitait en raison de son amitié avec Gustave et avec le curé. Ils formaient un trio que l'automobile passionnait. Gus n'en possédait pas, mais il les avait réparées pendant longtemps quand il travaillait comme mécanicien à un autre garage de la paroisse. Rose les voyait souvent ensemble, ces personnages si différents. Elle croyait peu élevées ses chances d'une rencontre intime avec ce Philias, séparé comme elle, bedonnant et à la peau huileuse.

Elle se mit à sa fenêtre ce soir-là et jeta un coup d'œil au loin pour apercevoir la flamboyante auto du garagiste qui sortait de la cour et prenait la direction du bas du village. Autant sortir et se mettre en travers de son chemin. Peut-être que lui aussi attendait qu'elle se décide. Depuis sa séparation, chaque fois qu'elle avait désiré un homme, c'est elle qui avait franchi les pas les plus longs, ce qu'elle n'avait pas fait dans le cas de Philias. L'homme n'était pas très attirant, mais au moins c'était un homme...

Elle comptait qu'il s'arrête au bureau de poste, sinon il risquait d'être déjà passé quand elle parviendrait à la rue. Au passage, elle prit sur sa commode une bouteille d'un parfum qu'elle n'avait encore jamais utilisé et dont l'odeur était celle du muguet frais. Et la glissa dans une poche profonde de sa robe. La vieille dame dormait. Il ne lui manquait plus qu'un peu de chance...

Chaque fois qu'elle marchait sur le trottoir devant la maison de Bernadette, elle ne pouvait s'empêcher de songer à son frère Armand que la tuberculose avait fini par emporter comme elle avait eu raison du Blanc Gaboury et de plusieurs autres, tandis que les autres malades de consumption étaient maintenant pour la plupart guéris. Fini ce grand mal qui avait éprouvé de si nombreuses familles et tué tant de gens de la paroisse, du pays, du monde entier ! Et tant mieux pour elle que l'idée de mourir de leur manière, à bout de souffle, avait toujours terrifiée !

On avait rasé le camp à Armand derrière le magasin et il ne restait plus de l'homme que le souvenir de sa misérable carcasse qu'il avait tant de mal à traîner d'un bord et de l'autre de ce minuscule territoire devenu le seul à lui rester.

Mais où donc était passée la Pontiac ? Philias avait dû fourcher vers le presbytère. Ce n'est certes pas dans ce bout-là qu'elle établirait contact avec lui. Et cette fois, un vrai contact direct sans aucune équivoque. Si après ce qu'elle lui dirait, il ne se décidait pas, il mourrait desséché. Car quelle autre femme serait disponible pour pareil personnage qui ne vivait, semblait-il, que pour la mécanique et dont les mains avaient allure de clefs anglaises, la chevelure celle d'un nid d'abeilles de radiateur et la bouche celle d'un devant de Pontiac ?

La femme hésita un moment sur le trottoir devant le magasin général. Elle consulta sa montre. Il était sept heures du soir. Le bruit d'une porte qu'on laisse retomber attira son attention. C'était Gilles Maheux, adolescent boutonneux, qui sortait de chez lui pour se rendre au restaurant. Elle décida de se servir de lui de deux façons. En l'utilisant comme messager, elle atteindrait Philias et le contenu du message que le garçon ne manquerait pas de redire à d'autres la couvrirait...

– Tu t'en vas chez Ronaldo ?

– Ben... ouais...

– Si tu vois Philias Bisson sur ton chemin, dis-lui que Georges, le garçon à madame Jolicœur qui vient de Montréal, voudrait lui faire arranger quelque chose dans son char. Vas-tu t'en rappeler ?

– Ben... ouais...

– Je téléphonerais ben, mais le central est déjà fermé... Le mieux serait de lui dire d'arrêter en passant devant chez moi. Tu vas t'en rappeler ?

– Ben... ouais...

Rose plissa les yeux en le regardant aller. Qu'il vieillisse de quelques années encore, celui-là, et elle pourrait bien lui faire la peau à sa manière ! Le problème, c'est qu'il agirait sans doute comme ses frères et, à la première occasion, irait gagner sa vie en ville comme la plupart des jeunes gens de la place.

L'heure était calme. La femme entra dans le magasin et marcha vers le bureau de poste à l'autre bout de l'étage. Personne derrière les comptoirs. Pas de clients. Pas de maître de poste ni d'adjoint. Pas un chat à l'intérieur. Quelqu'un viendrait bientôt, de Freddy, Bernadette ou de Jean-Yves. Elle résolut d'attendre. Il lui fallait quelques timbres. Autant attendre. Elle ne risquait pas de manquer Philias si son message se rendait à lui, puisqu'elle avait maintenant la conviction qu'il s'était rendu au presbytère et n'entendrait Gilles que plus tard en soirée.

La femme resta adossée dans le clair-obscur près du panneau ouvrant où se tenait toujours l'aveugle Lambert quand on dépaquetait le courrier le matin et le soir un peu plus tard. Quelqu'un la regardait en ce moment même et elle l'ignorait. Au fond de cette pièce étroite, allongé sur la réserve de sacs postaux vides, recouvert de quelques-uns jusqu'aux yeux, André Maheux observait le personnage sans bouger d'une ligne, tâchant même de faire taire les battements de son cœur pour ne pas qu'elle l'aperçoive. Il ne craignait pas sa réaction, mais il aimait espionner les gens, histoire d'en savoir plus à leur sujet qu'eux au sien.

Son frère, au même moment, faisait du zèle. Il aperçut la Pontiac noire qui revenait du presbytère et se mit en travers du chemin pour forcer Philias à s'arrêter afin de lui livrer le message de Rose.

– Une chance que j'ai des bons 'brakes', mon gars ? lui lança le garagiste quand le jeune homme fut près de sa portière.

– Y a madame Gus qui veut te voir...

Depuis qu'il se jugeait un homme fait, Gilles tutoyait presque tout le monde, sauf son père et sa mère.

Embarrassé, Philias fit la moue :

– De qui que tu veux rire, là ?

– De personne. Elle vient de me le dire... Y a un Jolicœur qui veut faire arranger son char...

– Il a rien qu'à venir.

– Sais pas... Ben... il est pas encore arrivé de Montréal, je pense.

Philias ne comprit pas que Rose utilisait un prétexte pour le faire venir chez elle. Son ego était flatté non pas de ce fait, mais parce qu'on venait de loin pour lui confier le soin de réparer une automobile.

– Quand est-ce qu'elle t'a dit ça ?

– Là, là... Elle allait au magasin, au bureau de poste.

– Ben merci, mon Gilles.

– Correct...

L'homme remit en marche et laissa rouler doucement sa voiture silencieuse dans la légère descente qui l'amena devant le magasin où il entra bientôt, un doute dans la tête. Le Gilles était un aussi grand spécialiste pour jouer des tours pendables que lui pour réparer des moteurs.

Rose l'aperçut venir et se manifesta :

– Par ici, Philias. T'as eu mon message du p'tit Maheux ?

Dans l'ombre, André bougea une jambe engourdie et son cœur s'accéléra considérablement. Ce n'était pas la première fois, loin de là, qu'il s'embusquait à cet endroit, et il en avait pris l'exemple de son frère qui en profitait pour aller fouiller dans les tiroirs à argent du bureau de poste quand la belle occasion se présentait.

– Faut dire que j'ai pas trop compris, là...

Philias entra dans la petite pièce et se tint à quelque distance de Rose, dos au jeune espion qui prêtait une oreille plus qu'attentive à leurs propos.

– Y a Georges Jolicœur, tu le connais, c'est le frère à Ovide, il va venir durant le mois de mai... Il dit que t'es le meilleur mécanicien...

– J'ai jamais travaillé pour lui, mais s'il le dit, ça doit être la vérité.

Il éclata de rire. Elle suivit par un éclat plus discret, profitant de l'occasion pour lui toucher le bras.

– Parlant de machines, mon ami, je pensais toujours que t'étais pour m'offrir à essayer la tienne. T'en as une rôdeuse de belle !

– Tu trouves ?

– Une femme, ça aime ça itou, une belle machine comme

la tienne. Viens donc me prendre à la brunante, dans une demi-heure, trois quarts d'heure.

– Ah ! une bonne idée...

Cette fois tout était clair pour chacun. Philias se souvint de la suggestion de l'étranger à propos de Rose. Il lui parut tout à coup qu'il avait perdu bien du temps dans ce dossier-là et il rattraperait son retard.

Même le garçon embusqué, entré depuis plus d'un an dans la phase de la puberté et donc de la masturbation, comprit ce qui se passait entre ces deux-là. Un homme, une femme, une auto, une randonnée : la scène était bien connue de tous les jeunes gens qui s'en parlaient abondamment le soir au restaurant quand les jeunes filles ne les écoutaient pas.

André resta longtemps caché après leur départ et il ne sortit de sa cachette qu'à la venue du père Tom Gaboury avec les sacs de courrier du soir.

En ce moment même, dans une entrée de sucrerie d'un rang sans issue, Rose et Philias jasaient, sachant bien pourquoi ils venaient là, mais étirant le désir, ainsi que la femme le souhaitait.

– Ça va-t-il te fâcher si je te dis que j'ai su... que tu sortais avec le Pit Poulin ?

– Non. Pis avec Germain Bédard itou. Il doit te l'avoir dit avant de s'en aller.

– Non, mais je m'en doutais pas mal.

– Y a-t-il d'autre chose que tu sais ?

– J'ai su itou que t'avais loué la maison à Polyte...

Elle éclata de rire :

– Ah! ça fait déjà un bout de temps, ça... Suis allée là

rien qu'une fois l'autre année. Ça coûterait trop cher pour la tenir en ordre... Ou ben un homme qui voudrait m'aider... À deux personnes, ça s'entretiendrait... mais le monde, ça jaserait pas mal...

– Penses-tu à moé en disant ça ?

– Pour se voir, ça serait mieux que dans une machine, tu penses pas ?

– Oui, mais on met pas un 'char neu' sur un petit chemin de bois, là... Défoncer la panne à l'huile, grafigner les ailes pis tout le reste...

Ils se parlaient dans le noir absolu par cette nuit sans lune et sans étoiles.

– On s'en reparlera, sais-tu. Pour tusuite, on a mieux à faire, tu penses pas ?

– Approche-toé donc, ma belle Rose, approche-toé donc !

– Attends une seconde...

Elle tâtonna dans son sac et y prit l'échantillon de parfum au muguet qu'elle avait choisi pour caractériser ce futur amant.

– Sens-tu quelque chose ?

– Ben...

Elle en mit une goutte sur son index gauche et allongea le bras jusqu'à toucher à l'homme à l'épaule puis au cou.

– Là, je sens...

– Ça sent bon ?

– On peut dire, oui.

– Tiens, je t'en mets une autre, mon beau... On va se faire un échange de gouttes...

Sans avertir, Philias s'empara de sa compagne après lui avoir trouvé les épaules. La bouteille de parfum tomba. On ne s'en préoccupait guère. Sans autre forme de caresse, il se mit à pétrir la poitrine et la femme dut se concentrer pour accélérer son propre rythme. Elle espérait qu'il l'embrasse, sans trop y compter. Et puis elle n'était pas là pour la romance mais pour la délivrance de son corps des pulsions printanières. Pour la renaissance...

Mais la femme en elle voulait davantage sans le savoir. Afin de ralentir un peu le rythme et pour ajouter une touche de romantisme à leurs ébats amoureux, Rose crut bon parler pour réduire de quelques crans le degré de concentration de son nouvel amant...

— Vas-tu au théâtre (*cinéma*) des fois, Philias ?

— Ben... ouais...

— Commence pas à me répondre comme le petit Gilles Maheux, là...

— Ça m'arrive.

— La semaine passée, y es-tu allé ?

— Justement oui !

— T'as aimé ça ?

— Ben... ouais... Disons que je me rappelle pas trop, là...

Elle enveloppa ces grosses mains rudes et huileuses qui continuait de manipuler ses chairs comme du pain de ménage.

— Y avait deux films... Un film d'amour avec John Derek. Pis un film de guerre avec John Wayne.

— Dis-moé les titres... J'ai vu ça sur les pancartes du poteau à côté de chez nous, au restaurant, mais... Tu t'en rappelles pas, je suppose ?

— Certain que je le sais, mon ami. Le premier, c'était *Les diables de Guadalcanal*... Des aviateurs qui se battaient durant la guerre... L'autre, c'était pas mal plus beau... *L'aigle rouge de Bagdad*. Le fils du sultan se promenait avec sa belle sur son tapis magique...

Philias commençait à s'impatienter. Il était de plus en plus affamé. Avec sa femme naguère, ça prenait pas goût de tinette avant la chose. Peut-être qu'il devrait sortir son outil principal. Pas si facile que ça de travailler sur une femme sur la banquette d'une automobile. Que des barrières : les vêtements les pires, l'espace qui manque, l'inconfort et surtout, pensée cauchemardesque pour un homme comme lui, la peur des taches sur les beaux tissus neufs...

— Pour moi, tu les as pas vus : ça te dit pas grand-chose, on dirait.

— Tu comprends, les vues, moé, je remarque pas ça... Mais je me rappelle du premier, ça, c'est sûr !... Ça brassait là-dedans. Des vrais hommes ! Pas peur des petits yeux...

— Les petits yeux ?

— Les Japonais.

— Ah!

— L'autre vue, là... Le gars avec un gros maudit turban sur la tête pis qui déroulait un tapis tout mou... pis le tapis qui venait dur comme une barre... dur à avaler des affaires de même...

Rose aimait l'autre sens qu'elle trouvait derrière les propos.

— Mon beau Philias, dit-elle en lui touchant la cuisse entre les jambes en remontant vers le centre du monde, y a pas rien que ça, un tapis, qui est mou pis qui vient tout d'un coup raide comme une barre...

— S'tie, Rose, que j'sus donc tanné de t'entendre parler tout le temps... C'est pas le temps de parler des vues, là, voyons donc...

— T'as ben raison...

Et la femme laissa tomber toutes les barrières. Son amant l'oublia pour se défaire de ses pantalons et tandis qu'elle relevait sa robe et ôtait sa petite culotte afin d'éviter les conséquences d'un dégât prématuré, il quémanda :

– T'es-tu prête, là, parce que moé, j'suis prêt en maudit.

– Viens, mon beau Philias, viens donc me faire l'amour comme... comme un homme...

Pourtant, il manquait à Rose d'avoir gravi plusieurs marches dans le long et ô combien merveilleux escalier du désir...

***

Chapitre 21

Depuis deux ans que Roxanne et Normand se fréquentaient au cours de la belle saison, –car l'automne, le jeune homme partait pour La Tuque et passait l'hiver dans les chantiers au risque de perdre sa blonde,– ils n'avaient pas encore osé dépasser les limites charnelles entre le péché véniel et le péché mortel.

– On va se marier l'année prochaine, lui annonça-t-il le soir de l'halloween 1954, quinze jours avant de quitter son patelin pour un autre hiver.

– O.K !

Non, ce n'était pas le beau chevalier blanc dont elle rêvait depuis l'enfance, mais la jeune fille se consolait, car elle ne serait pas la seule de Saint-Honoré à le manquer, ce beau Brummell protecteur, capable de gagner beaucoup de sous et donc n'exerçant surtout pas le métier de cultivateur... Bûcheron lui apparaissait un mal guérissable. Après plusieurs 'ronnes' de bois, Normand pourrait lancer un petit commerce en ville : Mégantic, Saint-Georges, Thetford ou peut-être même Valleyfield. Ils en avaient parlé tous les deux. Habile de ses mains, il aurait aimé se 'partir' une petite menuiserie.

Et puis il s'était considérablement amélioré depuis qu'ils 'sortaient steady'. Un soir qu'elle se plaignait de l'entendre juronner à tout propos, pire que Philias Bisson dans ses pires journées, il lui avait promis de ne plus jurer contre Dieu et ses saints.

Puis, les pubs télévisées aidant, jamais il n'allait la voir sans s'être copieusement lavé. Et à chaque retour des chantiers, tous ses vêtements subissaient la stérilisation, tandis que son cuir chevelu faisait l'objet d'un examen minutieux par sa mère à la recherche de lentes.

L'exemple de Rose avait ses effets sur lui comme sur certains autres jeunes gens. Il se racontait sous couvert de confidences cadenassées dont la clef était transmise en douce d'une main à l'autre, que la femme prenait des amants depuis sa séparation et entretenait maintenant une relation suivie avec Philias Bisson, le meilleur ami de Gus et du curé.

Ces chuchotements s'étaient rendus jusqu'au fond de la rue des Cadenas. Et jusque dans la chambre de Normand qui se demandait pourquoi les feux de l'enfer seraient plus brûlants pour les fornicateurs que pour les blasphémateurs...

C'est suite à cette réflexion aux airs de tentation qu'il avait pris coup sur coup plusieurs décisions majeures : ne plus blasphémer, ne plus boire, ne plus chercher la bataille, épouser Roxanne pour soulager son corps criard après avoir soulagé sa conscience lourde de plusieurs années de 'vie de jeunesse' débridée...

Les démons feraient bien de s'éloigner de lui désormais...

Bonifiée voire peaufinée, l'âme parcheminée du jeune homme vigoureux !

Mais les décisions touchant d'autres personnes et qui ont un impact sur elles doivent parfois subir leurs amendements. Ce fut le cas ce soir-là après que le jeune travailleur forestier eut annoncé leur prochain mariage à son amie de cœur.

Ils étaient allés au cinéma 'avec une occasion' et à leur retour, avaient appris que la sœur aînée de Roxanne, qui habitait la troisième maison du village, souffrait d'un mal bizarre pouvant être une appendicite aiguë. Et que sa mère se trouvait là-bas, tandis que son père et son beau-frère s'étaient rendus à Saint-Martin chercher un des deux médecins qui y pratiquaient, tandis que Saint-Honoré restait sans docteur, au grand dam du curé et de toute la population.

Les enfants dormaient comme des bûches en haut de la maison. Roxanne et son ami avaient tout l'étage du bas à eux seuls. Ce qui incluait la cuisine, le salon et même la chambre de leurs parents partis.

Pour sceller leur pacte de mariage, ils s'embrassèrent avec un élan décuplé. La langue, les mains, les seins, toute peau découverte, c'était la fébrile curée de l'un à même les morceaux enflammés de l'autre.

– D'abord qu'on va se marier l'été prochain, on pourrait...

Ce n'était pas lui qui avait prononcé ces mots suggestifs, mais elle; et sa pudeur de fille vierge l'empêchait de terminer sa phrase.

Ils étaient sur le divan du salon sous le seul éclairage que jetait dans la cuisine et très modestement sur eux, plus loin encore, la lumière de la chambre des parents que l'entrebâillement de la porte laissait suinter.

– Veux-tu dire que...

– Ben... ouais... Pourquoi pas ?

– Icitte... de même là ?

– Mon père pis ma mère, on va les entendre revenir... pis les enfants dorment... On aura jamais une belle chance de même, tu penses pas ?

Ils s'embrassèrent avec plus d'ardeur encore.

– Mais... faudrait pas se 'marier obligé'...

– D'abord que c'est décidé... on sera pas obligé...

Ce raisonnement allégea la conscience des deux tourtereaux, et le péché mortel en voie de s'accomplir pour le plus grand plaisir du grand démon et le leur, devint beaucoup plus grave en même temps que bien moins lourd...

En feignant ne pas le faire exprès, elle frôla de sa main folâtre la bosse du pantalon. Le Malin en profita pour tisonner de son souffle brûlant les braises qui chauffaient déjà à blanc la tige encore prisonnière du vêtement, au risque de déclencher prématurément l'orage, ce qui aurait empêché pour un temps la violation des deux commandements de Dieu à propos de l'œuvre de chair, plutôt qu'un seul. Mais le double péché deviendrait une centuple offense puisque sa gravité était proportionnelle au plaisir enduré.

Elle baissa sa petite culotte jusqu'aux genoux et il fit de même de son pantalon. Les deux savaient d'emblée que c'était la meilleure manière de ne pas se faire pincer les culottes à terre. Le moindre bruit et en deux temps trois mouvements, moins que ça en réalité, il n'y paraîtrait pas que leurs sexes étaient à se murmurer des mots doux...

Ils ne l'avaient jamais fait. Mais ils avaient pratiqué. En ce sens que parfois, il s'agenouillait devant elle qui alors écartait ses jambes pour qu'il s'approche le plus possible. Seuls les vêtements et la peur avaient laissé leurs désirs se faire lécher par les flammes du tourment charnel... Jeanne au bûcher n'avait pas dû souffrir autant... Dieu merci, son tourment à elle ne serait pas éternel comme celui des fornicateurs des environs en cet an 1954...

Le jeune homme ne sentit pas la dureté du plancher de bois sous ses genoux. Tout son être était maintenant dureté de la verge. Quant à Roxanne, elle évasa ses jambes après avoir poussé son bassin en avant et rejeté sa tête en arrière. Elle ferma les yeux et imagina que c'était Alan Ladd qui s'apprêtait à lui faire connaître l'ultime perfection de l'amour.

Mais la pénétration fut inconfortable autant pour lui que pour elle. Tant mieux car cela permit à l'orifice de s'apprivoiser et à la peau sensible de la tige d'attendre un soupçon de lubrifiant qui facilita l'intromission par petits coups...

Alors le plaisir de plusieurs sens vint les visiter. Lui bien plus qu'elle. Et ainsi que comploté par le Vilain, le péché de l'homme fut bien plus grand que celui de la femme à cause de cela, bien que les conséquences de l'acte puissent être pires pour elle.

L'accouplement fut silencieux. Et dura le temps d'un demi-temps. Elle ne le sentit pas se déverser en elle. Et lui eut l'impression de finir d'uriner comme du temps où il buvait beaucoup de bière.

Comme il n'y avait ni papiers-mouchoirs ni papier hygiénique dans la plupart des maisons, Roxanne fut confrontée à un problème auquel elle n'avait pas songé avant : s'essuyer et empêcher que ce liquide dont elle ne connaissait encore pas grand-chose si ce n'est qu'il coulait hors d'elle, ne tache le sofa de tissu brun.

Tandis qu'il s'enculottait, elle courut à la chambre de ses parents fouiller dans la réserve de ouate de sa mère dans le tiroir du bas de la commode et s'en arracha un morceau pour s'assécher. Et à l'insu de son ami, elle examina le résultat : ainsi imbibé, le liquide apparaissait comme de l'eau avec des petits courants sanguinolents qui la questionnèrent. Ce sang pâle venait-il de lui ou d'elle ? Il ne pouvait s'agir de ses menstrues et donc c'était un résultat de l'acte... Peut-être que c'était cela, si peu que ça, une virginité ?...

Normand avait des remords. Une autre érection les balaierait bientôt. Ils eurent le temps de recommencer. Cette fois la souffrance fut absente. Le démon de la chair était aux anges. Quand ce fut accompli, Normand fut assailli de nouveaux remords.

Une retraite paroissiale prêchée par le plus talentueux prêtre de l'époque, le plus demandé, le plus couru de tous, le père Lelièvre lui-même, devait rendre Normand à moitié fou dans la première semaine de novembre. Cela commença le jour des Morts. Le jeune homme fut si bouleversé par la teneur des propos du prédicateur lancés d'une voix sépulcrale et terrible, qu'il sortit avant la fin sans se faire remarquer, puisqu'il était dans un banc qu'on ne pouvait apercevoir depuis la chaire ou alors il se serait fait tancer. Il demeura un moment dans le tambour puis s'en alla à l'extérieur et se réfugia en pleine noirceur quand une voix venue d'il ne savait où, d'outre-tombe peut-être, tomba sur le perron de ciment à ses pieds comme un sac de pierres :

– Le feu par le péteux.

Les pupilles mal habituées à la pénombre du soir tombé, Normand n'avait pas pu voir dans l'encoignure le très déluré Dominique Blais qui se moquait des menaces du prédicateur comme de tout ce qui aliénait les gens de l'époque.

– C'est quoi, c'est qui ?

– Le père Lelièvre, vieux fou, il est en train de nous sacrer dans le feu de l'enfer pour nos histoires de fesses...

– Ah ! c'est monsieur Blais.

– Suis sorti fumer un peu. Veux-tu une cigarette ?

– Ben... ouais...

Normand avait bu, blasphémé, péché par luxure, joué aux cartes, s'était battu, soûlé, mais jamais il n'avait fumé de toute sa vie. Grâce à l'éloquence du père Lelièvre et à la générosité de l'industriel embaumeur, il connut un nouveau plaisir. Pas défendu, celui-là. Dominique l'alluma. Le jeune homme s'étouffa.

– Tu vas t'accoutumer... Dis donc, vas-tu dans le bois cet hiver ?

– J'pars dans quinze jours.

– J'ai entendu dire que t'étais un maudit bon bûcheux.

– Je bats les meilleurs d'un cordon par jour.

– Ouais... Ça te le dirait pas de travailler par icitte, pour nous autres ? Aux premières neiges, on ouvre chantier dans le bois des Breakey. On te prendrait aux mêmes gages que t'auras dans le bout de La Tuque.

– Mattawin, précisa Normand.

– Mattawin en wing en hen...

– Sais pas là.

– Tu serais pas mal plus proche de la belle Roxanne... C'est un avantage... pour pas dire deux avantages...

Et Dominique mit ses deux mains en panier devant sa poitrine pour représenter les seins de la jeune femme.

– Ça... c'est certain, hésita l'autre.

Il y avait un hic toutefois pour le jeune homme. Lui et sa belle n'avaient pas refait la chose, mais s'il devait rester dans les environs, comment s'empêcher de recommencer pour ainsi risquer de la mettre enceinte et de vivre dans le péché avec au-dessus de la tête l'épée de Damoclès de la damnation éternelle ?

– T'es pas obligé de me répondre à soir. Si ça t'intéresse,

appelle-moi ou ben arrête au moulin en passant. On pourrait même te donner de l'ouvrage durant l'été... l'été prochain...

– Je vas y penser.

Normand en discuta avec Roxanne quand ils se virent le samedi suivant. Pour ce qui concernait leurs rapports intimes, elle lui dit qu'elle pourrait utiliser la méthode du calendrier. Encore sous l'influence du père Lelièvre, confessé à blanc de tous ses péchés, Normand suggéra plutôt l'abstinence et elle se montra vite d'accord afin de ne pas passer pour une mauvaise fille.

Le jour même des premières neiges, une branche leur tomba sur la tête : Roxanne n'avait pas ses menstruations et cela voulait probablement dire qu'elle était enceinte. Maintenant qu'il fumait, cet accroissement de la tension nerveuse fit fumer davantage le jeune homme qui se présenta au moulin le jour suivant.

Il fut dans le bois des Breakey vingt-quatre heures plus tard avec une dizaine d'autres, à bûcher aux alentours d'un camp érigé l'année d'avant et qui permettait aux hommes d'y manger et d'y coucher un soir sur deux quand ils n'accompagnaient pas le long défilé de sleighs tiré par le bulldozer qui faisait la navette toutes les quarante-huit heures entre le chantier et le moulin à scie.

Plus difficile à ce chantier de battre les autres bûcheux d'un cordon par jour puisqu'on y abattait les arbres pour en faire des billots de douze pieds et qu'il fallait travailler par équipes de deux.

Le compagnon de Normand était un autre comme lui avec pas mal de cœur à l'ouvrage. Un batteur de records prénommé Alphonse, fraîchement marié et porté sur la bagatelle. Il lui arrivait de raconter avec force détails et rires excessifs ses prouesses d'avant mariage avec celle qui lui avait maintenant donné trois enfants coup sur coup.

– Suffisait d'entendre le bonhomme ronfler, dit-il une fois encore ce jour-là alors qu'ils venaient de s'arrêter pour une courte pause. Là, on en profitait pis envoye dedans, sacrement... Si le bonhomme arrêtait de ronfler, ça voulait dire que le bonne femme pouvait être en train de se lever... C'est toujours comme ça que ça arrivait... Là, on se remettait à notre place pis on se touchait pas pantoute...

Il y avait peu de neige encore et l'on se trouvait dans une forêt mixte où conifères et feuillus se partageaient le sol dans un bon et fructueux voisinage. C'était une fin de novembre plutôt venteuse et l'air froid descendait en rafales entre les branches pour y tourbillonner et se perdre en sifflant dans les aiguilles de pin.

Normand acheva de se rouler une cigarette et tenta en vain de l'allumer à l'aide de son 'briquet' Ronson. Il s'éloigna d'une dizaine de pas et alla s'embusquer près du tronc d'un grand érable. Et il parvint à enflammer le bout de sa rouleuse, tandis que son ami poursuivait le récit de ses frasques sexuelles, assis sur un billot, le regard dans un joyeux passé.

– Attention... ôte-toi de là ! cria-t-il soudain à Normand qui, plutôt de continuer à marcher pour revenir, s'arrêta net.

Une branche sèche, cassée et restée accrochée au faîte de l'arbre venait d'être libérée par le vent et chutait vers le sol comme une véritable lance meurtrière. La 'ralle' frappa et l'homme tomba avec elle sur le sol glacé.

Au fond, l'accident se produisit grâce aux propos dénonciateurs du père Lelièvre qui avaient poussé le jeune homme à quitter l'église le soir des Morts puis à commencer à fumer par la générosité de Dominique Blais, et qui maintenant n'avait plus bougé parce que son coéquipier l'avait averti de manière un peu trop altruiste... Quand le bien s'y met, il lui arrive de faire des veuves.

Le grand Malin, qui fut témoin de ces choses, n'était pas mécontent après tout. C'est la Roxanne qui serait mal fichue avec le bébé qu'elle portait dans son ventre. Ah! quelle magnifique situation ! Chagrin. Mort. Scandale. Avortement clandestin qui sait. Ou bien abandon de l'enfant à la crèche...

Miracle pourtant, atteint à la tête et à l'épaule, Normand perdait du sang mais il continuait de vivre. Alphonse courut de toutes ses forces pendant deux ou trois minutes et dès qu'il eut trouvé un autre bûcheron, il lui donna l'ordre impérieux d'aller chercher du secours tandis que lui-même retournait auprès du blessé pour le réconforter et l'aider si possible.

Quelqu'un s'amena avec une sleigh courte et un cheval. Ce serait le moyen le plus efficace et le plus rapide de conduire l'accidenté hors de la forêt et d'atteindre la première maison du rang quatre d'où on pourrait téléphoner au docteur et le faire venir de toute urgence.

Alphonse se chargea de conduire l'attelage et un autre homme resta auprès du blessé pour le garder couvert et le retenir au besoin. Et c'est à bride abattue qu'une demi-heure plus tard, on atteignait l'orée du bois. Normand avait alors perdu conscience, mais il vivait toujours et on ne perdait pas espoir pour lui. On le transporta dans la maison des Boucher.

Oui, mais pas de docteur résidant à Saint-Honoré. Un docteur député à Saint-Martin, mais en ce moment, en session parlementaire à Ottawa. Et le second médecin de la paroisse voisine parti faire un accouchement dans les ravalements de Saint-Robert...

– Calvènusse ! s'exclama Alphonse en raccrochant le cornet du téléphone.

On appela à l'hôpital de Saint-Georges : une ambulance fut envoyée. Le blessé décéda durant son transport. La cause de sa mort fut moins la blessure subie que le sang perdu. Un docteur aurait pu le sauver, dirent les gens de l'hôpital.

– Une mort inutile ! fulmina le curé quand il l'apprit. Si on avait un docteur comme toute paroisse qui se respecte, le jeune homme aurait survécu. Il se serait marié, aurait eu des enfants, serait devenu un bon père de famille...

Père, Normand l'était déjà un peu, mais ça, l'abbé Ennis l'ignorait. Tout ce qui le préoccupait en ce moment, à part l'enterrement de la victime, c'était de trouver un foutu docteur pour Saint-Honoré.

Il en trouverait un coûte que coûte. Il remuerait ciel et terre pour en dégoter un. À commencer par une visite à la faculté de médecine de l'université Laval dans les jours suivants...

Pauvre Roxanne qui pleura comme une Madeleine. Bien sûr, la mère des hommes n'était pas morte, mais le père de son enfant l'était, lui. Et cela lui vaudrait pas mal d'embêtements dans les mois à venir...

Elle retourna à Valleyfield et accoucha fin juillet 1955 d'un fils qu'elle dut abandonner et qui deviendrait un de ceux qu'on appellerait plusieurs décennies plus tard 'un enfant de Duplessis'...

Tout ça à cause de ce vieux fou de père Lelièvre... Et, comble de misère, personne ne voudrait s'excuser pour le vieux fou...

***

Chapitre 22

– One o'clock, two o'clock, three o'clock, rock...

– Four o'clock, five o'clock, six o'clock, seven, eight o'clock, rock...

L'on ne se trouvait pourtant pas au restaurant ni à la salle de danse, mais dans le tambour central de l'église paroissiale. La grand-messe était sur le bord de commencer et l'aveugle Lambert s'apprêtait à sonner le dernier coup de cloche pour avertir les retardataires encore collés au magasin général, à celui d'Éva ou à l'épicerie du coin de la rue des Cadenas.

Ils étaient jeunes, ceux qui s'échangeaient ces lignes de la célèbre chanson de Bill Haley. Robert Boulay, un gars des rangs, et Gilles Maheux, tous deux se prenant pour des hommes avant même d'avoir enfourché leurs seize ans, se parlaient selon le tout nouveau code rock and roll. Ainsi qu'ils le disaient entre eux, ils étaient allés "à peau" la veille au soir au centre social de La Guadeloupe, village voisin. Ni l'un ni l'autre n'avaient pourtant fait mouche et c'est à peine s'ils s'étaient décidé à demander à danser la plus affreuse fille de la salle pour être certains de ne pas se faire dire 'NON MARCI'...

Encouragés alors, ils avaient tenté leur chance avec de plus attrayantes au tout dernier slow dans un ultime sursaut de courage.

Mais c'était la veille, tout ça, et aujourd'hui, il fallait bien épater la galerie. Plus facile encore de surprendre et de choquer l'aveugle qui n'y verrait que du feu.

— La petite St-Pierre de St-Éphrem, elle en a une maudite belle paire : t'as dû avoir du fun à serrer ça, mon Gilles...

— Pis ta Lorraine Gilbert, elle a ce qu'il faut entre le menton pis le nombril, ha ha ha...

Le père Lambert n'était guère impressionné, lui dont l'épouse devant Dieu chaussait des brassières extra-larges. Mais il fit semblant pour donner le change aux jeunes. Connaissant toutes les voix de la paroisse, il savait à qui il avait affaire :

— Hey, mon petit Boulay pis mon petit Maheux, respectez vos blondes, là, vous autres... Rappelez-vous de ce qu'a dit le père Lelièvre... L'enfer, c'est pas fou, ça...

Les deux adolescents s'échangèrent sourires et clins d'œil de supériorité et de satisfaction tandis que Poléon s'emparait du câble du milieu en gardant son air le plus sérieux. Il les entendit entrer dans l'église et au premier son de sa cloche, il éclata de son rire le plus cramoisi...

Il faisait frais dehors ce dernier dimanche de mai. Pas question de garder encore les portes de l'église grandes ouvertes, en tout cas, celles à l'intérieur du tambour. Éva n'entendrait donc pas le chœur de chant. Tenir son magasin ouvert le dimanche malgré les sermons annuels du curé à ce propos, l'obligeait à se rendre à la basse messe et elle regrettait de ne plus jamais entendre les cantiques du rituel; mais en belle saison, ils sortaient de l'église à pleines portes, ces airs magnifiques, lancés par les pleins poumons de la foule que les voix importantes du professeur Beaudoin, de Narcisse Jobin et celle du curé lui-même amplifiée par l'électronique. Et la marchande s'en régalait avec quelques petits bonbons au gingembre, assise sur la galerie à se reposer entre deux vagues de clientes avides de quelque chose de neuf pour habiller à prix modique en la rehaussant leur inépuisable fierté.

Ernest n'était plus là. Il passait le plus clair de ses hivers dans les chantiers au loin, là-bas, de ses printemps dans son érablière à brasser du sucre, de ses étés dans ses champs à faire ses petits foins à la petite mitaine. Après l'avoir appelé longtemps 'Tit-Jean-la-Nuitte', voici que sa femme le désignait sous l'appellatif évocateur de 'fantôme', d'après un personnage de bandes dessinées de La Patrie.

Et pourtant, l'homme demeurait chef de la maison, chef de famille, même si le plus gros des revenus familiaux étaient maintenant générés par sa femme. Et puis, il faisait ses pâques, à la plus grande satisfaction du presbytère. Non seulement avait-il fermé boutique, mais plus personne ne dételait son cheval chez lui et il ne louait donc plus de stalles dans son étable. De plus en plus privé de contacts humains, l'homme devenait de plus en plus taciturne et il ne s'adonnait bien qu'avec un chien obèse, frisé comme un mouton, baptisé 'Browny' qu'Éva avait bien du mal à tolérer à l'intérieur de la maison à cause de son odeur, et qu'elle laissait le plus souvent dans la cave en l'absence de son père et maître fantomatique...

Ernest se détachait de la vie un peu plus chaque année; sa femme, au contraire, s'épanouissait de plus en plus après avoir été si longtemps, si souvent enceinte contre son gré, à cause du père Lelièvre et autres vieux coqs du genre qui prenaient un malin plaisir, inspirés par le Malin lui-même, à fourrer leur nez dans les affaires sexuelles de leurs ouailles et volailles...

Ernest occupait un des plus mauvais bancs de l'église dans une des mezzanines, d'où on ne pouvait bien voir ni le chœur, ni la chaire, ni la nef, et seulement la mezzanine d'en face de même que les deux jubés dont celui de la chorale et de l'orgue. Au fond, son fils, le dernier de famille, cherchait du regard sa Lisette qui lui chavirait le cœur avec sa queue de cheval et à qui il eût voulu donner sa vie et plus encore tant il tombait dans les pommes quand il l'apercevait ou bien pensait à elle, ce qui lui arrivait depuis son réveil jusqu'à son sommeil. Un premier grand amour que centuplait son enrobage platonique. Parfois, elle 'se mettait' au chœur de chant à l'arrière, parfois, dans le banc familial en bas et parfois, dans un deuxième banc familial à l'autre extrémité de la mezzanine d'en face. Il y avait de quoi s'étirer le cou et les sentiments...

Dans le banc des Grégoire, le premier en avant dans la nef, il y avait Freddy et sa sœur Bernadette. Que le prêtre dans la chaire laisse tomber un livre et c'est la tête de la femme qu'il heurterait.

Comme toujours, l'homme revoyait par le souvenir ses déboires passés. Il aurait voulu devenir cultivateur, son père en avait fait un marchand. Il avait rêvé d'une femme solide et au moins aussi jolie que sa mère; il avait épousé une déséquilibrée mentale que chaque nouvelle lune emportait au-delà du cercle de la folie et que des années d'une profonde psychose avaient gardée loin du foyer. Généreux et sans méfiance, une partie de sa clientèle l'avait tant volé toutes ces années que son héritage imposant avait fondu, que les profits avaient été grugés et qu'il avait même dû liquider des terres qu'il possédait dans l'Ouest du pays et dans la paroisse. Et puis ces apparitions sur ce cap à Foley qui était sa propriété ne lui avaient rapporté qu'un champ dévasté et des clôtures démolies.

Bourru mais sensible, il devenait de moins en moins loquace avec le temps. Comme son voisin d'en face, le fantôme à Éva...

Le Cook filait le parfait bonheur avec sa jeune épouse. Père, il était fier de son fils comme de sa maison et son nouveau bazou. Et depuis son mariage, il avait inventé un truc pour que ses rouleuses lui coûtent moins de tabac : il le mélangeait en secret avec de la paille. Derrière eux, Narcisse Jobin se raclait la gorge pour attaquer le *Asperges Me*. Et dix bancs plus en arrière, Fortunat Fortier songeait à la terre à Marcellin Veilleux qu'il avait achetée la veille.

À l'arrière de l'église, dans des bancs isolés occupés seulement par des hommes, Philias Bisson assistait à la messe sans la moindre ferveur et dans une grande indifférence. Terrifié par l'idée de la mort, il ne se préoccupait pas davantage de son âme pour autant, du moins de la manière que le prônaient sa religion et son ami curé. De temps à autre, il bougeait les yeux et regardait Rose qui prenait place au beau milieu de tout le monde. Il aurait bien voulu la voir nue, mais elle avait toujours refusé cela. Il croyait que c'était par pudeur, mais la femme savait, elle, que le désir vaut le plaisir et que pour l'entretenir, il faut garder secrets des recoins de son corps et de son âme...

Dans le banc voisin d'elle, il y avait Lucien Boucher et sa nouvelle épouse, Marie Sirois. La paroisse n'en était pas encore revenue de voir un homme de cette envergure marier une pauvre veuve démunie, mère de trois enfants. Rose, surtout, ne comprenait pas. C'était comme si la richesse avait épousé la pauvreté, encore qu'il s'agisse là d'une exagération pas mal grosse. La quinquagénaire se demandait ce que ce minuscule petit sac d'os pouvait offrir de plus qu'elle-même à un homme de sa virile autorité dans l'intimité de la chambre à coucher...

Chacun songeait à tout ce que sa vie contenait, bien plus qu'aux prières répétitives et inintelligibles dites mécaniquement par le vicaire officiant.

Les petits Lessard avaient vieilli depuis l'année des apparitions. Comme il se doit, la fillette serait sœur et le garçon serait frère... Tel était leur vrai miracle !

Pit St-Pierre, Pit Roy, Pit Veilleux et tous les autres Pit de la paroisse avaient l'âge de garder leur foi intacte et constituaient une sorte de garde pontificale morale du curé Ennis. Tout ce que le presbytère décidait obtenait leur aval par avance.

Et Jean-Louis Bureau, dans le plus haut jubé, invoquait le ciel parfois et demandait toujours la même faveur : la chance de se présenter député. Au fédéral de préférence. En attendant, il faisait commerce de bois et roulait Cadillac de l'année tout comme Laurent Bilodeau, son futur organisateur en chef devenu jeune chef d'entreprise.

Quant à François Bélanger, tout seul dans le seul banc à une place de toute l'église, à l'arrière, du côté droit, juché sur deux marches, il avait tout le mal du monde à ne pas sombrer dans un profond sommeil, lui qui métabolisait fort mal les quelques grosses bières qu'il avait ingurgitées la veille en après-midi et en soirée au bar à Robert. Un seul mot guidait toute sa vie : l'oubli. Oublier qu'il avait passé toute sa vie avec son visage de monstre. Oublier que demain il devrait vivre avec lui. Oublier les gens, le jour, la gêne, la joie... Et souvent demander pardon à Dieu pour des crimes qu'il avait sans doute commis quelque part ailleurs, dans un autre temps, un autre monde, et qui lui avait valu si terrible punition en ce bas monde qu'il aspirait à quitter le plus vite possible...

– Au nom du Père, du Fils et du Saint-Esprit. Mes bien chers frères, il est écrit dans l'Évangile en toutes lettres et sans doute aussi est-il bien gravé dans vos mémoires ce qui suit : "Cherchez et vous trouverez; frappez et l'on vous ouvrira."

L'heure du sermon avait sonné. Le curé, après avoir inspiré les fidèles jusque là en initiant les réponses à ce chœur de chant composé uniquement de voix masculines, mais heureusement, pour un semblant de justice entre les deux sexes, accompagné à l'orgue par une femme, ouvrait sa prêche du jour par une pensée biblique dont il s'apprêtait à faire démonstration éloquente.

Non, il n'aimait pas du tout les nouveaux venus dans la paroisse et l'avait prouvé dans le passé. Dehors, ce Rioux pédéraste ! Dehors, ce Germain Bédard impénitent ! Quasiment dehors, ce Jean Béliveau à qui il avait fallu non seulement une honnêteté à toute épreuve, mais une authenticité au-dessus de la moyenne pour qu'il le laisse payer les jeunes garçons courant ses balles de tennis. "Je vous enverrai en un seul homme tous les démons réunis," avait lancé Rioux en levant les feutres. Ah! Ha! mais le saint curé d'Ars avait eu raison à lui tout seul d'une trâlée de démons expérimentés... Et ce n'était qu'un Français de France. Que l'on imagine la farouche volonté d'une tête d'Irlandais comme celle de l'abbé Ennis !

– Bien évidemment, il faut donner à ces paroles de Jésus leur véritable sens. Un sens plausible. Cherchez un sac contenant un million de dollars et probable que vous ne le trouverez pas...

Cette phrase lui valut des rires étouffés et des murmures dans l'assistance. André, au bout du banc, loin de son père, oublia sa Lisette d'amour et se mit à rêver à son avenir. C'est géologue ou prospecteur qu'il voulait être un jour et il se voyait déjà, les mains remplies de pépites de quelque chose de brillant...

–... Il faut chercher quelque chose qui nous convienne, qui soit bénéfique pour la personne qui cherche ou pour ses proches, qui lui permette de sauver son âme un jour ou celle de ses proches et d'entrer avec eux dans le royaume de Dieu...

La voix lourde et le débit lent ajoutaient une touche patriarcale unique aux propos du curé. L'homme subjuguait tout particulièrement les quatre sœurs de la Charité de Saint-Louis partageant un banc pour trois sur la première rangée du côté droit de l'église, tassées comme des sardines debout. L'une d'elles, Mère Supérieure, rictus aux lèvres, gardait les yeux sur la chaire, et ses sœurs, baignées d'une profonde humilité, ne levaient les leurs que pour adorer la sainte hostie dans l'ostensoir quand le prêtre signait l'assistance pour la bénir.

–... Cherchez la vérité. Parfois elle se cache derrière des apparences trompeuses et pourtant, et pourtant, elle finira par laisser poindre son nez, car elle est rieuse et belle. Et pure comme un petit enfant, pure comme l'Enfant Jésus... Cherchez l'amour...

Rose fut interpellée par cette phrase. Ça la connaissait bien, cette recherche. Celle du désir surtout. Celle des sommets de la volupté aussi... Il lui revenait en tête cette soirée d'orage où ce diable de Germain Bédard et elle... Comment oublier le merveilleux fracas du tonnerre de ce soir-là, les éclairs incessants qui massacraient la nuit, les violences de tous ces tourbillons dans sa chair enflammée...

– ... Oui, cherchez l'amour, mes bien chers frères. Mais le véritable amour. Celui qui consiste à donner de soi. L'amour du frère André. L'amour de notre bon pape Pie XII. L'amour de Jésus sur la croix. L'amour de Marie, sa Mère, qui a donné son Fils pour sauver l'humanité de ses péchés... Et Jésus qui a donné sa vie par amour pour nous est maintenant assis à la droite du Père qui est dans les cieux. Et Marie, sa mère, qui a donné son Fils par amour pour l'humanité, est auprès de Lui dans l'au-delà. Et qui prétendrait que le bon frère André, mort depuis près de vingt ans, n'a pas une place de premier choix dans le Royaume ? Et qui oserait dire que l'amour de notre Saint Père ne lui vaudra pas une place importante parmi les Saints du ciel après sa sainte mort ?

Malgré sa crainte de la mort, cette confrérie de gens heureux dans le grand Royaume ne disait pas grand-chose à Philias, le garagiste. Pourquoi son ami Thomas ne les entretenait-il pas de belles voitures plutôt que de belles places au paradis ? De moteurs qui durent plus longtemps que ceux de la compagnie Ford. De voyages, même dans les limbes, au purgatoire ou en enfer : de tourisme céleste. C'est cette béatitude, cette platitude éternelle qui l'inquiétait au plus haut point dans l'idée de passer de vie à trépas.

–... Cherchez la joie et vous la trouverez. Job perdit tout ce qu'il possédait : famille, biens, santé et se retrouva bourré de vermine sur un tas de fumier. Pourtant, il avait la joie. Parce qu'il l'avait cherchée dans sa soumission à la volonté de Dieu. Mes bien chers frères, je veux en venir à vous annoncer une nouvelle importante qui touchera chacun d'entre vous et pourrait même faire la différence pour certains entre la vie et la mort. Si nous avions eu un docteur dans la paroisse, il semble que nous aurions évité le décès d'un jeune homme; eh bien, votre pasteur s'est mis à la recherche d'un nouveau docteur. Nous avons frappé à la porte de la faculté de médecine de l'université et l'on nous a répondu. Je vous annonce donc l'arrivée imminente chez nous d'un jeune médecin, un brillant étudiant originaire de Saint-Joseph et qui termine ses études dans une semaine. D'ici à un mois, il sera installé parmi nous...

Il était temps. Combien respirèrent mieux après avoir entendu cela ! Solange, enceinte de son deuxième enfant, fut envahie par un sentiment de sécurité. Mère Supérieure avait une dent cariée qu'elle négligeait depuis trop longtemps. Bernadette se dit qu'il était temps de faire voir à son problème de vessie. Et Marie-Ange Boutin se promit d'envoyer son mari un peu trop porté sur la chose se faire donner des conseils calmants.

–... Le nouveau docteur aura son bureau dans la maison de monsieur Bellegarde et c'est là qu'il résidera. Et pour longtemps, il faut l'espérer. Et pour le garder, il faudra le traiter avec tous les honneurs dus à son rang. Le médecin est un élément essentiel de toute communauté de nos jours. À nous tous de le traiter comme un roi et il nous traitera avec le maximum de souci. Et de chance de nous guérir. On s'est mis à la recherche d'un docteur, d'un bon docteur, et je suis certain que nous avons trouvé le meilleur. Il m'a été présenté; il est sympathique. Il sera un atout majeur pour notre paroisse. Que chacun de vous sache l'accueillir, le bienvenir, le respecter !

La plus heureuse parmi les assistants, c'était Rose Martin. Un jeune homme docteur : que de désir en perspective ! Il viendrait au chevet de madame Jolicœur et personne n'y trouverait à redire. Elle le visiterait à son bureau et personne n'y verrait de mal. Il aurait besoin d'avoir la couenne épaisse pour ne pas succomber à ses avances... Elle se racla la gorge. Elle eut un frisson de plaisir dans le dos. Ça ne l'empêcherait pas de voir Philias de temps en temps. Ah! Seigneur Dieu, un homme qui sentirait bon, qui sentirait le propre, qui sentirait l'homme sans pour autant sentir mauvais ! Qui prendrait son bain tous les jours tout comme elle.

–... Je pense que vous avez tous hâte de connaître son nom. Il s'appelle Flavien Drouin...

Des phrases investigatrices furent glissées d'une oreille à l'autre. "Ça serait-il parent avec des Drouin de par icitte ?" "C'est peut-être un cousin à Cléophas pis Raoul ?"

Mais la seule phrase commune à la sortie de la messe fut en substance dans la bouche de tous : "Le curé a fait un mosus de bon sermon aujourd'hui."

***

Chapitre 23

Que de paix chez les gens dans une salle d'attente de médecin ! Que d'ordre apparent ! La peur, ce moteur suprême de l'humanité après Dieu et avec Lui, y tourne au ralenti. Les condamnés à mort ne sont-ils pas tous sur des lits d'hôpitaux, des grabats d'agonisants dans une chambre sacrée de la maison ou bien dans une section spéciale de prison à sécurité maximum ? Et c'est le docteur qui se rend à leur chevet. Tandis que ceux qui vont le visiter sont des condamnés à vivre, mais qui, pour le mieux faire, ont besoin des services du plus grand redresseur des torts de la grande nature...

Ambitieux, le jeune médecin avait aligné dans la pièce étroite sept chaises style fauteuil avec siège en cuir brun. Déjà un commentaire avait circulé à mi-voix parmi les patients : "Il est plus moderne que le docteur Poulin : des chaises à bras icitte..." Et le commentaire du commentaire : "Ça doit être un ben bon docteur !". Et le commentaire sur le commentaire du commentaire : "Ah oui! un ben bon petit docteur !"

Personne de celles qui attendaient ne l'avait vu encore. C'est qu'il s'était fait fort discret, le petit doc, depuis son arrivée au village et c'est d'autres que lui qui avaient vu à son installation dans des locaux âgés mais rénovés, 'peinturés' et aseptisés. Et ce matin doux de la fin mai ouvrait enfin son cabinet tel qu'annoncé par le curé triomphant en chaire le dimanche précédent.

Côte à côte, trois femmes enceintes venues de trois rangs de la paroisse, le quatre, le six et le dix, se parlaient d'enfants à l'aide de chiffres pour se mieux comprendre.

"J'en ai 5 pis 2 fausses couches," dit une blonde ronde.

"Moi, c'est mon 3e," plaça avec la satisfaction du devoir accompli une brune au visage farinacé.

"C'est mon 2e," dit Solange Boutin. "J'ai du millage à faire pour rattraper ma mère."

"Mon plus vieux a 11 ans déjà..."

"Ma dernière en a 3."

"Mon 2e, j'te dis que c'est un tocson : il pèse 70 livres."

"*Comment* qu'ils pèsent, tes bébés, toi, quand ils viennent au monde ?"

"Un de 9 livres et demie : imagine ! L'autre mesurait... je veux dire pas 5 livres : une puce de rien !"

Entra alors Rose Martin, parfumée comme jamais quoique sans excès mais en diverses subtilités réparties sur toute sa personne habillée de sa robe la plus fleurie et ajustée, et la ronde des statistiques fut interrompue. Toutes se connaissaient et se saluèrent. Deux décennies déjà séparaient ces trois femmes fécondes et cette autre qui avait décidé de mettre son corps à son propre service et non plus à celui d'un homme ou de fœtus en grains de chapelet. Même qu'elle n'avait jamais voulu être une mère pondeuse comme les autres femmes de son temps.

– Ça fait longtemps, Solange, qu'on s'était pas parlé, dit l'arrivante en prenant une chaise qu'elle apprécia du regard.

L'autre se mit aussitôt sur la défensive :

– Ben... j'ai pas eu besoin de produits vu que j'en avais acheté une belle 'batch' avant de me marier...

– Pas besoin de se vendre quelque chose pour se parler ! Malgré que c'est une belle occasion pour ça, c'est certain...

Ce qu'ignorait Solange, c'est que le Cook, plus avaricieux que jamais depuis son mariage, avait fait comprendre à Rose lors d'une rencontre au bureau de poste, qu'elle ferait mieux d'attendre un appel pour s'arrêter chez eux et proposer ses frivolités à sa femme. Soucieux de ne pas déplaire, il avait enrobé sa demande de petits rires nerveux et surtout d'un gros avantage pour la vendeuse elle-même : sauver du temps et ne pas perdre de ventes pour autant.

Très professionnelle comme toujours dans son métier de dame Avon, Rose avait acquiescé et tu la chose, se doutant bien que le mari de Solange avait pris l'initiative de son propre chef.

Grossie, pâlie, défraîchie, paupières bistrées, Solange s'était considérablement enlaidie en quelques années seulement et Rose s'en attristait. Elle qui pourtant profitait de la disgrâce des autres femmes eût voulu que toutes soient belles et fortes. Quant à la perte de quelques sous par mois à ne pas vendre à la femme du Cook, elle compensait amplement en poussant une maison plus loin dans un rang au cours de sa ronde saisonnière ou bien donnait deux ou trois coups de fil de plus. Et puis les jeunes filles poussaient vite et se maquillaient de plus en plus jeune comme la Lisette à André qui, à onze ans, se beurrait déjà la bouche de rouge à lèvres, ce qui avait aidé à exhausser le beau sentiment de l'adolescent émotif.

Qui l'eût cru, ce fut Bernadette, la cinquième cliente dans la salle quelques minutes plus tard, quelques-unes seulement avant l'heure annoncée pour l'ouverture.

– Ha ha ha, je pensais que je serais la première à matin. C'est ben pour dire... J'aurais dû y penser... je veux dire que des petites madames enceintes, c'est plus délicat qu'une vieille fille comme moi...

Puis elle distribua des signes de tête un peu à la japonaise, un peu en biais :

– Madame Cloutier, Madame Couture, Madame Champagne... Pis toi, Rose, tu dois pas être en famille toujours ?

Une immense main portant quatre lettres imposantes : BCBG pour **b**elle **c**ave de **B**ernadette **G**régoire se plaqua sur sa bouche et cette main invisible lui appartenait.

Tout lui révélait que Rose avait la cuisse facile depuis sa séparation en 1950. Comment vivre dans la maison voisine et ne jamais rien voir ? Mais elle n'en voulait rien savoir. Et quand Armand jasait, elle secouait la tête en lui disant de se mêler de ses affaires. Et quand elle-même voyait un Jean d'Arc, un Ruznak entrer chez elle par la porte de la cave, elle bouchait ses yeux aussi dur que ceux de l'aveugle Lambert. Ainsi, elle ne risquait pas de s'adonner à des jugements téméraires, lesquels induisent forcément la calomnie et la médisance.

Tout comme Rose, Bernadette colportait des parfums. Mais les siens étaient des nouvelles. Heureuses ou tragiques, mais au grand jamais nuisibles à quelqu'un. Et voilà qu'elle venait de se mettre un doigt dans l'œil jusqu'au coude avec sa réflexion nerveuse.

Les femmes rirent. Rose qui connaissait l'âme de sa voisine ne fut pas décontenancée et comprit qu'elle ne voulait rien insinuer du tout.

– À notre âge, Bernadette, la famille, c'est pas mal fini pour nous autres.

Ce fut un éclat de rire général.

La demoiselle s'accrocha une fesse à un siège de chaise et sur le ton de la confidence s'adressa à toutes :

– Y en a-t-il qui l'ont vu, le petit docteur ? Il est venu au bureau de poste rien qu'une fois pis c'est Freddy qui l'a vu... Mais Freddy... il est pas remarqueux comme on dit...

Chacune avoua ne pas l'avoir vu ni connaître quelqu'un qui l'avait rencontré.

– Mystère et boule de gomme, dit Bernadette, les yeux agrandis.

Deux autres personnes entrèrent. François Bélanger qui à cause de son visage encore plus affreux que celui de Quasimodo commandait un respect poli et Jean-Louis Bureau qui, pas plus que l'autre, ne salua, mais s'arrêta et regarda chaque visage en souriant, l'œil ironique.

– J'espère que le monde sera pas plus malade parce qu'on a un nouveau docteur, là ? Autrement, on va le renvoyer...

Il obtint des rires feutrés et polis. Car il y avait une forme de reproche dans ces mots-là.

La seule chaise libre le demeura, le jeune homme d'affaires préférant rester là, la tête à côté du cadre contenant le diplôme du médecin.

François marmonna à l'endroit de Bernadette, assise à côté de lui, seule personne de la pièce qui ne l'effrayait pas :

– I ompan... é enn èchad an men... a fè méchin...

Seuls les gens vraiment capable d'écouter les autres

comme Dominique Blais et Bernadette pouvaient interpréter les grognements du pauvre homme. Elle répéta pour tous et pour être bien sûre :

– Une écharde dans la main pis ça fait du méchant ?

Il ouvrit la main droite et montra sa blessure noircie. En fait, quelque chose au fond de lui avait couru après... Il lui fallait un bon prétexte pour obtenir une heure de liberté des patrons de la manufacture. Dominique le remplaçait à la fournaise et à la surveillance de l'engin. Mais surtout il avait eu besoin d'une bonne raison pour se trouver parmi les tout premiers à voir le nouveau docteur comme pour se faire exorciser dès le départ à même les meilleures ressources du guérisseur diplômé. Car malgré sa sensibilité, malgré qu'il n'ait jamais tué une mouche de toute son existence et prenait pitié de tous les êtres souffrants, il se croyait habité par quelque démon de la laideur pour être ainsi affligé de pareille monstruosité depuis sa naissance.

– Ah ! mon doux Jésus, il est temps de faire soigner ça, là, toi.

Jean-Louis consulta sa montre et déclara que l'heure d'ouvrir le bureau était venue. Le premier, il repéra un œilleton dans la porte qui donnait sur le cabinet. Il leva la main droite et salua en pensant qu'on pouvait les observer.

– Le connais-tu, le docteur, toi, Jean-Louis ? demanda Bernadette.

– Absolument !

Le ton était de celui qui a plusieurs longueurs d'avance sur tout le monde. Et puis il contenait aussi une touche de l'esprit de clan qui animait la petite bourgeoisie du cœur du village, un groupe select dont le docteur ferait forcément partie.

Soudain, la porte du cabinet s'entrouvrit et fut entrebâillée de quelques pouces pas plus. Le cœur de Rose bondit, mais pas trop. Bernadette sentit des fourmis dans les jambes. Les fœtus bougèrent dans les seins. Encore empêtrée dans ses pensées chiffrées, Solange se demandait combien coûterait une visite et comment réagirait le Cook en recevant la facture...

– Voilà le plus important ! déclara Jean-Louis qui ouvrit la porte donnant sur l'extérieur pour laisser entrer quelqu'un.

Bernadette et Rose se levèrent comme un seul homme en apercevant le visiteur; les trois autres femmes savaient que leur état les excusait de ne pas le faire aussi. Et François, perdu dans ses pensées et son passé, gardait la tête dans sa main valide. Ce n'est qu'au moment où la soutane du curé lui passa devant le nez qu'il réagit :

– En... seu... ué... (*Hein, monsieur le curé...*)

– Bonjour, bonjour, dit le prêtre, bonjour à vous tous...

Attendu, guetté, le curé vit la porte du cabinet s'ouvrir à sa pleine largeur et lui apparaître le nouveau petit docteur qu'avec Jean-Louis et la famille Bureau, il était l'un des rares à connaître déjà.

Loin d'un petit homme, le jeune médecin devait mesurer six pieds, ce qui, pour l'époque était une taille plus que respectable. Cheveux auburn, œil bleu glacier, lèvres minces, il possédait la beauté de la jeunesse sans rien de plus, sans rien de particulier. Dans une foule, on l'aurait pris pour n'importe qui, même qu'il avait un port de tête plutôt humble et par lequel son visage était projeté en avant, mais pas de la même manière que Jean-Louis qui recherchait quant à lui une compensation pour sa petite taille.

Pas question d'inaugurer ce bureau sans la présence de la religion et c'est la raison pour laquelle le curé était venu. Non seulement il bénirait les lieux, les accessoires de travail, les médicaments mais aussi les personnes : le docteur lui-même et ses premiers patients.

Jean-Louis savait. Rose devina. Les autres s'imaginèrent que le curé venait consulter. Qu'il passe le premier ! On poussa un soupir de soulagement et d'agrément quand il fut annoncé qu'aurait lieu de suite la bénédiction qui donnerait aux soins dispensés une qualité supérieure, maximum.

Jean-Louis devint en quelque sorte le maître de cérémonie et fit avancer tout le monde dans le cabinet et l'embrasure de la porte suite au prêtre qui trouva dans sa ceinture un petit livre de prières dont il aurait fort bien pu se passer puisqu'il les connaissait toutes par cœur.

Et pendant qu'il sacralisait les instruments pour petites chirurgies, davier pour les dents, scalpels pour petites incisions, stéthoscope et appareils à pression artérielle, aiguilles à injection et bassinets de métal peint, Rose dénudait par l'imagination ce nouvel homme qu'elle ne lâcherait pas de son vivant et finirait par mener à son lit...

Elle l'imagina dans sa chambre, ôtant ses vêtements, ce costume gris, cette cravate à rayures bleues qu'il portait pour les recevoir en attendant d'enfiler un de ces sarraus blancs bénis avec le reste, à lui promettre des choses chaudes :

"Ce sera d'une grande douceur, madame."

"Ça se passera comme vous le désirez depuis toujours."

"Oui, tous vos désirs seront comblés... Mais avant cela, tous vos désirs seront centuplés..."

Dans l'angle où elle se trouvait, Rose pouvait apercevoir le docteur de profil. Elle eut une réticence à poursuivre son rêve éveillé et l'attribua à la présence juste devant elle de François qui sentait le bran de scie frais et l'huile de charbon. Par bonheur, la combinaison d'odeurs douces qu'elle-même exhalait suffisait à combattre celles peu agréables du personnage, conjuguées à quelques-unes, éthérées, provenant des fioles de médicaments se trouvant sur les tablettes d'une mini-pièce attenant au cabinet et servant de pharmacie.

La femme retourna à ses représentations imagières du moment d'avant et y entra si profondément qu'elle sursauta lorsque François qui reculait pour céder la place au curé en train de bénir à qui mieux mieux, et qui revenait vers la salle d'attente pour y terminer la cérémonie d'inauguration, se heurta à elle et ressentit même la chaleur moelleuse de sa poitrine sur ses omoplates sèches et pointues.

Elle recula en réprimant une grimace. Et c'était à cause de la laideur de son odeur, pas de l'autre...

Finalement, le prêtre serra la main du médecin, lui souhaita bonne chance et quitta les lieux avec une belle gratification, accompagné de Jean-Louis. C'est alors seulement que Rose se rendit compte que la voix du docteur s'harmonisait avec le reste : ordinaire. Un timbre assez clair, un ton mince, des lèvres qui ne remuaient pas beaucoup.

"Méfiez-vous des eaux dormantes !" se disait-elle alors qu'il s'adressait à tous.

– Bon... qui est arrivé en premier ?

Bernadette intervint :

– C'est pas pour nuire à personne, là, mais monsieur François devrait passer le premier... étant donné qu'il est sur ses heures d'ouvrage... et que c'est le grand temps de soigner sa main... d'après moi en tout cas. Sais pas ce que vous en pensez, vous autres ?...

Ce fut un concert d'approbations. L'agréable conversation d'avant l'inauguration pourrait se poursuivre.

– Toutes d'accord, mesdames ? dit Flavien en ouvrant ses mains à la manière de Jésus-Christ devant ses apôtres. Bon, vous pouvez venir, monsieur... François...

Le médecin qui avait appris à quel point la maladie est laide fut enchanté d'avoir cet homme à l'horrible visage comme premier patient. Son âme ne pouvait être que très souffrante également. En tout cas, à l'évidence, ce n'était pas un malade imaginaire...

Quinze minutes plus tard, François sortait, une main bandée, en marmonnant :

– I i chag a chè... (Il charge pas cher.)

Pas même Bernadette ne comprit cette fois. Et ce fut au tour de Solange. Elle quitta le bureau : enchantée.

– Pis il est pas gênant pantoute...

Madame Cloutier suivit dans le cabinet pendant que les autres devisaient légèrement. Puis ce fut madame Couture. Que de satisfaction, que de satisfaction !

– Bon, c'est ton tour, Rose, asteur.

– Passe donc en premier, Bernadette !

– Suis pas pressée...

– Je le suis encore moins... Surtout...

Et Rose chuchota la suite :

– ... surtout que je me suis laissé dire qu'une femme de cinquante-cinq ans, lui faut un examen au complet... Toutes sortes de maux nous guettent quand on prend un peu d'âge...

– En tout cas, pas la tuberculose, ça, c'est sûr !

La porte se rouvrit :

– Madame... suivante, dit Flavien.

– C'est mademoiselle Grégoire, s'empressa de dire Rose en désignant l'autre femme.

Bernadette se leva et claudiqua vers lui en disant :

– Moi, c'est un problème de vessie, vous voyez...

Le docteur jeta un drôle d'œil à sa dernière patiente du

moment avant de refermer la porte. Elle supporta son regard et même le pénétra en rapetissant les paupières vers les yeux. Puis Rose souhaita qu'il ne vînt personne d'autre pour l'instant... Son vœu fut exaucé et bientôt Bernadette repartait en placotant :

– Un ben bon docteur, tu vas voir, Rose, un ben bon petit docteur...

– Eh bien, quel est votre problème, madame ? D'abord, quel est votre nom ?

– Madame Martin. Rose Martin. Tout le monde m'appelle Rose. C'est comme vous voulez...

L'homme tendit une main décidée :

– Et moi, docteur Drouin.

Elle imprima à la sienne une mollesse lascive :

– Tout le monde doit le savoir déjà dans la paroisse.

– Et si on en revenait à ce qui vous amène ?

– Craignez pas : suis pas en famille comme les autres avant moi.

– Pas mademoiselle Grégoire tout de même !

Elle rit un peu mais lui resta impassible.

C'était une pièce dépouillée contenant un bureau, un lit d'examen et un paravent ainsi qu'un petit lavabo, et que l'éclairage d'une fenêtre aux vitres givrées remplissait d'une lumière mesurée. L'homme prit place derrière son bureau tandis que, devant lui, Rose s'asseyait sur une chaise comme celles de la salle d'attente.

– J'ai une douleur dans l'épaule, qui me va jusqu'en avant pas loin du cou.

– Une bursite possiblement.

– Je pense que ça pourrait être ça.

Rose avait ressenti une faible douleur à l'endroit qu'elle

disait après avoir forcé, pour la tourner dans son lit, la vieille dame dont elle avait la garde, mais c'est à peine si elle en gardait des suites.

Le docteur prenait des notes en gardant son air papal. Il questionna sur elle. Âge, occupation, maternités, maladies passées...

– Ça pourrait simplement être la sangle de votre sac de produits qui vous aura causé cette douleur... Un mal professionnel, pourrait-on dire. Comme vous venez de me le dire, vous faites pas mal de chemin, surtout en été. Mais pour savoir, on va examiner ça.

– J'imagine que... je dois ôter ma robe ?...

– Mais non, pas nécessaire, madame Martin. On va tâter l'épaule par-dessus le tissu...

Merveilleux, pensa-t-elle. Il ne saurait pas si elle était pudique ou non. Elle procéderait par étapes lentes et successives comme Lucien Boucher l'avait fait pour finir par le gagner, son référendum paroissial.

– Levez-vous, oui, et asseyez-vous sur la table, là... Je vais vous ausculter, chère madame...

Elle fit tel que demandé en s'aidant du tabouret-montoir, et le docteur contourna la table. Et il toucha l'épaule soi-disant mal en point avec les doigts des deux mains formant autant de paires de pinces...

– Vous savez peut-être l'histoire du homard qui rencontre un aigle ? Le homard dit : "Je te pince la serre." Et l'aigle lui répond : "Je te serre la pince."

Le jeune docteur éclata d'un rire juvénile voire puéril, et Rose l'encouragea de son propre éclat en même temps qu'elle cherchait à comprendre le jeu de mots :

– Vous avez beaucoup d'humour, monsieur le docteur.

En fait, c'était plus que de l'humour, c'était une façon de

distraire l'attention de sa patiente pour être certain qu'elle réagisse au moment exact de sa douleur et non pas à une douleur anticipée.

En période de mise en place de sa profession, il lui fallait se bâtir une réputation en béton et pour cela, il ne devrait jamais donner de la tête dans les maux imaginaires. Les gens ne tarderaient pas à s'abandonner à sa compétente autorité qui serait alors élevée au-dessus de tout soupçon. Après cela, s'il prenait à des patients la fantaisie de se faire traiter sans raison valable, à eux d'en payer le prix.

Mais Rose ne tomba pas dans le piège :

– Aïe !

– Là, là ?...

– Aïe !

Il lui empoigna l'épaule quand elle choisit de feindre la souffrance.

– Pis... aïe... en allant en avant, là... vers le cou...

La main ferme glissa vers le sein gauche, s'arrêta puis pressa :

– Et là ?

– Aïe !

– Je pense... Vous allez ôter votre robe... seulement le haut à descendre à la taille...

– Bon, fit-elle, en le regardant droit dans les yeux et très profondément, mais aussi vivement.

La femme s'adonnait à ce en quoi elle était le plus compétente à l'exception des parfums et des produits de beauté : le désir à petites doses. Le sien à éveiller et à nourrir. Celui de "l'adversaire à conquérir"...

Sur la rue principale, filant à toute allure de son pas déphasé tout en évitant les fentes du trottoir, le regard sur le béton, Bernadette ruminait sur son plaisir du jour. Sitôt que Freddy n'aurait plus besoin d'elle au bureau de poste, elle ferait une tournée de nouvelles dans le bas du village pour annoncer à tous que le jeune docteur était le meilleur docteur ayant pratiqué dans la paroisse depuis des lunes à part peut-être le vieux docteur Goulet du temps où il ne buvait pas.

Soudain, elle s'arrêta net en songeant à une recommandation importante du curé qui avait dit en chaire à ses ouailles de bien recevoir le nouveau médecin, de le gâter etc...

Tiens, elle retournerait à son bureau et lui offrirait de la ciboulette. Il y en avait déjà des touffes grosses comme ça dans son jardin. Assez pour sa consommation et celle de la femme à Freddy, celle de ses voisines, Rose, Éva et Marie-Anna, et sûrement aussi pour le docteur. Peut-être qu'il s'en ferait des sandwiches avec de la moutarde comme les enfants Maheux, le Gilles surtout qui s'en bourrait la face tant qu'il pouvait.

Elle rebroussa chemin et marcha en courant par petits bouts. Et rentra bientôt dans la salle d'attente... Il fallait attendre la sortie de la patiente, mais laquelle ? Ah oui!, Rose... Ah! ça ne saurait tarder maintenant... Elle prit une chaise...

– Ouiiii...

– Et là, ça fait du bien, madame Rose ?

– Ah oui! Je vous dis que ça fait longtemps que j'me suis pas sentie comme ça.

Les voix traversaient une porte mal insonorisée et Bernadette plaqua sa main sur sa bouche, l'œil agrandi par l'étonnement...

– Aïe! Pas trop fort docteur ! On peut dire que vous l'avez dure, vous...

— Vous pensez pas que c'est mieux de même ?

Bernadette commença à se mordiller la lèvre inférieure :

— Mon doux Seigneur ! fit-elle à mi-voix.

— Mettez votre main sur moi, comme ça, dit le docteur.

— On peut dire que vous êtes bâti solide, vous...

— Je vais donner un petit coup... comme ça...

— Ah oui! ça, ça fait du bien... Continuez... Oui...

— Bon, on va accélérer le mouvement...

— Pourquoi pas ?

Bernadette se prit la tête à deux mains et se leva. Certes, elle aurait pu en supporter davantage et cette scène dont elle était un témoin auriculaire involontaire lui chatouillait le for intérieur, mais d'écouter ainsi aux portes lui paraissait un péché plus grand encore que le péché de la chair.

Elle marcha vers la sortie, hésita, s'arrêta un moment et se tourna vers la porte du bureau. Une voix tendre lui parvint :

— Ça achève, ça achève... C'est fini...

— Ah! comme ça fait du bien docteur. Vous savez donner du soulagement, vous...

— Encore quelques petits coups et c'est tout...

Une suite de grands aïe chassèrent des lieux cette pauvre Bernadette qui à chaque pas de son retour au magasin écopa de son esprit ces sons dont elle se faisait sans cesse marteler par sa mémoire et ces images dont elle était bombardée par la folle du logis...

Il semblait à Rose que le docteur n'avait pas une seule fois jeté un regard sur sa généreuse poitrine. Il lui avait fait mettre le bras de travers dans le dos, lui avait fait toucher son épaule droite avec sa main gauche, lui avait massé l'épaule tandis que la sienne servait de point d'appui... Elle était rhabillée et lui ajoutait des notes au dossier :

– Ce n'est rien, c'est un commencement de bursite. De l'aspirine et du repos de votre bras... Dans un mois, vous ne sentirez plus rien.

– Si vous le dites.

– Si vous aviez quelqu'un pour vous masser un peu comme je l'ai fait...

– La personne qui est avec moi est à bout d'âge, pas même capable de se lever du lit. Il va falloir que vous veniez la voir à domicile comme on dit. Si ça vous fait rien, on va prendre un rendez-vous tout de suite.

– Bien entendu ! Son nom ?

***

Chapitre 24

Agenouillée sur le banc devant le clavier, Rose faisait le décompte de ses parfums, les classait en rangées sur le dessus du piano. Il y avait celui dédié à Jean d'Arc, cet adolescent devenu son premier amant après le départ de Gus. Puis celui de Germain Bédard, celui de Pit Poulin, celui de Grusnek, celui de Philias et même une petite bouteille jaune jamais entamée qu'elle eût bien voulu répandre sur les parties sensibles de Lucien Boucher.

Le moment était venu de choisir une odeur nouvelle, celle-là pour le docteur. Ou bien procédait-elle prématurément ? Pouvait-il l'avoir ainsi auscultée, tâtée de cette façon sans réagir, sans se laisser effleurer par ses pulsions de jeune homme fringant ? Et puis il devait s'agir de son premier examen du genre...

– Ah! quel beau poulain que ce Flavien ! se dit-elle en ouvrant une autre petite bouteille qu'elle approcha de son visage pour en humer le contenu.

Exotique, ce parfum ! Santal. Piquant comme une petite aiguille. Santal qui rime avec... médical... avec hôpital... Non, l'image du petit grand doc ne lui parlait pas de maladie, d'agonie, mais lui murmurait à l'oreille les mots les plus doux de la merveilleuse maladie d'amour et de l'agonie de la chair dans les feux du désir...

Un bruit mat, comme le résultat d'un choc, tel celui d'un bâton qui frappe sur un morceau de tôle, lui parvint par le grillage de la porte. Puis des voix lointaines l'avertirent d'un événement faisant accourir les gens. La femme délaissa ses fioles et se rendit à la fenêtre du salon qui donnait du côté de chez Bernadette et du cœur du village.

Un accident était survenu sur la rue principale, juste de l'autre côté de chez Bernadette, vis-à-vis le chemin entre sa maison et le magasin général, en biais avec le magasin d'Éva.

Il y avait là une auto noire arrêtée en travers et un camion chargé de 'pitounes de quatre pieds' qui, Rose le comprit aussitôt, avait heurté la voiture de plein fouet sur le côté du conducteur.

Et déjà, plusieurs personnes entouraient la scène, venues du voisinage, venues d'autres véhicules passant par là mais bloqués par l'incident, venues de l'hôtel où avait lieu une réception de noce...

Sur sa galerie, bras croisés, figée, Éva regardait la scène; mais à cette distance, Rose ne pouvait lire dans son visage une expression de profonde tristesse mêlée de crainte respectueuse.

Rose fut tiraillée entre plusieurs sentiments... S'il y avait des blessés, du sang, elle préférait n'en rien voir. Par contre, l'accident amènerait vite le beau docteur sur les lieux. Oui, mais si Philias se joignait aux loustics, elle ne pourrait manœuvrer librement. Le mieux, finit-elle par se dire, serait de traverser la rue devant chez elle et d'emprunter le trottoir, de l'autre côté, devant la maison de l'aveugle pour rejoindre Éva sur la galerie de son magasin.

Elle jeta un coup d'œil à madame Jolicœur en passant puis quitta la maison. Elle ne voulut pas s'attarder à Pit Roy, qui, chapeau de paille calé derrière la tête, faisait des pas nerveux vers l'accident, s'arrêtait pour s'exclamer en disant n'importe quoi puis reprenait son pas bourré d'hésitation.

– Le truck a fessé le char sur le côté. J'te maudis pas comment ça se fait...

Rose l'ignora tout à fait. Pit lui cria dans un éclat de rire qui révélait de la peur :

– Tu devrais pas aller voir, Rose : y a peut-être des morts là-dedans. C'est un gros accident, tu sais ben...

C'est bien plus à lui-même que l'homme s'adressait qu'à la femme. Elle l'ignora encore et croisa ses bras sous sa poitrine à la manière d'Éva pour se diriger vers sa destination.

Des voix qui tournaient en rond lui parvenaient par bribes :

– C'est les maudites machines qui sont tout le temps dans l'chemin, maugréait le fou du village à l'endroit de tous et n'obtenant audience de personne comme toujours.

– Bernadette, va téléphoner au docteur, lança Freddy à sa sœur qui regardait d'une certaine distance.

La femme, au comble de la nervosité, se mit à courir en claudiquant, mais passa tout droit devant le magasin. Éva retrouva un peu de sang chaud et entra dans son magasin où le téléphone mural lui permit d'appeler chez le médecin sans perdre de vue la scène de l'accident.

Rose avança à pas lents, atteignit la hauteur de la voiture accidentée. D'autres voix lui parvinrent :

– Regardez mon chargement : il penche par en avant en maudit. Ça montre que j'ai braké tant que j'ai pu, moé...

– Je te cré, maudit torrieu, approuva Ernest venu constater les dégâts après avoir délaissé le goudronnage de la toiture de sa maison.

Pit Roy demeura en retrait, l'âme tremblante, terrifié par l'idée de la mort et pourtant curieux de lui voir la silhouette.

Éva ne prit aucune chance : elle appela aussi le presbytère. Il ne manquait à prévenir que la police. Tiens, Rose qu'elle avait vue venir, saurait peut-être le numéro de téléphone de Pit Poulin... Encore qu'au central téléphonique, on devait bien le connaître aussi...

Maintenant, des gens de plus loin accouraient. L'hôtel se vidait. On arrivait de la rue des Cadenas. On arrivait de partout comme pour assister à un spectacle de Jean Grimaldi ou de Tit-Blanc Richard.

Rose s'arrêta sur le trottoir. Elle aperçut comme des voiles blancs dans la voiture. Et reconnut une forme humaine. Mais rien de sanglant ne lui apparut. On eût dit une robe de mariée. C'était bien cela. La curiosité dépassa la peur en elle et la femme se pencha en avant pour voir à l'intérieur du véhicule pas si endommagé que ça.

Son visage exprima l'effroi et l'horreur.

Une jeune mariée, tête couchée sur le dossier de la banquette, mains crispées sur le volant, posait sur elle ce regard terrible empreint de la fixité de la mort.

Et cette jeune fille, elle la connaissait; et cette jeune fille, elle lui avait vendu des produits en vue de sa noce tout récemment. Une petite Carrier du rang six. Oui, et qui épousait un petit Bourque de Saint-Benoît...

Pas une goutte de sang, pas même de tuméfaction : juste un regard inerte. En fait des yeux grands ouverts, mais pas de regard du tout. Que des globes glacés !

Sidérée, Rose poursuivit son chemin et fut bientôt auprès de la marchande sur la galerie, n'échangeant avec elle tout d'abord que des regards navrés et des soupirs profonds.

– J'ai tout vu faire... elle est morte, la petite Carrier...

– C'est déjà fini pour elle... le jour de ses noces...

– Elle était tuseule dans la machine... est allée revirer dans la cour à Freddy... C'est terrible... Voir si on laisse une machine entre les mains d'une femme !

– C'est les filles à Fortunat qui ont donné l'exemple... Asteur, les jeunes filles, ça veut chauffer une machine, la cigarette au bec : c'est donc pas drôle !

Le docteur arriva de son pas le plus long. Il contourna l'auto puisque la portière gauche ayant subi l'impact restait coincée. En apercevant les yeux de la victime, il sut que la mort avait passé, mais pour montrer qu'il tentait l'impossible, il fit éclater une sorte de capsule allongée contenant de la nitro dont les vapeurs pourraient faire battre le cœur. C'était peine perdue. Il tâta le cou et dut se rendre à l'évidence : la jeune femme avait les vertèbres brisées.

Puis ce furent les crises de larmes. Les parents de la mariée morte étaient maintenant retenus de trop s'approcher du corps par des gens de la noce auxquels s'étaient joints Philias Bisson en salopette grise tachée de noir et Fortunat Fortier que le soleil d'après-midi montrait encore plus maigre qu'il ne l'était, tandis que le curé administrait la victime sous condition.

Le jeune marié quant à lui, restait comme un pantin désarticulé, perdu dans son habit noir, debout, à quelques pas de la portière ouverte et du prêtre.

Et Pit Poulin, prévenu par l'opératrice du central téléphonique à la demande d'Éva puis du curé, arriva après tous les autres à cause de la distance à franchir mais surtout du fait qu'il l'avait appelé tardivement.

Pendant ce temps, Éva avait sorti une chaise pour Rose et pour elle-même et les deux femmes échangeaient en regardant le déroulement des événements. Ce qu'avait vécu Rose avec Pit Poulin, avec Philias Bisson et ce qu'elle désirait vivre avec le nouveau docteur, tout cela disparaissait de son esprit même si ces trois hommes se trouvaient là, sous son regard, à quelques pieds.

La vedette du moment, ce n'était pas l'amour, le désir, la frivolité, encore moins la vie ou l'espérance, mais c'était la mort elle-même que tous ces gens regardaient béatement, contemplaient dans l'impuissance la plus totale. La mort définitive. La mort qui rend tout le reste dérisoire et inutile.

Fauchée en pleine vie, la petite Diane Carrier, sa fin obligeait chaque témoin à réfléchir sur la sienne propre.

– Comment est-ce qu'on va finir notre bout de chemin, nous autres, hein, Éva ?

La marchande ressentit un étrange frisson dans le dos, un de plus qu'au moment d'apprendre le trépas de la jeune mariée.

– À ben y penser, la petite Carrier, elle a fait une ben belle mort. Elle sera pas enceinte durant vingt ans de sa vie pis malade comme un chien, pis obligée de travailler d'une étoile à l'autre avec son mari sur une petite terre du rang de Saint-Benoît...

– Pis peut-être ben mourir d'une maladie qui en finit pas comme madame Jolicœur, soupira Rose.

Un double frisson agita l'échine de l'autre femme et pourtant, c'était un jour de juillet d'une chaleur assez prononcée quoique pas excessive. Soudain, elle tourna sa chaise vers Rose pour ne plus voir la scène triste :

– Si on parlait de nos enfants un peu...

– Comme de bonne ! La Rachel, comment qu'elle va ?

Mais Rose garda une part de son attention à ce qui se déroulait dans la rue. Surtout, elle ne parvenait pas à empêcher son regard de se poser sur ce corps inerte revêtu de beauté mais devenu en une fraction de seconde un objet à jeter, à livrer à la pourriture et à la terre...

Le policier interrogea le camionneur, mesura des traces peu apparentes sur la chaussée puis il eut un entretien avec Ernest qui lui fut désigné comme témoin.

– Un truck chargé de même, t'arrêtes pas ça de même... Je l'ai entendu, criard au bout, j'étais là, sur ma maison, j'ai tout vu, crains pas hein ! Une seconde de plus pis elle aurait eu le temps de se reculer de dans le chemin, ça, oui, ah oui! Ce que j'comprends pas, mon Pit, c'est quoi c'est qu'elle faisait à mener une machine, une jeune mariée d'à matin. Ça, moé, j'me dis que ça aurait pas dû arriver de même... Un homme aurait chauffé pis ça serait pas arrivé, ah non!... non monsieur, maudit torrieu...

La voix portait par-dessus toutes les autres qui se faisaient plutôt murmurantes à part les sanglots éclatés de la mère de la victime. On entendit au loin la sirène d'une ambulance dépêchée par l'hôpital de Saint-Georges. Le policier fit déplacer le camion et les bouchons de circulation fondirent vite. L'ambulance arriva. On porta la morte à l'intérieur. Les brancardiers s'échangèrent quelques mots avec le docteur. Alors les badauds commencèrent à se disperser, à commencer par Pit Roy qui se rendit au magasin pour parler de l'accident avec le premier venu.

– Ben moi, j'pense qu'elle avait pas ses licences pour conduire une machine, dit-il à Bernadette qui s'affairait à préparer des états de compte pour les clients retardataires.

– Tu penses, Pit ?

– Si c'est comme ça, vu qu'elle a coupé le chemin en plus, les assurances paieront pas.

– Tu me dis pas ! Mon doux Seigneur, c'est terrible !

Revenu au bureau de poste, Freddy lança de loin :

– Parle donc pas à travers ton chapeau, Pit Roy ! Si c'est pas un suicide, pis ça serait dur à penser d'une fille qui vient de se marier, les assurances vont payer.

– J'disais ça comme ça, Freddy.

– C'est comme j'disais, tu parles à travers ton chapeau... comme ton ami Duplessis.

– Tu sauras, Freddy, que Duplessis a jamais parlé à travers de son chapeau...

À l'extérieur aussi, la vie revenait peu à peu à son cours normal. Philias Bisson jeta un coup d'œil vers Rose et mine de rien, s'approcha du trottoir près de la galerie où elle se trouvait avec la marchande. Puis il se tourna subitement pour dire :

– C'est Lui, en haut, qui mène tout ça. Faut croire que c'est mieux de même, hein !

Les deux femmes acquiescèrent sans rien dire. Il prit la direction de son garage, car même à cette heure du samedi, il réparait des automobiles. Puis il prendrait le temps de bien manger au restaurant, de se laver et d'attendre la brunante pour faire monter Rose dans le rang neuf où elle avait l'habitude de le rencontrer le samedi soir.

Sa maîtresse d'occasion attendit que le docteur quitte la scène, se contentant de l'observer à la dérobée, avant de prendre congé d'Éva. Pas une seule fois, Pit Poulin ne tint compte de la présence de Rose. Il achevait son rapport, assis dans sa voiture, gyrophare allumé. La femme se rendit tout droit au magasin général pour attendre qu'il s'en aille avant de rentrer chez elle.

Et là, elle écouta d'une oreille distraite les échanges de propos entre Pit Roy et Freddy, deux personnages aux allégeances politiques différentes et qui se cabraient sur leurs positions chaque fois qu'ils discutaient, chacun défendant âprement son parti, le maître de poste trouvant un malin plaisir à faire étriver le vieux garçon.

— Rose, lui dit Bernadette qui descendait de la mezzanine, as-tu su pour la petite Diane Carrier ? L'accident tantôt, as-tu eu connaissance de ça ? C'est terrible. Le bon Dieu ait son âme. Pauvre enfant, se marier pis se faire tuer le jour de son mariage... Quel âge que ça avait, cette petite fille-là ? Dix huit ans pas plus...

Les signes de tête de Rose avaient permis à Bernadette de savoir qu'elle ne lui apprenait rien.

— Mais une bonne chrétienne... Elle a pas fêté Pâques avant les Rameaux : qu'est-ce t'en penses ?

— Fêter Pâques avant les Rameaux, ça rend pas païen, ça.

Bernadette fut ramenée par ces seuls mots à la scène particulière dont elle avait été témoin auriculaire dans la salle d'attente du docteur.

— C'est sûr, c'est sûr ! Qui on est pour juger les autres ?

— J'ai jugé personne.

— C'est sûr, c'est sûr ! Je veux dire...

Elle hocha la tête, courba le dos, marcha jusque derrière son comptoir en ajoutant :

— Bon, ça me regarde pas pantoute, tout ça... Parlons de la vie pis laissons la mort passer son chemin tout droit... Qu'elle prenne le bas de la Grand-Ligne, la maudite mort ! Pis surtout, qu'elle revienne pas pour un bout de temps !

Rose parla de façon énigmatique et lointaine :

– C'est un peu ça que me disait Éva tout à l'heure. Mais le grand horloger prend les décisions...

– C'est sûr ! Éva, toi, moi, il nous reste un an, deux, dix, vingt ?

Rose se demanda qui des trois femmes nommées serait la première à partir. En ce moment, ils étaient loin de sa pensée, tous ses parfums, à une éternité de sa pensée...

***

Chapitre 25

Une heure plus tard, le jour même, on frappait à la porte chez Rose. Elle était dans sa chambre à discuter avec elle-même des événements du jour. D'autres qu'elle auraient pris pour une sorte d'avertissement cette mort tragique de la jeune mariée. Au contraire, elle se persuadait chaque instant davantage de la nécessité de tout prendre ce que la vie voudrait lui donner avant de la quitter. Rendue au milieu de la cinquantaine, libidineuse plus que jamais, refroidie une heure ou deux par cette vision terrible du corps sans vie de la mariée, voilà que son désir refaisait surface et qu'elle calculait de nouveau ses coups pour le satisfaire.

Qui donc pouvait ainsi frapper et ne pas se rendre compte qu'il y avait une sonnerie électrique dont il suffisait de peser sur le bouton pour la faire entendre par toute la grande maison ? Elle n'en avait pas la moindre idée et c'est fort surprise qu'elle ouvrit la porte au jeune docteur.

– Je devais venir la semaine prochaine, mais je serai parti

une couple de jours et j'ai pensé venir visiter votre malade aujourd'hui même.

— Ah! mais bon, entrez, entrez...

Ce qu'il fit et il attendit un moment en jetant un coup d'œil sur le salon et les étalages de produits un peu partout, sur la piano, le dos d'un divan, une table basse centrale.

— Un véritable petit magasin de beauté que vous avez là, madame Rose.

— Grâce à moi, y a pas de raison qu'une seule femme de la paroisse soit pas une belle femme.

— Je n'en doute pas une seule minute.

Et le jeune homme y alla de son éclat de rire inadéquat.

Rose sauta sur l'occasion :

— Si vous avez des cadeaux à faire à votre petite amie de cœur...

— Je n'en ai pas pour le moment, mais ça pourrait venir...

Il rit de nouveau.

— Votre mère, vos sœurs...

— Tiens, mais oui !

— Et puis je n'ai pas que ça. Il y en a aussi à l'autre étage. Je vous ferai visiter tout à l'heure si vous avez une minute.

— On verra... Et si on allait voir la malade ?

— Je vous y conduis...

Il la suivit et ils furent bientôt au chevet de madame Joli-cœur qui, éveillée, les regarda sans intérêt.

— C'est le nouveau docteur, madame Jolicœur, dit Rose à voix forte.

— Elle est un peu sourde, j'imagine ?

— Comme un pot. Parlez-lui fort pis elle va peut-être comprendre.

Visage tout en plis, édenté, encadré de cheveux gris et en désordre, la femme néanmoins était propre. Rose lui lavait le corps chaque deux ou trois jours et faisait en sorte qu'elle ne s'échauffe jamais dans sa couche, et l'aidait à se tourner le plus souvent possible pour que des plaies de lit ne l'affligent pas. La vieille dame ne faisait pas forcément au lit et sa gardienne lui mettait la bassine lorsque nécessaire, mais en son absence, elle lui installait une couche de précaution.

Le médecin s'étonna du bon soin qu'il fut à même de constater :

— Je vous félicite, madame Rose, cette personne malade est entre les meilleures mains du monde selon ce que je vois.

— Ça serait pour ça que vous arrivez un peu par surprise ?

— Le hasard fait bien les choses, c'est tout. Laissez-moi vous féliciter encore une fois.

— Je la traite exactement comme je voudrais qu'on me traite si j'étais dans le même état. C'est donnant donnant. Je sais qu'on va me le remettre un jour ou l'autre. À moins que le bon Dieu, s'il intervient en ce monde, vienne me chercher vivement, ce que j'espère pis que je souhaite.

— Elle fait de l'asthme ? Elle a ce qu'il lui faut. Tout est beau.

— Elle est encore capable de se servir de sa pompe elle-même et elle le fait au besoin.

— Comment ça va, madame Jolicœur ?

— Ouen...

Enfin un mot.

— Je serai votre médecin soignant désormais. Je suis le docteur Drouin.

— C'est le nouveau docteur, dit Rose. Comme vous voyez, c'est un beau jeune homme.

Il sembla passer une lueur d'ironie dans le regard de la vieille dame. Mais les deux autres ne la dépistèrent pas.

Encore une fois, Rose avait saisi l'occasion de livrer un message enrobé de miel. D'autres se présenteraient. Suite à cette tragédie du jour et à sa réflexion consécutive plus l'arrivée imprévue de Flavien, elle avait pris la décision de ne pas trop étirer les choses avec lui. Avant qu'une jeune femme ne lui mette le grappin sur le corps, elle tâcherait de lui mettre la main aux collets : celui du cou et l'autre...

Et tandis que le praticien s'affairait à faire travailler quelques muscles de la femme alitée, il lui revenait en tête des phrases qu'elle avait imaginées dans son cabinet. Elle le revit, s'approchant d'elle étendue sur son lit et lui dire :

"Ce sera d'une grande douceur, madame."

"Ça se passera comme vous le désirez depuis toujours."

– Bon, je reviendrai dans un mois ou deux ? dit Flavien qui remettait son stéthoscope dans sa petite valise noire. À vous de décider !

– Disons que vous pourriez revenir au moins à tous les mois. Ce sont ses enfants établis au loin qui paient pour ses soins. Je leur enverrai votre facture et ils vous enverront votre chèque. Ils ont tous de l'argent plein leurs poches. Les Jolicœur sont comme ça : ils savent faire des sous, mais ils se brûlent à l'ouvrage. Chacun ses goûts !

– Tout est bien.

– Venez, je vais vous faire visiter là-haut, lui dit-elle au pied de l'escalier à la sortie de la chambre de la malade.

Il hésita, consulta sa montre :

– C'est que...

– Une petite minute, fit-elle en lui emprisonnant le bras.

Il eut ce rire infantile qu'elle lui connaissait maintenant et la suivit docilement. En haut de l'escalier, elle le planta là en disant :

– J'ai quelque chose à prendre en bas. Je reviens tout de suite. Attendez-moi ici.

Elle descendit, se rendit au salon puis revint vite avec dans la main sa petite bouteille de parfum de santal.

– C'est ma chambre ici... Entrons...

Elle le poussa doucement en avant d'elle puis referma la porte. Pour la première fois, il passa dans la tête du jeune médecin que cette femme pouvait vouloir certaines choses... Mais il chassa l'idée de suite. Ça n'avait pas de sens. Les femmes ne sont-elles pas toujours sur la défensive en cette matière ? Rose n'était pas une prostituée. Comment pouvait-elle se faire attaquante ? Cette femme aurait pu être sa mère... Tout s'emmêlait dans son esprit et Flavien attendit la suite. Elle passa au tutoiement :

– Comme tu peux voir, des produits, c'est pas ce qui manque...

Il promena son regard sur l'étalage de la commode et celui d'une longue table basse sous la fenêtre.

– Mets ta valise sur le lit, là... Tiens, assis-toi, je veux essayer quelque chose...

Il rit mais obéit. Elle se tint debout devant lui et montra sa petite bouteille :

– Tu vas voir que ça sent pas les remèdes...

– Je n'en doute pas.

Elle dévissa le bouchon, tourna le contenant et mouilla son index qu'elle essuya ensuite sur la main du jeune homme.

– Sens-moi ça !

Ce qu'il fit.

– Oui, ça sent bon... la femme...

– Qui sait, peut-être qu'un jour, les hommes aussi s'en serviront.

– Pourvu que ce soit discret, ce n'est pas une mauvaise idée. Je vous en prendrai une bouteille pour... pour ma mère. Je pense qu'elle aimera...

Elle éclata de rire :

– Je cherche pas à te vendre du parfum, mon beau grand.

– Non, mais... Ma mère l'aimera...

Elle referma la bouteille et la mit dans une poche de sa robe.

– Fait chaud aujourd'hui, hein ? Qu'est-ce tu fais pour endurer un veston comme ça ?

– Au bureau, je me mets en sarrau.

La femme colla sa cuisse contre celle de l'homme et elle écarta fermement les revers de son vêtement pour l'aider à s'en départir.

– Tu vas ôter ça pis on va jaser une minute ou deux...

– C'est que...

Même aussi âgé que cinq, six, sept ans, Flavien avait souvent collé sa tête contre le ventre de sa mère pour se faire consoler, réconforter, et voilà que ce vieux souvenir tendre faisait renaître en lui le désir de se laisser cajoler un peu... rien qu'un peu... Et puis cette poitrine opulente, tout comme celle de sa mère, lui donnerait l'impression d'un toit au-dessus de la tête... Il ôta son veston...

– De ce que t'as des beaux cheveux fournis, toi !

Et Rose se mit à peigner sa chevelure avec ses doigts écartés.

– Pis doux... quasiment des poils de chat...

Le jeune homme se laissait gagner par une sorte d'euphorie et la femme le constatait. Au diable le désir qu'on étire comme de la tire, c'est au plaisir qu'elle devait concentrer tous ses efforts, ignorant ses propres pulsions encore faibles mais qui ne tarderaient pas à s'élancer vers les sommets...

– Étends-toi un peu, je vais t'aider à ben filer comme on dit...

Elle le poussa; il tomba sur le dos. Devenue presque féline maintenant, elle appliquait ses mains sur la poitrine vêtue d'une chemise blanche, palpant à la manière d'un chat...

– Je pense que... vous n'avez plus très... mal à l'épaule... madame Rose...

– J'y pense, mais je l'oublie...

– Ah bon !

– C'est grâce à ton examen dans le bureau, dit-elle sans s'arrêter de masser.

Rose chercha à voir quelque chose qui se manifeste, s'érige dans le pantalon... Elle avait connu assez d'amants maintenant pour se contenter d'interroger du regard et sa main gauche glissa vers l'endroit où est le plus vulnérable le mâle humain... Alors qu'elle allait atteindre son but, une voix pointue et lointaine se fit entendre :

– Rose, j'ai vu le docteur entrer ici... C'est Bernadette... Suis allée lui couper de la ciboulette dans mon jardin... Rose... Rose...

Ceci devait couper court à la scène. Rose ne saurait pas si ses avances avaient créé le désir chez le jeune homme. Quant à lui, il savait maintenant que la quinquagénaire avait cherché à s'emparer de son corps... virginal...

Cela illustrait la fragilité de l'expérience amoureuse des hommes et des femmes, toujours à la merci de quelques brindilles de ciboulette...

Peut-être bien, mais Flavien au prochain repas chez lui se

régala, tout comme Gilles Maheux souvent le soir, d'un sandwich au beurre, à la moutarde et à la ciboulette à Bernadette...

***

Chapitre 26

Pauvre Rose forcée de garder Philias comme amant principal et qui dut se rendre compte qu'elle ne progressait guère dans son entreprise de séduction auprès du jeune docteur. Au cours de ses visites à madame Jolicœur par la suite, Flavien emportait dans sa petite valise grise au moins deux bons prétextes pour échapper aux éventuelles avances de la femme.

L'hiver, ce serait la disette pour Rose. Philias, amoureux de sa Pontiac, la remiserait sous plusieurs draps dans son garage et les deux amants ne pourraient plus se voir qu'au printemps à moins de risquer les placotages publics.

Par contre, Georges Jolicœur de Montréal, emporté par son amour filial et stimulé par le quatrième commandement de Dieu, visita plus souvent sa mère alitée mais toutefois, *l'occasion, l'herbe tendre et quelque diable aussi le poussant*, il pécha contre le sixième et le neuvième. Ce n'était pas la première fois...

Pendant ce temps, chez les Maheux, la maisonnée se modifiait rapidement. Tous partis, les plus vieux, les uns après les autres. Et voilà qu'en septembre, le benjamin fut envoyé au collège au loin. C'est le cœur broyé qu'il fit ses adieux à sa Lisette chérie, cherchant la veille de son départ à obtenir d'elle un baiser qu'elle lui refusa sans savoir pourquoi étant donné qu'elle le désirait encore plus que lui...

Ernest fit ses malles en novembre et Gilles le suivit dans les chantiers de Clova en Abitibi. L'adolescent serait assistant de l'homme à chevaux et son père forgeron. Il ne devait plus rester à la maison que Martial et Suzanne.

En décembre, Éva dit à Rose venue au magasin qu'elle ne se sentait pas bien.

– Asteur qu'on a un docteur, attends pas, là, toi !

– J'ai toujours peur qu'il me trouve des maladies...

– Plus vite trouvées, plus vite soignées.

– Quant à ça...

– On se demandait, le jour de l'accident de la petite Diane Carrier, laquelle de nous trois, toi, Bernadette pis moi, serait la première à partir.

– Ça me surprendrait pas que ce serait moi. Je manque d'énergie... Tu sais, depuis que mon frère Fred est mort du cancer, je me dis qu'on est une famille marquée par cette maladie-là... Mon père est mort de même... Des familles, c'est le cœur, d'autres, c'est le cancer... Les Maheux, eux autres, c'est le cœur...

– C'est sûr que si on a le cancer, on veut le savoir le plus tard possible. Mais t'as un bout de chemin à faire avant la soixantaine... Maigris-tu ?

– Non, mais j'engraisse pas non plus.

– Fais comme tu voudras...

– Le docteur, c'est des coûtements itou, hein !

– Il charge pas cher, le petit docteur Drouin.

– Il va souvent chez vous pour madame Jolicœur.

– C'est obligé. Ses enfants veulent ça, tu comprends... Pis tes enfants sont tous partis asteur ? Le Gilles itou, il paraît ?

– Les deux derniers, oui. Un au collège... Il aurait pu faire un prêtre, celui-là. Il aime les études. Travailler la terre ou dans le bois, c'est pas fait pour lui. Le Gilles, c'est le contraire : il voulait gagner de l'argent au plus vite. Comme les autres jeunes de son âge...

– Il va revenir au printemps ?

– Oui.

– Quel âge il a, le Gilles ?

– Seize ans. Pis l'autre quatorze. Deux ans de différence, mais le dernier est aussi grand.

– Georges pensait qu'ils étaient deux jumeaux.

– Georges ?

– Le garçon à madame Jolicœur. Il vient voir sa mère une fois par mois.

– C'est beau, un fils qui s'occupe de sa mère comme lui.

Rose regarda loin en elle pour dire :

– Oui, c'est beau, c'est beau...

Le jour suivant, Éva se rendait voir le médecin. Il l'examina après les questions usuelles et lui fit une prise de sang qu'il envoya à l'hôpital pour analyse. Quinze jours plus tard, il la convoqua et lui annonça qu'elle avait des problèmes à l'utérus et que la grande opération était de mise.

– Ça pourrait devenir cancéreux; vaut mieux agir tout de suite.

Terrifiée par le mot cancer, la femme accepta et la date de l'intervention fut fixée au début de février.

Elle eut lieu mais il était beaucoup trop tard. Il ne restait plus à la femme que trois mois à vivre. On lui cacha son état et quand son fils benjamin la visita à l'hôpital, il sut par sa sœur que sa mère était atteinte d'un cancer et qu'il devait se contenir devant elle. On voulait que ce soit le curé Ennis qui lui annonce l'affreuse nouvelle et la rassure sur sa vie éternelle, ce qu'un jeune adolescent n'aurait jamais su faire, bien entendu, ne possédant pas, lui, de ligne téléphonique directe avec le ciel...

Le dimanche, premier juin, le corps d'Éva était exposé au salon funéraire de la salle paroissiale. Rose et Bernadette s'attendirent sur le chemin y conduisant et se retrouvèrent côte à côte devant le cercueil.

– Si jeune, c'est pas croyable, murmura Bernadette.

– C'est ben elle pareil, hein ! On dirait qu'elle va nous parler.

– Malgré qu'elle a fondu à cause de sa maladie.

– Ah ! elle est ben heureuse asteur. Elle a souffert le martyre : pauvre elle...

Au même moment, dans plusieurs dizaines de salons funéraires du Québec, devant plusieurs dizaines de dépouilles, il se disait les mêmes mots vides de sens... mais qui faisaient partie d'un rituel incontournable.

Quelle meilleure occasion de parler pour ne rien dire que devant la mort qui laisse tout le monde bouche bée ?...

***

Chapitre 27

Dans un petit village, les choses arrivent à leur heure quand on est en 1958. Mais, dans la Beauce, il se trouve depuis les débuts de la colonie que l'on a vécu à l'heure légèrement avancée, hiver comme été. Ça n'y paraît pas, mais le Beauceron, ascendance abénaquise aidant, a toujours eu moins peur que d'autres de la chose du sexe et de ses affreux péchés en dépit des menaces de mort éternelle proférées par une religion victorienne et victorieuse, garrochées du haut des chaires éloquentes, répétées là-bas comme ailleurs par la culture Avon colportant ses masques de beauté d'une porte à l'autre.

Oh! mais pas du tout par une vraie dame Avon comme Rose de St-Honoré qui avait repris entière possession de son corps et de son âme en 1950. Et l'avait fait malgré les obstacles d'ordre religieux, culturel, économique voire politique. Car des cœurs secs, inspirés par Duplessis vs les Témoins de Jéhovah, avaient suggéré le contrôle du 'porte à porte' dans la paroisse afin d'exercer une pression sur la représentante pour qu'elle reprenne le droit chemin, c'est-à-dire le même que les autres paroissiens...

Même le curé Ennis, loin de se faire l'instigateur d'un tel projet, s'était inscrit en faux devant pareille initiative. Maugréer, morigéner, frapper du poing sur la table, peut-être, et chasser les pédophiles sûrement, mais encarcaner les citoyens, leur enchaîner l'âme par des moyens relevant de la petite politique, le personnage était trop grand pour s'y adonner et pour s'abaisser à ce trop bas niveau.

"On ne sauve pas quelqu'un par la force !"

Ce 'crois ou meurs' déguisé, caché sous les apparats de la vertu démocratique, très peu pour cet homme pourtant autoritaire !

"Il appartient à Dieu de juger !"

Et il lui appartenait encore moins de présumer que Dieu jugeait comme ceci, comme cela, bénissait celui-ci, maudissait celui-là.

Rose lui déplaisait hautement depuis l'année sainte. Rose avait des amants et il le savait par les ragots et les probabilités, et les confidences d'un adolescent. Mais Rose ne détruisait personne sciemment. Rose lui déplaisait certes, mais il l'aimait comme un bon père de famille aime tous ses enfants, même et surtout ses enfants prodigues.

Avec un faible pourtant, un petit faible pour la bourgeoisie du cœur du village et sa si belle jeunesse capable de faire honneur à SA paroisse.

Jean-Louis Bureau militait depuis quelques années dans le parti libéral. En toute discrétion, il établissait des contacts par tout le comté, utilisant à plein le téléphone pour amadouer celui-ci de Sainte-Marie, féliciter celui-là de Saint-Joseph, stimuler cet autre de Beauceville.

Encore dans la vingtaine jusque voilà deux ans, on ne l'aurait guère imaginé candidat à une élection. La Beauce préférait les politiciens un peu plus mûrs à cause de leur sagesse, leur expérience, leur plus grande résistance à la corruption et à l'embrigadement qui aveugle. Mais surtout, la Beauce, depuis toujours, aimait voter pour des hommes d'exception. À commencer en 1792 par Gabriel-Elzéar Taschereau, soldat et père de 32 enfants bien comptés et Louis de Salaberry, héros de Châteauguay. Puis, toute catholique et francophone qu'elle fût, la Beauce avait élu député un Allemand protestant, un dénommé Pozer en 1867. Au cours de la Première Guerre, il lui arriva de réélire son député, le docteur Béland, qui était absent, prisonnier des Allemands en Europe. Elle se donna aussi comme représentants Édouard Lacroix, figure légendaire du monde des affaires, Henri Renault, beau-père du premier ministre canadien Louis Saint-Laurent, Ludger Dionne, un industriel qui en 1947, fit scandale en 'important' de Pologne un contingent de jeunes travailleuses, et enfin des indépendants comme Arthur Godbout (qui se ralliera au parti libéral) en 1902 et le docteur Poulin, député aux Communes depuis 1949.

Un homme imbattable que ce Raoul Poulin aux dires de Pit Roy. Le meilleur homme politique au Québec à l'exception de Duplessis, toujours selon le vieux garçon que les élections passionnaient.

Et il en venait une au fédéral en ce début d'année.

Jean-Louis Bureau se présenta à la convention libérale et l'emporta sur Ludger Dionne qui fit office de figurant mais qui n'avait aucune envie de se faire battre à plate couture par le populaire député sortant qui n'aurait pas manqué de mettre en avant-plan l'affaire des Polonaises, vieille de dix ans.

Avec un indépendant à Ottawa, la Beauce était assise entre deux chaises comme elle aimait le faire parfois pour bien affirmer son indépendance d'esprit et sa capacité d'échapper aux vagues politiques, faute de pouvoir échapper aux glaces de la Chaudière à chaque venue d'un printemps furieux...

"C'est trois chaises qu'il nous faut, pour que le bon docteur Poulin tombe sur le derrière," affirma Laurent Bilodeau nommé organisateur en chef de Jean-Louis. "On a besoin d'un troisième candidat fort. On a le bloc libéral bien enraciné et indestructible. On a le bloc adverse qu'il faut diviser par le milieu..."

Aussi simple que ça !

Et il fut suscité une candidature conservatrice avec la connivence du parti, maintenant dirigé par un certain John Diefenbaker.

La démocratie a ceci de particulier que très souvent, elle ne porte pas au pouvoir la majorité. La campagne électorale fut menée avec vigueur dans les trois camps et tous les "prévisionnistes" s'entendaient, une semaine avant le scrutin, pour affirmer qu'au fil d'arrivée, grâce au porte à porte des travailleurs d'élection, le face à face politicien aboutirait au nez-à-nez. Mais une longueur de nez d'avance suffisant, une majorité des deux tiers se retrouve alors dans l'opposition.

L'indépendant fut battu. Le conservateur aussi. Et leurs chaises devinrent un seul siège occupé par Jean-Louis Bureau, tandis que ses adversaires tombaient sur le cul.

Pour Pit Roy, voter libéral eût été pire que de contracter la syphilis; le jour de la défaite du docteur Raoul, il pleura en vingt-quatre heures l'équivalent de trois jours entiers au moins. Une pluie de larmes tombant par averses...

Mais une fois encore, la Beauce se retrouvait dans une drôle de situation. Dans tout le pays, cette victoire libérale était le seul gain du parti car le raz-de-marée conservateur avait presque tout balayé sur son passage, de Halifax à Vancouver.

Bleu jusqu'aux yeux, le curé Ennis renonça à lui-même dans un sens et se rallia à son autre voix intérieure, celle de la fierté paroissiale, pour appuyer Jean-Louis. St-Honoré fut rouge aux trois cinquièmes.

Rose vota pour le petit gars de la paroisse.

Quelques jours plus tard revint du collège pour une semaine de congé un autre petit gars du cœur du village : le André dont la mère était morte depuis un an. Rose ne l'avait plus revu depuis le salon funéraire. Quel changement ! Il était devenu un homme. Du moins en taille. Il lui fut donné de le rencontrer au magasin général et elle le questionna :

— T'es en quelle année, là, au collège ?

— Onzième.

La femme s'exprima avec un faux étonnement :

— Hein ? Onzième année !

L'adolescent ne savait quoi dire de plus et, sourire léger, il attendait la suite. Elle reprit :

— Qui c'est qui est en tête de ton collège... je veux dire, c'est-il des prêtres qui te font l'école ?

— Non, pas des prêtres, c'est les frères des Écoles chrétiennes.

La femme cacha son souci derrière les verres de ses lunettes et jusque derrière ses yeux eux-mêmes. Un si beau jeune homme entre des mains de frères... Ouf ! que risquait-il de lui arriver ? Ça lui donnait une raison d'intervenir afin, si possible, de faire son éducation sexuelle, à cet adolescent trop vulnérable. Que viennent les vacances d'été et elle tâcherait d'y voir. Du haut du ciel, Éva ne pourrait que l'en remercier et même l'aider à faire du garçon un vrai homme mur à mur.

– Les frères des Écoles chrétiennes, reprit-elle en rapetissant ses yeux.

– C'est ça.

De ce qu'il paraissait naïf et candide dans son regard juvénile et trop confiant ! Alors elle se demanda quel parfum elle pourrait bien lui associer. Qu'il avait donc de beaux cheveux ! Et propres. Pas comme ceux graisseux, huileux de Philias dont elle était assez lasse... Odeur de pêche, de mûre, d'azalée, d'iris, de menthe ? Non, tiens, la rose. Pour la chance. Parce qu'il était le plus pur parmi les candidats à la fusion... Que non, elle ne se priverait pas d'essayer de le conduire à son lit à cause de son jeune âge ! Elle lui enseignerait les meilleurs trucs; elle en ferait un soldat inépuisable. Et personne pour s'interposer : Ernest toujours ailleurs, Éva à jamais ailleurs...

Bernadette, qui écoutait de loin, décida de venir. Elle marcha depuis le bureau de poste en chantonnant pour qu'on l'entende bien, et vint jusqu'au comptoir où le jeune homme et Rose attendaient le retour de Freddy pour les servir. Elle dit avec son grand regard joyeux :

– Si c'est pas André ! En congé pour quelques jours ?

– Une semaine.

Puis s'adressant aux deux :

– C'est le printemps : il fait donc beau aujourd'hui !

– On peut pas faire mieux.

Le marchand revint de l'entrepôt avec sur l'épaule une caisse de biscuits au thé et à la bouche sa pipe fumante. André se détacha des deux femmes et redit ce qu'il désirait :

– J'en veux une livre.

L'homme posa précautionneusement la boîte sur le comptoir et l'ouvrit puis secoua un sac brun pour l'égueuler. De sa main droite, il coucha sa pipe sur la partie vitrée du comptoir, se pinça le nez pour l'assécher de quelques gouttes de roupie et plongea les doigts dans les nobles biscuits dont il s'empara d'une pile de douze au moins. Il coucha le sac dans la cuve de la balance et y jeta sa poignée. Ensuite, il ajusta la pesée à seize onces... Et puis non, il y mit dix-huit onces mais en chargerait seize seulement. Le petit gars était orphelin de mère et il le prenait en pitié.

– Va-t-il te falloir d'autre chose aujourd'hui ?

– Un paquet de tabac Lasalle.

– As-tu commencé à fumer ?

– C'est pour Martial.

– Opéré des poumons, il devrait pas fumer, lui.

Bernadette intervint :

– Je passe mon temps à lui dire, à Martial.

– Il dit que la tuberculose existe plus, fit l'adolescent.

– Mais le cancer du poumon, ça existe encore, hein...

Freddy jeta deux autres biscuits dans le sac puis le ferma bruyamment en froissant le papier le plus qu'il put. Et il le jeta à côté de sa pipe qu'il se remit en bouche.

– Vous aussi, monsieur Grégoire, vous devriez arrêter de fumer, dit le garçon avec un regard ironique.

Le marchand le regarda et se contenta de rire à mi-voix étouffée.

– Tu te fais parler, hein, Freddy ? dit Bernadette.

La porte du magasin s'ouvrit tout à coup et le docteur Drouin parut, qui venait mettre des petits colis à poster.

– Quen bonjour docteur Flavien ! lança Bernadette la première.

– Ouais ! salua Freddy à sa manière bourrue et fuyante.

– Je vous salue tous, fit le médecin qui s'arrêta pour le faire aussi de la tête.

Rose attendait qu'il s'exprime le premier et dit alors :

– L'homme que je voulais voir... pour prendre rendez-vous pour ma malade.

– Elle va plus mal ?

– Je commence ma 'ronne' Avon pis je voudrais pas m'inquiéter.

Le docteur posa les yeux sur l'adolescent, recherchant dans sa mémoire son identité puisqu'il se souvenait de son visage. Et il répondit en le détaillant de la tête à la ceinture :

– Je le pourrais aujourd'hui même... dans une heure ou deux.

– Ça irait...

André leur tourna le dos pour prendre possession du tabac et pour payer sa commande. Puis il se retourna.

– Salut, jeune homme ! dit Flavien. Ça va bien ?

– Ben... ouais...

– En congé on dirait ?

Le docteur parlait à tâtons et ignorait toujours à qui il avait affaire.

– Oui.

Bernadette intervint pour harmoniser les choses :

– Notre André, c'est un premier de classe, hein ! Comme on dit : intelligent comme un singe !

Le médecin éclata de son rire niais :

– Ça serait mieux d'être intelligent comme un homme...

André fronça les sourcils, s'imaginant qu'on se moquait de lui. Pas Bernadette qui respectait trop tout le monde pour ça, mais cet homme qui avait soigné sa mère durant son agonie de l'année précédente et qu'il avait connu alors.

– Tu voulais pas quelque chose, Rose ? demanda Freddy par-dessus le rire de sa sœur.

– Je reviendrai plus tard, je retourne à la maison.

Et elle quitta, disant :

– Je vous attends dans une heure ou deux, docteur.

– C'est ça...

Et s'adressant à l'adolescent qu'il reconnaissait enfin, le docteur demanda :

– T'as quel âge maintenant, mon petit Maheux ?

– Seize.

Le jeune médecin, qui possédait de sérieuses ambitions politiques, stimulé par la récente victoire de Jean-Louis Bureau, un gars de la place comme lui et dont il était devenu un ami, savait qu'il lui fallait cultiver son électorat longtemps d'avance et se préparer des travailleurs d'élection jeunes et dynamiques. Et les recruter de préférence chez ceux qui se faisaient instruire.

– Et tu te diriges vers quoi avec tes études ?

– Sais pas... Géologie, j'aimerais... Ça va dépendre de l'argent...

– Duplessis va se faire battre... il s'en vient une nouvelle ère. Ce sera plus facile de se faire instruire...

Alors l'homme s'éloigna tandis que l'adolescent quittait les lieux.

– Ça nous ferait un bon député au provincial, dit Bernadette à voix basse à son frère.

Freddy haussa les épaules et marcha vers le bureau de poste sans rien dire mais en pensant pour lui-même : "Quoi c'est qu'une femme peut connaître là-dedans ? Pauvre Bernadette qui placote, qui placote, placote..."

Deux heures plus tard, tel que prévu, le docteur entrait chez Rose et se dirigeait tout droit à la chambre de la vieille dame alitée. Il lui passa les examens de routine et constata une fois de plus que son état était des plus stables.

Quand il sortit de la chambre, il se heurta dans le couloir à une Rose qui lui barrait le chemin :

– Toujours aussi pressé, Flavien ?

– Y a beaucoup de gens à soigner; la population vieillit, vous savez.

– Dis-moi : ça fait quoi pour se divertir, un beau jeune homme comme toi ?

Il rit un peu, regarda par-dessus son épaule, tourna sa tête pour jeter un œil sur la malade mais ne put la voir dans cet angle.

– Toutes sortes de choses que vous n'imaginez pas...

Elle avait mis une robe avec un décolleté profond que Georges Jolicœur lui avait offerte mais qu'elle n'aurait jamais mise pour sortir de la maison sous peine de se faire crucifier par tous, y compris l'aveugle Lambert...

Elle n'était pas femme à susurrer et à parler à voix langoureuse, et c'est froidement qu'elle lança comme dans une sorte de défi :

– Quand est-ce qu'on finit ce qu'on a si bien commencé la première fois que t'es venu ici ?

Il hésita, balbutia :

– Sûrement pas ici... y a madame Bernadette qui pourrait surgir à tout moment avec sa ciboulette...

– La ciboulette, c'est l'été, voyons, cher docteur.

– On pourrait en discuter une prochaine fois.

– Pas question, c'est maintenant qu'il faut décider.

L'homme ne savait plus comment s'opposer à cette volonté, à cette autorité maternelles.

– Je veux quatre bouteilles de votre meilleur parfum. Pour quatre personnes différentes : ma mère, ma sœur, ma nouvelle amie.

– Bon... et qui est la quatrième ?

– En fait, c'est trois, mais je garderai l'autre en réserve...

Ils se regardèrent un long moment droit dans les yeux. Elle devinait pourquoi il repoussait ses avances : il craignait pour sa réputation advenant une indiscrétion de sa part à elle ou celle d'autres qui les surprendraient en flagrant délire...

Elle baissa les yeux vers son entrejambe dans l'espoir d'y déceler quelque chose : le complet tombait droit. Flavien recula de deux pas pour être dans le champ de vision de la malade. Rose soupira, hocha la tête.

– Bernadette pense que tu devrais te présenter en politique, fit-elle en tournant les talons pour regagner le salon à la recherche des bouteilles demandées.

– Ça se pourrait, ça se pourrait... On sait jamais...

– Ta... petite amie, quelle sorte d'odeur aime-t-elle ?

– Sais pas... Nommez-en, je vais vous le dire...

– Musc, muguet, lilas, violette, pêche, nénuphar...

– Nénuphar, ça irait...

– Va pour nénuphar...

***

Chapitre 28

Parti avec son père pour les chantiers où il fut adjoint au palefrenier (*en bon français le show-boy*), Gilles Maheux trouva, le printemps suivant, un emploi à Montréal où il s'établit chez de la parenté. Toujours frondeur, parfois agressif, moqueur surtout, tout cela avec ceux de son propre sexe, il devenait d'une timidité pitoyable devant les jeunes filles. Complexé par son acné durable mais pas si apparente que son miroir ne voulait bien le suggérer à ses peurs, craignant sans cesse de se retrouver sans le sou en vertu d'un atavisme transmis par son paternel, maigre comme un bicycle, il ne parvenait qu'à balbutier en présence des adolescentes de son âge dont plusieurs étaient déjà mariées par ailleurs. Et quand il lui était arrivé d'en demander une à danser, c'était sous l'influence de l'alcool. Comble de malheur, son organisme était réfractaire à l'alcool et pourtant, son grand-père côté maternel avait passé une partie de sa vie chaudasse, redisait souvent Éva de son vivant... Faut croire que ses gènes de ce versant étaient eux également d'une timidité consommée...

Alors il s'était mis à fumer comme une locomotive. Et

parfois, le soir, la fin de semaine, il allait marcher sur la 'main' et passait devant les prostituées étalées sans même leur jeter un coup d'œil de près et filait, refoulé, jusque chez lui. Et si l'une d'elles osait l'aborder, il lui lançait une phrase 'one way' à l'inverse de sa pensée :

– Veux-tu ben me laisser tranquille...

Et quand il revenait à la maison, c'était pour annoncer fièrement à son gros beau-frère qu'il cherchait à battre sur tous les plans :

– J'ai vu telle ou telle célébrité...

Jacques Normand un soir, Gilles Pellerin une autre fois, Denis Drouin, Paul Berval, Béatrice Picard, Dominique Michel ou bien Stan Labrie, Ti-Mé Plouffe, Beau Blanc...

C'est une auto qu'il lui fallait pour devenir quelqu'un. "Flambante neuve." Flamboyante. Son choix était fait dans sa tête : une Chevrolet Impala 59. Noire. Peut-être blanche...

Mais il y avait le prix élevé à considérer, la peur de se retrouver cassé comme un clou sans personne pour l'aider, le cul dans la rue...

– Un 'char neu', ça coûte cher en saint Cibole asteur, répétait-il à tout moment, à tout venant.

Quand il eut mille dollars en caisse, il se rendit chez un concessionnaire d'autos, rue Beaubien. Il parla aux trois vendeurs puis, mentalement, choisit le plus vulnérable. Le jour suivant, il y retourna et s'attarda près de l'Impala noire qu'il préférait entre toutes, et qu'on avait bichonnée, et qui trônait dans la grande vitrine. Quand le vendeur qu'il avait sélectionné s'approcha, il parla de ses revenus d'emploi qu'il multiplia par presque deux ainsi que de son compte en banque lui-même surévalué. Puis il quitta les lieux rapidement sans plus. Trois jours plus tard, un vendredi, il retourna admirer la voiture et s'avoua presque mûr pour l'acheter.

– Si je peux l'essayer en fin de semaine, je reste à côté, pas loin...

Et il montra son permis de conduire.

Le vendeur se rendit parler à son directeur, argua que le lundi matin, la transaction serait bâclée, fit valoir le porte-feuille du jeune homme et revint, triomphant :

– On te la passe, mais pas plus de millage que vingt milles si tu l'achètes pas; autrement, ça va te coûter une piastre du mille.

Gilles éclata de son rire clair et espiègle :

– Ça veut dire que si je m'en vas dans la Beauce, ça va me coûter 350 piastres ?

Le vendeur répondit du tac au tac :

– À peu près ça. Pis si tu vas en Gaspésie, en revenant, tu vas nous devoir plus que le char vaut...

Une heure plus tard, après avoir pris une petite trousse de voyage au passage, il fonçait tout droit vers la Beauce et les 180 milles à parcourir, aller seulement. Il frappa à la porte de chez son père vers minuit et après s'être entretenu un moment avec frère aîné, il prit une nuit de repos.

Pas tard le samedi matin, il se rendit au garage et demanda à Philias de décrocher la chaîne de l'odomètre et de ramener les roulettes de l'appareil à quinze milles.

– J'ai pas le droit, mon gars, de faire ça...

– Quand on n'a pas le droit, on prend le pouce...

Cette réponse gamine et fantasque aurait suffi à enlever le morceau, mais effrayé par la facture au retour si l'odomè-tre ne devait pas être traficoté, le jeune homme ajouta le chantage amical et joyeux à la promesse des vingt dollars faite auparavant :

– Pis, Philias, fourres-tu encore la femme à Gus ?

Le garagiste baissa la tête pour le toiser par-dessus ses lunettes, l'œil indécis entre la menace et un certain plaisir masochiste, et il finit par répondre :

– Ça, mon Gilles, c'est quelque chose qu'il faut pas dire à

gauche pis à droite...

– J'ai pas à en parler : c'est pas de mes affaires pantoute.

– Content que tu me le dises !... Je vas te l'organiser, ton compteur de millage, mais ça itou, ça va se passer rien qu'entre toi pis moi.

Cette sorte de complicité avait le pouvoir d'exalter le cœur du jeune homme et Philias put le lire dans son rire. Il le questionna néanmoins en ouvrant le capot :

– Comment c'est que tu peux dire ce que t'as dit sur la mère Rose d'abord que tu restes à Montréal, ça fait un bout de temps déjà ?

– Je te voyais faire le soir quand j'étais par icitte.

– C'est quoi que tu voyais ?

– Tu la faisais embarquer...

– Ça veut rien dire...

– Je vous ai vus faire dans la sucrerie à Lorenzo... pis dans le bois des Lachance au Petit Shenley... pis dans le rang du moulin à carde...

Philias se pencha sur le moteur; à l'aide d'une clef se mit à dévisser un boulon :

– Pis t'as dit ça à tout le monde ?

– Pantoute, Philias ! À personne...

Le mécanicien qui connaissait bien les engrenages dans un moteur savait qu'il s'en trouvait aussi dans le cerveau humain. Pour être sûr de faire taire ce jeune homme à demeure, le mieux serait de le plonger dans le même bain. C'est-à-dire dans le même vagin... Il avait rendez-vous avez Rose ce soir-là : ce serait le bon moment...

– As-tu déjà couché avec une femme, mon Gilles ?

– Ben... c'est pas de tes affaires...

– Ah ! ça veut dire que non... Pis si tu l'as pas fait encore, ça veut dire que ça fait six, sept ans que tu te couches sur ton mal le soir... Si tu veux, moi, je pourrais t'arranger ça aussi ben que ton compteur de millage... Si tu veux savoir c'est quoi, une femme, t'as qu'à me dire que t'es d'accord... Mais des jeunes de ton âge, c'est pas mal peureux... des femmes... Sais pas pourquoi parce que c'est à ton âge qu'un mâle est le plus fringant... As-tu peur de ce que je vas t'offrir ?

– Peur, moé ? Hey...

– La Rose, c'est une belle femme... Proche soixante, mais pas une jeune fait ça comme elle... Tiens-toi prêt... à dix heures à soir, tu vas chez eux à pied, tu sonnes pis c'est fait... Simple de même !

– À noirceur ?

– À noirceur, certain, à noirceur. Tu veux pas que le monde parle...

– C'est une farce, ça, là...

Philias releva la tête et la garda penchée pour ne pas se cogner au capot; il dit le plus sérieusement du monde :

– Des farces... j'fais pas de farces avec ça, moi, mon gars. Dix heures à noirceur... Tu sonnes trois coups... un, deux, trois... Pis tu vas sortir de là aux petites heures du matin pis tu vas aller te coucher heureux comme un roi... Y a juste une affaire par exemple...

– C'est quoi ?

– Tu vas sentir le parfum pour trois jours.

Excité, harcelé par la fixation de son imagination sur les gros seins de Rose qu'il avait vus quand il était enfant en 1950, embusqué derrière le divan dans le magasin de sa mère, tandis que la femme essayait une nouvelle brassière, il bredouilla (*relaté dans Rose*) :

– Pis... c'est quoi... quoi qu'il va se passer... c'est que je vas faire, moé...

– T'auras juste à peser sur le bouton de la sonnette... Tout le reste, ça va se faire tout seul...

Quand le travail fut terminé, que le garagiste fut payé, le

jeune homme se remit au volant. Philias lui dit en désignant sa montre :

– Dix heures à soir... Pas neuf, pas onze, dix...

– Ben... ouais...

– Quel âge que t'as déjà ?

– Dix-neuf ans.

Philias insista de la voix et de signes de tête :

– Dix heures, dix heures...

*

La femme protesta quand Philias lui fit part de sa demande dans l'auto cachée sous les arbres :

– C'est quasiment de la prostitution.

– C'est de la politique.

– La prostitution la politique : c'est pas mal pareil.

– Fais-moi pas accroire qu'un petit jeune de dix-neuf ans, ça te tente pas.

– T'es pas jaloux plus que ça...

– Si tu me lâches pour un autre, c'est pas pareil; là, c'est une fois en passant, pis le Gilles s'en retourne à Montréal dimanche.

– Il va placoter à son frère, son père...

– C'est justement pour qu'il placote à personne... sur nous autres...

La femme se laissait tirer l'oreille, mais au fond, elle brûlait d'envie d'accepter. Elle aurait dans son lit chez elle au propre un jeune homme vigoureux qu'elle avait vu grandir et que tout le monde aimait à cause de son rire et de ses coups pendables... Visa le noir, tua le blanc : c'est André qu'elle avait entrepris de cultiver, c'est Gilles qui lui était offert sur un plateau d'argent. Et puis les années aidant, elle avait de moins en moins le temps d'étirer le désir...

– Si tu penses que c'est mieux de même.

– Y a juste une affaire...

– Quoi ?

– Tu me diras ce qu'il s'est passé avec lui.

– C'est ben correct...

– Pis une autre affaire...

– Quoi d'autre ?

– Fais-lui une bonne 'job'...

– Comme avec toi : de mon mieux...

– Tant mieux !

Pendant ce temps, embusqué dans son Impala, au fond de la cour, invisible aux passants qui du reste ne passaient plus à cette heure, Gilles attendait, l'œil mouillé, le cœur battant, le sexe bouleversé...

Il avait tout le mal du monde à se retenir de ne pas se toucher, sachant qu'il se déverserait dans son pantalon... Il lui arrivait de se demander si Philias ne voulait pas lui jouer un tour puis il trouvait assez de lucidité pour analyser la situation et en conclure que pareille chose était impossible dans les circonstances et que le rêve était bel et bien une réalité. Une réalité qui se confirmait près de deux heures plus tôt, à la brunante, quand il avait vu Rose sortir de chez elle et marcher vers le bas du village, probablement pour entrer dans le rang neuf et y avancer jusqu'à la côte où on la perdrait de vue, puis, un quart d'heure plus tard, quand Philias était passé dans sa Pontiac éclatante, roulant dans la même direction...

S'il avait eu des yeux radioactifs, il aurait certes usé les aiguilles lumineuses de sa montre à force de les consulter. Voilà qu'il manquait trois minutes pour dix heures. Le moment était venu de quitter l'auto et de s'approcher du chemin, de s'embusquer au coin de la maison pour voir Rose descendre de voiture et entrer chez elle...

Ce n'est pas le douceur de la nuit ni l'humidité très faible de l'air ambiant qui tout à coup lui donnèrent de sueurs au front et au corps, mais ses nerfs. Sueurs chaudes puis froides quand parut et emprunta le chemin de la grange à Freddy la rutilante voiture qui ne tarda pas à revenir et à reprendre la rue principale vers chez Philias.

L'adolescent dut se plaquer contre le mur pour échapper aux lueurs des phares comme si son complice était soudain devenu un danger à éviter... La femme parut bientôt à son tour, marchant de son pas décidé. Elle coupa court par le terrain de Bernadette et continua...

Le jeune homme aurait voulu mourir. Moins sceptique, il eût prié le ciel de lui venir en aide. Mais le ciel devait lui en vouloir pas mal depuis qu'il en avait ri copieusement en 1950 en fabriquant de toutes pièces cette histoire des apparitions. Il bougea une main et pensa que cela causerait un tremblement de terre. Comment arriver à bouger aussi les jambes ? Et le reste du corps ? La chaleur augmenta. Mais les pulsions sexuelles le désertèrent. Ce qui l'incommodait le plus, c'était la distance à parcourir pour arriver à ce 'piton de sonnette' : au moins cent pas, peut-être deux cents... Son corps pesait une demi-tonne pas moins...

Rose ralentit le pas. Elle chercha du regard en avant, sur les côtés, tourna un peu la tête pour explorer l'obscurité le long de la maison d'en face, de celle de Bernadette. Tiens, le jeune homme était peut-être embusqué derrière la grotte, caché par la statue de la Vierge ? Elle poursuivit, atteignit la jonction des deux trottoirs puis emprunta celui qui la mena à l'escalier et monta...

Gilles parvint à s'arracher des griffes que lui plantait dans le dos la maison qui l'avait vu naître, et il ramassa tout ce qui lui restait d'énergie pour le canaliser vers ses seules jambes qui l'emmenèrent au trottoir puis vers chez Rose... À chaque pas, son cœur frappait dans ses pieds plus fort qu'un marteau-piqueur.

Rose entra et pivota aussitôt sur elle-même pour garder

un œil dans le mince entrebâillement de la porte. Gilles passait sous le lampadaire et elle le vit. Elle sourit et laissa la porte se refermer pour attendre à côté dans l'ombre...

Surnommé la souris par certains, Gilles avançait sans le moindre bruit. Il se rendit jusqu'à hauteur de la porte de Rose. Il restait la rue à franchir, le trottoir, l'escalier, la galerie... le 'piton de la sonnette'... Mais voici que des phares parurent en haut du village... Il devait se cacher pour ne pas être vu et ça lui donna la force de traverser la rue pour disparaître à côté de la maison... La femme le vit venir puis bifurquer. Quand l'auto fut passée, elle sortit et se rendit au bout de la galerie :

– Tu peux venir, mon petit Maheux...

Silence.

– Es-tu là, Gilles ?

Rien.

– Je sais que t'es là, je t'ai vu... Viens là... pis tusuite...

Le jeune homme se glissa le long du lattage et fut bientôt dans l'escalier.

– Viens, rentre, dit-elle de sa voix autoritaire.

Elle le précéda, tint la porte. Il se dépêcha de dire tout d'un trait comme pour être certain de finir et en guise d'excuse :

– C'est Philias qui m'a dit de venir vous voir.

– Laisse faire Philias; ce qui va se passer, c'est entre nous autres... Viens avec madame Rose, viens...

Elle le prit par le bras et les fit s'arrêter dans le clair-obscur né d'une lumière faiblarde venue du couloir :

– Attends une minute, je reviens...

Elle fit sa visite à la malade. Pendant ce temps, le jeune homme était pris de panique, prêt à prendre ses jambes à son cou sans parvenir à les soulever parce que ses pieds étaient pris dans le ciment.

On le prit par la main. Il tressaillit.

– Suis-moi en haut...

Ils y furent en vingt secondes, lui docile, elle forte. Familière avec les lieux et soucieuse de ne pas effrayer le petit oiseau, Rose ne fit pas de lumière et le mena au lit :

– Assis-toi pis ôte ta chemise pis tes pantalons. Mets tout ça au bout du lit, là... Attends-moi, je vas revenir...

Il lui fallait un parfum; elle retourna en bas. Muguet ? Lilas ? Menthe ? Tiens, à la rose... Non, elle avait déjà réservé cette odeur... pour le jeune frère de Gilles... quand viendrait son tour. Lilas : voilà !

– Étends-toi, lui dit-elle quand elle fut de retour.

Elle l'aida :

– Sous le drap... comme ça...

Il sentit l'odeur quand fut ouverte la bouteille et qu'il se fit oindre.

– Comment ce que t'aimes ça ? Ça sent bon, hein ?

– Ben... ouais...

Puis ce fut silence. La femme ôtait ses vêtements. Il entendait ses gestes, les devinait, et les soupirs de Rose ponctuaient l'attente.

– T'as jamais fait ça, hein, mon Gilles ?

– Ben...

– Crains pas : je vas tout te montrer ce qu'il faut faire.

– Ah...

Il sentit soudain son poids sur le bord du lit, sa chaleur et les craquements du sommier. Et une autre odeur que celle du lilas dont elle l'avait embaumé auparavant. Étrange senteur qui entra en lui jusqu'en ses substances les plus libidineuses pour les réchauffer singulièrement.

Mais la nervosité empêchait encore la rigidité requise pour accomplir le rituel tant attendu et rêvé depuis des années. Rose laissa couler sa main sur cette chair encore juvénile et se rendit compte de la situation. Alors elle lui prit les mains et, encore assise, les lui plaqua sur ses seins charnus, l'une sur chacun. Il se produisit en lui une double décharge électrique, comme si ses doigts et ses bras avaient été des gros fils conducteurs et les seins des électro-aimants.

– Amuse-toi, mon beau... Comme quand t'étais petit gars... Je t'avais vu, cette fois-là, dans le magasin de ta mère.

Il ne dit rien mais devint fébrile.

– Pas trop fort, c'est pas en caoutchouc... Pis tu peux les embrasser si tu veux... Pis tu peux les sucer si tu veux...

Rose savait à quel point la noirceur excite le désir, surtout si les mots sont mis de la partie et c'est pourquoi elle parlait à tout bout de champ. Faire l'amour à la clarté et sans rien dire : très peu pour elle. Bon pour les chiens !...

– Oui, comme ça... Hum, tu tètes bien... L'autre... Oui...

Elle se fit la main molle qu'elle promena lentement sur lui, du genou vers le ventre, accrochant légèrement au passage la verge prisonnière du caleçon. Puis elle s'étendit sur le dos et le laissa essaimer ses baisers affamés sur tout son corps. Quelle chance innommable elle avait ! Femme de 59 ans, se faire offrir sur un plateau d'argent un jeune homme vierge de 19 ans ! Ça ne se verrait peut-être même pas en l'an 2000, de si hauts faits de l'amour humain, et ça ne s'était peut-être pas vu souvent dans le passé non plus à part chez les Iroquois. Elle songeait à cela et son corps répondait à la caresse même quand elle était gauche.

– T'es le meilleur, mon gars... Jamais senti quelque chose d'aussi fort...

Cette parole stimulante, elle l'employait depuis des lunes sans toutefois feindre, puisqu'au moment de la prononcer, c'était vrai... Seul Philias en fait n'y avait jamais eu droit. Trop sûr de lui ! Trop huileux... Quant à Germain Bédard, dans les moments de grande intensité, elle l'avait traité de 'plus sensuel que Dieu lui-même ne saurait l'être', et ç'avait été la seule chose dont elle se soit confessée à son Créateur ces dix dernières années et plus... Car comment imaginer qu'un homme puisse mieux faire l'amour qu'un Dieu ? À moins d'un miracle ?...

Il voulut se coucher entre ses jambes. Elle ne les écarta point et le força à durer, évitant de le toucher plus que par des frôlements sporadiques sur la tige portée au rouge comme un fer plongé dans le feu de forge...

– Continue encore... je te ferai signe, mon grand... ça sera pas long... T'es le meilleur des meilleurs... Continue, mon gars, continue...

À pareille heure, il n'y avait pas la moindre chance que Bernadette vienne offrir sa ciboulette, et l'eût-elle fait qu'elle aurait entendu alors un long gémissement venu des tréfonds d'un être féminin, au point de la faire accourir sans hésiter au secours de madame Jolicœur qui, pourtant, dormait à poings fermés.

C'est que l'amant, en quête de cette seconde odeur de Rose, venait de plonger sa tête entre ses cuisses et de plaquer sa langue sur cette région féminine où le péché est très mortel faute du permis sacramentel d'exploration et d'exploitation délivré par la religion catholique.

D'instinct mais aussi d'expérience, elle saisit la verge à travers le caleçon et serra au bon endroit pour que dure la fête et soit reportée de quelques minutes encore au moins son échéance.

Puis elle émit des soupirs, des onomatopées, des plaintes tout en bougeant le bassin vers l'avant, vers la source du plaisir... Un plaisir qui accentuait le désir et un désir qui décuplait le plaisir...

– Mon doux Seigneur, mon doux S... ss... Chhhhh...

Tandis qu'elle atteignait un sommet, elle s'empara de nouveau du corps du jeune homme et tira sur l'élastique du caleçon pour qu'il s'en débarrasse...

– Viens dans Rose, mon gars, viens dans Rose...

Il s'exécuta, tandis qu'elle lui frôlait le postérieur de sa main droite et lui caressait le sexe de l'autre.

– Viens... mets-toi entre mes jambes... Oui, comme ça...

Lui était torturé par deux envies folles : la voir nue et la pénétrer. Il ne put en satisfaire qu'une seule. Elle le guida. Il s'enfonça dans ce milieu étrange, terriblement tendre, chaud et mouillé comme un utérus...

– Couche-toi sur moi, couche-toi sur Rose...

C'était une autre façon de le faire durer.

– Embrasse-moi... sur la bouche... Envoye...

Ses gènes immémoriaux commandèrent à Gilles d'entreprendre aussitôt les mouvements de va-et-vient. Elle lui agrippa le fessier et le retint pour le mieux retenir... Et se laissa dévorer jusqu'à sentir une seconde et plus violente escalade de la chaleur par toute sa substance.

– Envoye, donnes-y, mon gars, envoye...

Il recula le haut de son corps et fonça comme un bélier tenu par cent forts guerriers à même des portes largement béantes et aspirantes...

Et comme toutes les finales du genre, celle-ci fut hautement élégante, toute faite de grognements, de sifflements, de souffles garrochés, et même, pour le jeune homme qui avait souvent le ventre comme un gazoduc, de quelques vents dont il savait, comme en toutes choses, atténuer les bruits inconvenants.

Les premiers mots de Gilles quand ce fut terminé pour la première fois –car Rose entendait bien l'épuiser, le vider jusqu'à tarissement– furent :

– Vous avez vu mon char neu ?

– Ben oui, aujourd'hui, dans la cour chez vous.

– C'est... un Impala 59.

– Impala...

– Ouè...

– Ouais !...

– Philias Bisson a reculé le compteur à matin.

– Il devrait reculer le sien itou...

– Pas besoin : il est pas usé...

– Plus besoin qu'on pense.

– C'est cher en saint Cibole, un char neu, asteur...

– Pis... comment c'est que t'aimes ça, une femme ?

Il se leva sans répondre, s'étira. Elle le sut sans le voir. Il fouillait dans ses vêtements maintenant :

– C'est que tu fais ?

– Ben... pas grand-chose...

Comme toujours, Gilles feutrait ses gestes de lenteur et elle ne put discerner ce qui se passait, et voilà qu'une lumière aveuglante éclaira son corps tout entier. Elle referma aussitôt les jambes et cacha sa poitrine abondante avec ses bras débordés et ses mains trop étroites.

– J'veux pas que tu me regardes toute nue ! fit-elle de sa voix la plus autoritaire et pointue.

Ces mots poussèrent le jeune homme à la détailler alors que telle n'était pas son intention. Que de chair étendue, répandue ! Plus que son corps en feu ne l'avait mesuré durant l'acte alors que ses perceptions sensorielles naviguaient sur un nuage parfumé.

Devenu homme, il redevint lui-même. Il n'aurait jamais plus peur d'une femme désormais.

– Ouais... une belle pelote !

– Veux-tu m'éteindre ça ?

– C'est pour fumer.

– Fumer ? Non, non, non... Ta cochonnerie de cigarette, tu l'allumeras dehors.

– Pourquoi c'est faire ?

– Parce qu'un homme qui fume, il sent la marde.

– C'est pas grave, ça...

– Sentir la marde, c'est pas grave pour toi, mais ça l'est pour moi, mon gars.

Elle souffla sur la flamme qui disparut :

– Pis t'empesteras pas ma maison avec ça. En plus que la madame en bas, elle fait de l'asthme...

– O.K ! d'abord.

– Couche-toi, là, tu vas voir que **les parfums de Rose**, ils embellissent la vie autrement que ton tabac à chique...

– Voyons donc, c'est pas du tabac à chique...

– C'est pire.

Il se laissa tomber sur le dos et mit ses mains sous sa tête. Elle se radoucit :

– Je vas te frotter comme il faut... Laisse-toi aller : ça sera pas long que tu vas en avoir envie encore une fois, mon gars... Parle-moi donc un peu de ton petit frère qui est au collège...

– Il est revenu pour l'été, là, lui...

– Ah oui ! ? Oui, je l'ai vu, je pense... Quel âge il a, lui, asteur ?

– Ben... dix-sept ans.

– Dix-sept ans... Déjà... Ça vieillit vite à votre âge, vous autres, les jeunes, que ça vieillit donc vite !...

*

Le lendemain dimanche, Rose passa devant la maison des Maheux pour se rendre à la grand-messe. Elle aperçut le Gilles assis au volant de son Impala noire, rouge de fierté. Mais elle poursuivit son chemin le cou raide, la tête droite et haute. Elle avait de l'énergie à revendre, la Rose, ce jour-là, forte du carburant de deux amants d'un même soir, mais lui avait un peu mal aux reins.

Après la messe, le jeune homme fit un long aller et retour d'un bout à l'autre du village, à vitesse très réduite.
Beaucoup de citoyens le virent passer et le reconnurent. Il se
crut applaudi. À son tour, il garda le cou raide, la tête droite
et haute...

Au milieu de l'après-midi, il déclara à ses frères :

– Ben moé, je sacre mon camp à Montréal.

*

À la première heure, ce lundi matin, il retourna chez le
concessionnaire et fut reçu à bras ouverts par le vendeur.

– J'ai fait quinze milles en tout, dit-il en descendant de
l'auto qu'il venait de garer entre deux autres Impalas.

– C'est aujourd'hui qu'on signe le contrat de vente ?

– Pantoute.

Interloqué le vendeur bredouilla :

– Tu l'aimes pas, la Impala ?

– Ça vaut pas de la marde, c't'hostie de char-là ! Quen,
tes clefs, moé, j'm'en vas prendre l'autobus.

– Mais... mais tu peux pas me faire ça...

– Fourre-toé la dans le cul, ta Impala !

***

Chapitre 29

– Tu lui as fait une bonne job, au petit gars, toujours ?

– Tu sais, à cet âge-là, ça vient trois fois avant que tu finisses d'ôter ta robe.

Philias questionnait Rose sur le petit chemin qui les menait à une autre heure de joyeuse rencontre, le samedi qui suivait la soirée double.

La femme sentait qu'il craignait avoir été surclassé par un homme plus jeune; pas question de miser là-dessus et de risquer peut-être une crise de jalousie. Non, c'est plutôt à propos d'un amant hypothétique qu'elle voulut éveiller sa possessivité de mâle. Comme il l'avait lui-même avoué, Philias craindrait bien plus un homme de la place qu'un jeune gars de Montréal, surtout le Gilles Maheux qui, malgré ses facéties et à cause d'elles, avait toujours su se faire aimer par tout le monde.

– Il t'a-t-il... embarqué ça dedans ?

– Même pas ! S'est déshabillé... moi itou... à moitié... S'est frotté sur le bord de ma cuisse. C'est tout. Est venu tusuite...

Le garagiste éclata de son plus large rire.

– C'est l'âge pour ça, que veux-tu ?

– Des fois je me demande si...

Elle ne finit pas sa phrase et attendit qu'il le lui demande :

– Si quoi ?

– Si le petit docteur... viendrait aussi vite que ça, lui.

L'homme tourna vivement la tête et leurs yeux quelque peu allumés par l'éclairage du tableau de bord se rencontrèrent. Sur lui, la phrase avait l'effet d'un coup de poing au plexus solaire. Sa peur qu'elle venait tout juste d'endimancher fut déshabillée d'un coup sec.

– Rose, tu vas toujours pas te mettre après le docteur.

– Ben non, je disais ça... parce qu'il est dans la vingtaine et pas marié...

Le mal était fait. La jalousie de Philias montrait les crocs. Mais elle se manifesta de manière imprévue quand il lança une rumeur non fondée, poussé par son seul sentiment vindicatif :

– Les femmes, ça l'intéresse pas trop, celui-là...

– Voyons donc, c'est quoi que tu dis là ?

– Peuh !...

– Explique-toi donc, Philias.

– Je peux te dire rien qu'une affaire, Rose. Le curé, mon ami Thomas, qui s'est toujours chargé de jeter à la porte de la paroisse les hommes qui s'intéressent un peu trop aux jeunes... aux jeunes gars, il pourrait avoir fait le contraire en faisant venir par icitte le jeune docteur...

La femme faillit tomber en bas de la voiture. C'était donc la raison pour laquelle elle avait échoué dans sa tentative de séduction du praticien. Incapable de faire surgir la moindre bosse dans son pantalon. Et voilà pourquoi il regardait le

André de cette manière au magasin cette fois-là. Ça l'avait frappée sur le coup, puis elle avait oublié la scène qui maintenant lui revenait en mémoire.

On garda le silence tandis qu'il stationnait la voiture sous les arbres. Et quand ils n'eurent plus pour témoins que l'obscurité trouée de quelques étoiles au-dessus de la feuillaison, elle se rebiffa :

– Ben non ! C'est de l'invention pure et simple, ça !

– Tu me prends pour un maudit menteur ?

– Tu l'as vu faire ?

– Non, mais...

– D'abord, tu penses dire la vérité, pis c'est pas la vérité.

– Essaie-toi pas avec lui, ça marchera pas...

Elle préféra se taire. Et pour cause.

Cet échange resta dans la tête du garagiste et le surlendemain, sa colère sourde n'était pas encore apaisée. Quand Armand Boutin, ce sac d'os ambulant, passa devant, il le héla :

– Comment ça va à matin, mon Armand ?

– Qui, moé ? fit l'autre en espaçant des pas mous, hésitants jusqu'au milieu de la rue.

– Non, Armand Grégoire qui pourrit dans sa tombe, baptême...

– Ben... ça va ben... Pis toé...

– Ça va mieux quand j'te vois pas, mais d'abord que t'es là, ça va ben pareil.

Il n'en fallait pas plus pour que le vieux garçon refoulé s'amène et pénètre dans le garage alors que l'autre s'affairait de nouveau sur un moteur.

Le pauvre homme se faisait chanter des bêtises par la moitié du village et ignorer par l'autre. Un vrai tapis que l'on prenait un malin plaisir à secouer. Et ce qui déplaisait le plus, c'est qu'il cherchait toujours à plaire.

– Un maudit beau Buick, ça, dit-il à propos de la voiture en réparation. C'est plus beau quasiment que ton char... C'est le char du docteur... je l'ai déjà vu... on le voit souvent... Hier encore, le petit Beaudoin est passé devant chez nous avec... Ouais, mieux que le tien, je pense...

Impatient, insulté dans son moi profond où trônaient toutes ses voitures, passées et futures, Philias frappa durement :

– T'en as pas, ni comme ça, ni comme le mien, pis t'en auras jamais de ta vie, Armand. Parce qu'une belle machine pis toi, ça va pas ensemble.

Armand haussa son épaule pointue :

– J'dis pas le contraire.

– T'es mieux de même parce qu'avec les brosses que tu prends, tu te casserais la gueule, ça serait pas long.

– J'dis pas le contraire.

– T'es rien que bon pour te promener dans le truck à Bégin-la-scrap, à charrier des picouilles bonnes pour faire de la viande à renard.

Armand grimaça et son visage plutôt plissé plissa plus...

– J'dis pas le contraire.

– À part de ça, qu'est-ce t'as à dire ? Le petit Beaudoin qui chauffait la machine, que tu disais ?

– Ça devait être pour aller la laver...

– Approche donc, toé, que je te parle dans le tuyau de l'oreille. Je vas te poser une question que tu répéteras pas...

– J'écoute.

– Le vois-tu souvent avec des petits gars, le docteur ?

Lui-même pédophile refoulé, Armand n'avait pas songé à une chose pareille.

– N... non... oui, asteur que tu le dis.

– Tout ce que je voulais savoir. Pis pas un mot de ça !

– Je m'appelle pas Bernadette Grégoire...

*

Dix minutes plus tard, Armand dans sa marche vers sa grange sise au bord du rang neuf passait devant la manufacture de boîtes à beurre. C'était l'heure de la pause. Pit Roy l'aperçut, lui cria :

– Tu travailles pas fort, Armand.

Excité, l'homme dit :

– Viens icitte un peu, Pit, j'ai affaire à toé.

Pit traversa la rue. Armand lui dit à mi-voix pour que les autres travailleurs ne puissent l'entendre :

– Savais-tu ça que le nouveau docteur, il couraille les petits gars ? Ferme ta gueule avec ça par exemple...

Pit, pédophile refoulé lui-même, éclata de rire :

– Il doit toujours pas courir après toi...

– Ouen ouen... dis donc des maudites niaiseries...

Pit éclata de nouveau et, main gauche sur la hanche, main droite qui empoignait un Pepsi, il le regarda s'en aller, dos voûté, épaules en bouteille, pieds ouverts...

– Pauvre Armand : il fait donc pitié !

*

Ce soir-là après souper, comme toujours, Pit endossa du linge propre et se rendit au bureau de poste en marchant de son pas le plus reposant. Rose était assise sur sa galerie et lisait de la correspondance Avon. Il se rendit au pied de l'escalier tout en parlant :

– As-tu entendu parler que notre petit docteur voulait se présenter candidat libéral ? Ça se peut-il ? Lesage aura pas dix comtés contre Duplessis.

– Il pourrait ben prendre la Beauce par exemple...

– Peuh ! Ha ha ha ha ha ha... Ça serait mieux que le petit docteur se trouve une petite femme, s'il veut se faire élire.

– C'est que tu veux dire ?

– J'me comprends, j'me comprends...

Voilà que deux sources différentes instruisaient Rose du pire à propos de Flavien. Elle murmura :

– Et pas de bosse dans ses culottes...

– Comment ? J'ai pas compris... Quel boss ?

Elle lui lança ce qu'il fallait pour qu'il déguerpisse :

– J'ai dit que Duplessis, c'est un petit boss...

Pit s'en alla sur un rire sarcastique et pourtant incrédule. Comment pouvait-on critiquer le premier ministre, un si bon premier ministre ?

*

Quelques semaines plus tard, Duplessis rendait l'âme à Schefferville. Pit Roy faillit devenir fou. Il le deviendrait quelques années plus tard et mettrait le feu à sa maison. On l'internerait pour le restant de ses jours qu'il passerait en majeure partie à prier... saint Maurice...

*

La rumeur à propos du docteur atteignit le presbytère. Le curé tomba pour de vrai en bas de sa chaise ce jour-là et se fit un tour de reins. Il se rendit malgré tout voir Flavien et lui parla à mots couverts.

Peu de temps après, Flavien épousait une 'superbe belle' fille de sa paroisse. Rose se rendit compte qu'on l'avait trompée et que la rumeur était non fondée; mais il était trop tard désormais pour reprendre son entreprise de séduction auprès du personnage qui appartenait à une autre femme...

Ce qui ne l'empêchait pas de rêver parfois et de l'entendre dire tout près d'elle, de son lit :

"Ce sera d'une grande douceur, madame."

"Ça se passera comme vous le désirez depuis toujours."

***

Chapitre 30

Les triomphes sont si éphémères !

Peut-être parce qu'ils n'ont jamais grandi personne : ni le gagnant et ses supporteurs que le vin de la victoire rend amers, ni le perdant et ses amis qui sourient pour tâcher de sauver la face et que le vin de la défaite rend amers.

Ça se voulait une manifestation de joie dans tout Saint-Honoré réuni autour de sa salle paroissiale pour fêter la victoire du petit docteur qui venait de remporter ses élections. Les libéraux de Lesage prenaient le pouvoir. Les bleus, usés, orphelins de père, délaissés par leur mère provinciale, dépouillés d'une bonne part de leur dignité, sentaient bien que leur formation politique bénéficierait d'un lavage en règle, trop longtemps remis par... le triomphe improductif...

Il y avait aux environs du presbytère au moins trois petits groupes chargés de distribuer aux troupes et aux électeurs la bière de la reconnaissance. Honneur au mérite le temps d'une rose !

Assommé, Pit Roy allait nerveusement d'un endroit à

l'autre sans jamais oser pénétrer dans la salle bondée, bandée, bardée de sangles de sécurité, par crainte de se faire emporter dans l'euphorie paroissiale, par peur de trahir le défunt Maurice qui se retournerait dans sa tombe des Trois-Rivières, tandis que l'autre Maurice national s'apprêtait à accrocher ses patins. Pour jamais lui aussi...

Rose, au deuxième étage, depuis une chambre qui n'était pas la sienne, regardait la foule à la brunante. Il n'y avait pas eu de miracle en 1950 alors que les mêmes terrains étaient envahis par un peuple en quête de merveilleux comme maintenant, ce soir du 22 juin 1960. Et la télévision, loin de satisfaire le vieux besoin millénaire des hommes de se faire aimer des dieux, en avait fabriqué à la chaîne de ces nouveaux personnages mythiques surhumains. Et parmi ceux-là, ce jour-là, les plus éminents membres de la grande équipe des L : Lesage, Lévesque, Lajoie, Lapalme... Certains d'entre eux seraient même un jour béatifiés de leur vivant par l'imaginaire québécois...

Rose soupira. Non, elle n'avait pas le goût de la fête. Ses soixante ans lui pesaient sur le dos comme une chape de plomb. Aller marcher sur la place ? Seule... Seule parmi tous ces gens qu'elle connaissait, et pour cela plus seule encore... Seule parmi tous ces Beaucerons venus des quatre coins du comté... Seule devant son miroir qui lui renvoyait l'image de l'irrémédiable... Seule devant un avenir qui se trouvait derrière elle... Seule devant une femme seule...

Elle quitta son point d'observation et retourna dans sa chambre où elle prit place devant sa commode pour encore y interroger sa vie. Et la vie terrestre. Comme il s'agissait pour elle d'un soir de déprime, il ne lui venait en tête que des pensées grises. Certes, la cinquantaine avait été pour elle une belle époque. Mais les cinquante années d'avant lui avaient chargé le cœur de chaînes et l'avaient enfermée dans cette solitude de l'être né avant son temps et qui tâche de vivre comme il le ferait s'il était venu en ce monde au moment convenable du siècle... Ce serait pareil devant.

– C'est asteur que tu devrais avoir 18 ans, ma vieille, asteur...

Il lui revint nettement en mémoire un soir flamboyant de cette année-là quand la grippe espagnole avait couché dans leur cercueil tant d'hommes et de femmes de partout dans le monde et sa paroisse. Le vieux couvent de cinq étages avait pris feu et s'était entièrement consumé, enflammant trois maisons voisines. Que de rêves quand l'avenir est devant soi ! Les cendres elles-mêmes sont porteuses d'espoir.

Et puis tout se précipite. Les jours, les mois, les années se bousculent et il avait fallu un plongeon en bas d'une très haute falaise pour qu'en 1950, elle empoigne le temps par le collet pour lui faire modérer ses transports.

Et c'est par une liberté retrouvée et les plaisirs charnels décuplés mais surtout par le désir cultivé que ces dix années l'avaient fait renaître. Mais voilà que les feux de l'aurore avaient vécu et que déjà les feux du couchant s'annonçaient sur l'horizon.

– L'avenir, mes chers amis, commence ce soir, ici, dans cette salle en délire, proclamait Jean-Louis Bureau chargé de présenter le nouveau député du comté qui se faisait drôlement attendre.

Qu'importe ce retard, le député fédéral aurait pu tenir le micro durant des heures tout aussi bien que les grand orateurs de ce monde, de Mao à Castro, et plus l'élu tardait, plus le tribun de petite taille gravissait avec brio les marches de son discours.

– En reprenant le pouvoir à Québec, le parti libéral donne le signal de la reprise du pouvoir à Ottawa. Et dans deux ans, nous allons nous débarrasser du gouvernement conservateur de Diefenbaker... et grâce à Lester B. Pearson, le pays retrouvera la voie de la prospérité après celle de l'austérité imposée par les vieux bleus niaiseux...

Personne n'avait compris un seul mot et pourtant, de partout, des hourras, des bravos, des alléluias même s'élevèrent à l'unisson au ciel politique comme une gerbe de prières afin de rendre hommage non point à l'intelligence, non point à la vertu, mais à la seule victoire. Victoire que chacun faisait sienne et considérait comme une sorte d'inauguration, de baptême de soi.

En démocratie, l'élection est devenue le plus grand de tous les sacrements. Car elle regroupe tous ceux inventés par l'église pour rassurer les hommes. Ce triomphe baptismal est accompagné de la confirmation de la valeur de son jugement et le regret pénitentiel d'avoir subi par sa propre faute les méchancetés du pouvoir adverse –toujours un peu diabolique–. Et puis c'est la communion générale au corps du pouvoir nouveau. Le nouvel ordre fait accroire aux voteurs qu'ils seront les bras droits des dirigeants élus; et leur allégeance est transformée en mariage par la vertu de la victoire commune. Quant à l'extrême-onction politique, elle viendra vite pour la plupart par désillusion sitôt la lune de miel de l'électorat terminée...

C'est le curé Ennis qui retardait les choses. Les époux Drouin avaient tenu à le visiter d'abord avant d'aller saluer leurs commettants, et à force de se réjouir avec eux tout en requérant de l'asphalte autour de l'église et du presbytère, le temps passait, passait... Il fut aussi discuté de l'absence du docteur de la paroisse qui devrait siéger à Québec. La tâche serait répartie entre les médecins des paroisses voisines. Et puis le docteur Poulin avait repris sa pratique à Saint-Martin deux ans plus tôt à sa défaite électorale...

– Les avantages l'emporteront sur les inconvénients, stipula Thomas avant de prêter oreille aux propos crachés dehors par un grand nombre de haut-parleurs.

– C'est avec hâte que nous attendons l'arrivée de notre nouveau député, disait Jean-Louis qu'une lassitude de parler atteignait maintenant.

— Hein, Pit, on les a eus, les vieux bleus niaiseux !

C'était André qui avec deux autres avait charge d'un débit de bière en plein air. Il en remit à son insulte en tendant une bouteille vers le pauvre perdant :

— Veux-tu fêter ça avec nous autres ?

— Ha ha, ça durera pas longtemps, tout ça... Pis à part de ça, c'est que tu connais là-dedans, mon petit Maheux ? T'as même pas le droit de vote. Quand on a encore la morve au nez, on essaie pas de donner des leçons à ceux qui connaissent ça, la politique. J'ai voté à quinze élections, mon petit gars pis j'ai voté avant que tu viennes au monde...

À son tour de rire jaune après s'être fait moucher de si cavalière façon, André garda la bouteille pour lui et en prit une copieuse gorgée :

— Ça, c'est de la bonne... Pis l'Union nationale, elle est morte avec Duplessis...

— L'Union nationale est morte avec Duplessis, redit l'orateur pour la troisième fois.

Dix fois, vingt fois depuis le début de cette soirée désastreuse, Pit avait dû répondre à ces triomphalistes qui scellaient le sort de son parti et lui faisaient des funérailles prématurées. Il disait, disait, disait et le redit une fois encore à l'intention du jeune homme :

— Duplessis est plus vivant que jamais. Dans cinquante ans, la province va se souvenir de lui mieux que de tous les petits Lesage à venir...

— Je te pense, c'est lui, Duplessis, qui a le mieux fourré la province...

Un groupe de jeunes fêtards s'approcha en chantant son triomphe et Pit se retira, désemparé et abandonné... À croire qu'il était le seul à avoir perdu ses élections ! Même pas.

Tous, ce soir-là, avaient gagné les leurs...

Une haie d'honneur fut disposée à partir de l'escalier débouchant sur la salle vers la scène où étaient les orateurs qui s'adressaient à la foule électrique. Des petits organisateurs, porteurs de valises, lanceurs de claque, poseurs d'affiches, responsables des véhicules, des accessoires et de la quincaillerie requise par une campagne électorale digne de ce nom, tous certains d'êtres d'indispensables piliers de la victoire libérale, ouvraient la foule comme un ordre de Moïse la mer rouge. C'était pour livrer passage au nouvel élu et à sa compagne qui aimaient les entrées fracassantes à pas très rapides. Aux quatre coins de la salle, on les espérait d'un moment à l'autre avec la même joie, la même fébrilité qui animait chaque année les enfants réunis pour assister à l'arrivée du Père Noël.

– Èèèèèèèèèèèèè...

Le couple venait de paraître en haut de l'escalier. Incapable de battre les mains devant eux parce que trop entassés, les assistants le firent au-dessus de leur tête. Un geste qui grandissait la foule à ses propres yeux.

Flavien et son épouse avaient l'ego emporté par une folle tornade et quand l'élu aperçut ces rangs de supporteurs qui lui formaient une voie vers la tribune, il accentua le pas prévu. À son bras, Michèle, sa compagne, femme sensuelle au visage de marbre, en eut du mal à le suivre.

Et voici que plus loin, un pied plus chaud, plus excité que les autres, sortit du rang gauche. C'était un pied gauche de surcroît. Flavien vit qu'il appartenait à ce fumeur de rouleuses qui n'aurait jamais versé un seul sou noir à sa caisse électorale, et qui, par ses acclamations, venait comme tous les autres, réclamer ce qu'il estimait lui être dû.

Une brillante idée surgit dans l'esprit du nouveau député. Ce serait son premier projet en tant qu'élu du peuple. À l'endroit calculé, il biaisa un peu et rasa le rang dont les membres se crurent plus favorisés que leurs collègues d'en face. On crut en effet que c'était pour serrer des mains, geste dont il s'était abstenu jusque là, ou peut-être pour dire un mot de reconnaissance à un organisateur plus précieux que les autres... Eh bien non ! À hauteur du pied imprudent, le docteur raidit la jambe gauche et frappa cruellement du bout de son soulier pointu –à la mode de 1960– la cheville exposée. Le cri de douleur du Cook se perdit dans la rumeur générale...

Le pas du couple fut momentanément brisé. D'aucuns sur le rang de droite en surent la raison apparente. Pas un n'imagina que le docteur l'avait fait exprès de frapper ainsi son électeur. Et le Cook fut le seul qui reçut de lui une souriante salutation à main gauche levée. Il tâcha de transformer en sourire la grimace que le souffrance lui flanquait au visage. Il y eut en lui, tout le temps –heureusement court– que durèrent les discours, une sorte de bonheur masochiste...

Son frère Alphonse, un pilier de la campagne électorale, devrait l'aider pour le ramener chez lui...

Et tandis que se déroulaient ces événements de prime importance, Rose fit volte-face devant sa propre image que le miroir lui réfléchissait toute en morosité et désillusion. Et pourquoi ne pas meubler sa soixantaine comme elle avait su libérer sa cinquantaine ? Et pourquoi ne pas commencer tout de suite ? La solitude parmi la foule : quelle importance ! Il s'y trouverait bien quelqu'un à qui parler... ne serait-ce qu'au fou du village, peut-être le plus sain d'esprit de tous en ce soir de triomphe électoral !

Elle quitta la maison et, dans un décor de voitures stationnées pare-chocs à pare-chocs, elle se rendit marcher sans hâte sur la grande place de l'église, saluée par des électeurs chaudasses qui allaient dans toutes les directions et qui, tous, finissaient par s'agglutiner à l'une des portes d'entrée de la grande salle paroissiale.

Rose, bras croisés sous la poitrine, se rendit jusqu'à la pente légère qui permettait d'entrer dans le cimetière. Bien sûr qu'on avait laissé la barrière métallique cadenassée afin d'éviter des gestes irrévérencieux de la part de fêtards excessifs. Là, elle bifurqua vers la salle et s'arrêta à l'arrière d'un kiosque à bière dont elle ignorait encore et l'usage et l'identité des tenanciers. Il s'agissait en fait d'une camionnette avec bâche de toile derrière laquelle travaillaient André, revenu de ses études à l'extérieur quelques jours plus tôt, et un citoyen d'une quinzaine d'années son aîné, qui ouvrirait un hôtel au bout du village quelques jours plus tard dans une bâtisse neuve qu'on achevait de construire.

Depuis un bon bout de temps qu'elle y songeait, elle arrêta sa décision de rompre sa relation avec le garagiste. Elle trouvait pas mal plus de plaisir seule avec elle-même sous les draps qu'avec cet homme mal dégrossi et que le temps ne parvenait pas à poncer. Des gens devaient bien savoir, les jeunes surtout, qu'elle avait cet amant d'occasion et cela pouvait en empêcher plus d'un de se laisser découvrir...

Soudain, elle entendit une voix bien connue. C'était Pit Roy qui après une errance dans ce morne et désolant territoire de la défaite revenait tâcher de convaincre André qu'il avait tort de pencher libéral :

– Comme ça, mon petit Maheux, tu penses sérieusement que Lesage va te donner la lune, lui ?

Rose sut qui se trouvait derrière le véhicule mais ne bougea pas... Pas celle de l'étudiant, mais une autre voix que Rose connaissait aussi prit la parole et dit avec beaucoup de bienveillance :

– Pit, va falloir qu'on se résigne : reste à attendre ce que le nouveau gouvernement va faire. Si c'est mieux, ben tant mieux; si c'est pire, tant pis !

– C'était le temps que ça change, lança André dont la voix parut très près à la femme en attente.

Aussitôt, elle aperçut le jeune homme venir tout droit sur

elle. Mais il ne la vit pas dans le noir et s'arrêta à quelques pas seulement et se mit à uriner si près que le bruit du liquide frappant le gravier eut le dessus sur les éloquences crachées par les haut-parleurs. L'occasion était en or pour elle. Il avait dix-huit ans : il était temps qu'elle en fasse un homme comme elle l'avait fait pour son frère de Montréal.

– C'est-il André ?

Le jet d'urine fut aussitôt tari et sa source ensevelie dans le pantalon. La voix de Rose reprit :

– J'veux pas te faire peur; c'est madame Martin...

Il fumait à l'occasion maintenant et traînait des allumettes sur lui. Il en fit briller une et la femme apparut devant lui.

– Vous m'avez fait peur vrai, là, vous. Je pensais un mort qui se lève...

– Crains pas : suis pas morte. Tiens, regarde...

Elle toucha sa main libre :

– Tu vois : une morte, ça serait frette comme de la glace... Trouves-tu que c'est frette ?

– Ben... non...

Bien au contraire, il se brûla presque avec la flamme qu'il tenait dans ses doigts et dut lâcher l'allumette.

– Je vas en allumer une autre...

Elle lui prit l'autre main :

– Non, non, on va se parler comme ça à noirceur. C'est quoi que vous faites au juste, là...

– Un kiosque à bière...

– Ils vont s'arranger pour une minute sans toi.

– Ben... ouè...

– T'es revenu des études pour l'été ?

– C'est ça, ouè.

Le jeune homme était fort troublé. Bien sûr qu'elle alimentait ses fantasmes comme ceux de bien des hommes célibataires de tous les âges de la paroisse, cette femme qui, contrairement à toutes les autres, avait l'air d'aimer ça, le sexe. André savait pour Jean d'Arc, pour Germain Bédard, pour Pit Poulin, Philias, mais il ignorait pour son propre frère. En ce moment, il avait quelques bières derrière la cravate et voilà qui lui donnait le courage de se laisser séduire peut-être...

– Vas-tu travailler quelque part ?

– Pour les Blais... commis. À la place de mon frère.

– Comme ça, je vas te voir passer tous les jours.

– Ben... ouè...

– Un beau jeune homme, c'est toujours plaisant à voir passer, hein !

Il ne sut quoi répondre; elle reprit :

– Tu devrais rentrer me voir un soir...

– Ben... ouè...

Il ne comprenait pas qu'elle lui lançait une invitation ayant toutes les apparences d'une avance. Elle se demandait s'il était assez déluré pour saisir le message.

– Je vas te montrer ma maison, ma chambre à coucher pis tout le reste...

– O.K ! d'abord...

Par son haleine, la femme savait qu'il avait bu. Peut-être ne se souviendrait-il même pas de cette rencontre et que s'il devait s'en rappeler, il passerait devant chez elle les fesses serrées et la tête entre les jambes. Et puis qui sait ce qu'on avait fait de lui les années qu'il avait passées au pensionnat des frères des Écoles chrétiennes ? Par contre, il n'avait pas trop l'air de ça, encore que l'air qu'ils peuvent avoir n'était pas le même pour tous. Elle avait eu vent du rapport Kinsey dans ses lectures de revues et appris qu'il pouvait se trouver cent cinquante homosexuels des deux sexes dans la paroisse soit dix pour cent de la population. Non, peut-être pas autant dans un environnement encore sous si grande influence catholique et si longtemps protégé par le curé, mais parmi ceux qui faisaient leurs études en dehors...

– Viens donc à soir !

– J'peux pas : faut j'm'occupe de la bière, là...

– N'importe qui va vouloir s'en occuper à ta place.

– C'est Frid Blais qui m'a demandé ça... Il serait pas de bonne humeur...

– T'es pas tout seul : vous êtes deux à vous en occuper.

– Oui.

– Bon...

Incapable de dire oui, incapable de dire non, le jeune homme ne savait plus à quel saint se vouer... Il ne pouvait pas abdiquer à ses responsabilités et mettre en péril les gosiers de beaucoup d'électeurs; par contre, les seins de Rose qu'il ne pouvait voir mais savait imaginer, lui lançaient des appels pressants... Il cherchait désespérément un compromis. Nécessité, mère de l'invention, lui en fit pondre une :

– Quand le pick-up sera vidé, je vas y aller, chez vous...

– Je vas t'attendre... Pis tu le regretteras pas...

Au moins, se dit-elle en quittant les lieux, il avait compris son message et s'il devait venir, c'est qu'il consentait à coucher avec elle.

L'excitation fit boire le jeune homme. Et boire et boire encore. Et bien avant que le pick-up ne soit vidé, lui qui dut retourner se soulager la vessie et choisit de le faire plus discrètement soit dans un espace très étroit entre le mur de la salle et une muraille de pierre bordant le cimetière, il tomba sur le derrière et y resta ivre-mort...

Non seulement avait-il abdiqué ses responsabilités mais encore n'aurait-il pas le plaisir de toucher à nu pour la première fois de sa vie les parties intimes d'une femme.

Rose s'y attendait un peu. Et dut se faire plaisir elle-même en songeant à ce qu'elle manquait de n'avoir pas ces mains gauches courir sur sa chair offerte.

Elle avait perdu une bataille, pas la guerre...

Pendant les trois jours qui suivirent, le Cook, incapable de se porter sur son pied gauche, subit un véritable supplice. De Tantale. Il ne cessait de se torturer en se demandant ce qui lui coûterait le moins cher de trois voies qui s'ouvraient devant lui. Ou bien attendre que son pied guérisse de lui-même et perdre combien de jours de travail ? Ou se rendre à Saint-Victor chez la ramancheur et y laisser une somme et devoir dépenser pour s'y rendre. Ou aller voir le docteur Flavien et payer pour une visite ou deux, mais sauver du temps...

À chaque heure de douleur, il continuait d'effeuiller ainsi la marguerite : bouge pas, va voir le ramancheur, bouge pas, va voir le docteur... Ah ! les tourments de l'avarice !

L'idée de voir Flavien l'emporta. Soutenu de béquilles empruntées, il fut bientôt devant le médecin qui, pour rassurer Saint-Honoré avait repris sa pratique le lendemain même des élections sans même s'accorder un seul jour de congé.

– Que s'est-il donc passé, mon bon ami le Cook ?

Ces deux hommes possédaient le même rire nerveux et enfantin, et leur échange en fut vite émaillé.

– Un coup sur le pied... Ça arrive dans les meilleures familles... fit le patient que le docteur avait fait s'allonger sur la table d'examen pour voir la cheville enflée.

– Un coup de quoi ?

– Sais pas si je dois le dire...

– Ta femme s'est fâchée...

– Non... disons que c'est en fêtant mes élections... ben les vôtres...

– Dis-moi donc tu : on a le même âge probablement.

Cette suggestion enchanta le Cook. Tout le monde le disait : Flavien, c'est un gars comme nous autres. Il s'en fait pas "à crère" parce qu'il est député asteur...

– Disons que... que c'est ton soulier... Ah ! j'sais ben que tu l'as pas fait exprès, là... Quand t'es entré l'autre soir avec ta femme. J'avais le pied dans l'allée de monde...

Flavien prit la voix de celui qui tombe de haut :

– C'était donc ça ! Ah ben ! Ah ben ! Ah ben ! Attends que je me rappelle... Un peu plus et je trébuchais. J'aurais eu l'air de quoi, le soir de mon élection ? J'ai senti quelque chose de dur en marchant... Même que je t'ai vu... et je pense que je t'ai salué....

– Ça oui, je m'en rappelle.

Flavien soigna le Cook pour trois fois rien. Pas un vieux token. Il lui confectionna des attelles. Il lui prescrivit des calmants, lui prodigua de l'encouragement.

L'histoire fit trois fois le tour de la paroisse plutôt qu'une avant de faire un grand tour complet du comté. Une star mondiale de la chanson n'aurait pas mieux fait pour sa réputation en mettant aux enchères ses crottes de nez que ses fans s'arracheraient à prix d'or...

– Ça va être le meilleur député que la Beauce aura jamais eu, affirmait Frid Blais devant tous ceux qu'il rencontrait.

– Un homme qui sait faire pis qui le fait comme il faut ! dit Lucien Boucher en apprenant le geste posé.

– Le Cook, il avait embelle à s'rtchuler le pied de d'là, pontifia Ernest devant Louis Grégoire qui discutait de l'affaire avec lui devant le bureau de poste.

– Deux aussi bons députés dans la place, pas surprenant de voir les machines à asphalte autour de l'église ! déclara Saint-Veneer Blanchette à qui on avait promis un contrat de réfection des trottoirs.

***

Chapitre 31

Pour Rose, ce fut l'été des mortalités.

Son mari dont elle était séparée depuis dix ans succomba à une crise cardiaque. Elle le croyait bâti pour durer un siècle tellement il absorbait toutes les contrariétés de la vie comme une véritable éponge. Elle aurait voulu s'en affliger qu'elle n'aurait pas pu. Même pas triste pour ses grands enfants qui venaient de perdre leur père, un homme de bonne composition qui n'avait jamais usé de violence envers quiconque contrairement à bien des chefs de famille de cette époque.

Elle fit deux visites d'une heure chacune au salon funéraire et assista aux funérailles. Veuve, elle n'aurait plus désormais à se cacher sur la banquette arrière de la voiture d'un amant quand viendrait à leur rencontre quelqu'un risquant de s'en offusquer, comme le curé ou les bonnes sœurs, ou de médire comme tous les hypocrites qui aiment parler de sexe en ayant l'air de n'en pas parler...

Pas même dix jours plus tard, madame Jolicœur rendit

l'âme. Son cœur s'arrêta tout bonnement au beau milieu de la nuit et Rose découvrit sa mort le lendemain matin. Dans un sens, il s'agissait pour elle d'un autre veuvage, puisque sa vie était étroitement reliée à celle de cette vieille dame depuis dix ans. En ce cas toutefois, les conséquences étaient plus importantes. Cela voudrait dire qu'il lui faudrait déménager, car les fils Jolicœur voudraient vendre la maison. Georges aurait le bâillon sur la bouche devant ses frères et puis il n'aurait plus aucun prétexte pour venir passer deux ou trois jours par mois dans cette maison à y côtoyer Rose et à partager son lit pour le plus grand divertissement des deux...

Il fut donné un an à la veuve pour se trouver un logement ailleurs soit bien plus que ce à quoi elle s'attendait. Entretemps, on lui ferait verser une somme symbolique chaque mois en guise de loyer. Il avait semblé à la succession que la maison serait plus facile à vendre si Rose l'habitait et si on lui versait une indemnité pour agir au meilleur de ses intérêts. L'arrangement donna grande satisfaction aux deux parties. Elle aurait tout le temps pour trouver un nouveau gîte et déménager ses pénates.

Tout ça l'éloigna de ses propres affaires, de sa clientèle, de ses projets. Pas une seule fois elle ne vit passer de l'autre côté de la rue, la tête basse comme celle d'un chien battu, le André qui se dépêchait d'aller travailler ou d'en revenir matin, midi et soir. Honteux, piteux, il avait peur de ce qu'elle pourrait lui dire faute pour lui d'avoir répondu à son appel le soir des élections. Et ce serait encore pire pour lui de lui donner la véritable raison qui l'avait empêché de se rendre chez elle, tandis qu'en fait, il aurait voulu le faire.

Que de regrets dans son pantalon ! Obligé de faire son bonheur soi-même pour combien de temps encore ? Les jeunes filles rencontrées dans les salles de danse refusaient de dépasser les limites du french kiss et du petit pelotage, deux pratiques propres à faire grandement souffrir les jeunes hommes qui s'y adonnaient à cause de ces maudits serrements de testicules survenant chez ceux qui refoulaient leur désir des soirées entières sans connaître les techniques appropriées pour le faire.

Et puis les tabous restaient puissants. Au collège, le frère Achille avait souvent pesté contre le péché grave le soir après la fermeture des lumières dans le grand dortoir et il en restait quelque chose en l'âme de l'étudiant, même s'il était externe maintenant et dirigeait sa vie sans guide spirituel.

Un soir qu'il se trouvait seul à la maison, il regardait distraitement la télévision...

À trois maisons de là, Rose parlait à son image dans le miroir de sa commode dans sa chambre.

C'est le temps que ça change ! clamait le slogan du parti libéral qui prenait le pouvoir à Québec le 22 juin précédent.

C'est le temps pour les plus vieux de céder leur place, de partir, de s'éclipser, comprenaient du même coup les gens d'un certain âge dont la veuve.

Et maintenant qu'autour d'elle des têtes tombaient, il y avait de quoi devenir songeuse. Malgré un sursaut d'énergie le soir des élections, la femme restait dans un long état de crise, de morosité...

Ses parfums perdaient de leur pouvoir d'évasion, d'extase. Le goût de prendre sa valise de produits, ses jambes et sa détermination pour entreprendre une autre tournée de porte à porte semblait s'être étiolé...

Tout changeait trop vite depuis quelque temps.

Elle se mit à penser à tous ceux qui étaient partis vivre ailleurs ou dormir au cimetière ces dix dernières années. À chaque porte ses désertions. La maison des Maheux avait subi une véritable hémorragie. Les plus vieux : partis. Rachel et ses sœurs. D'autres, Gilles et ses frères aînés : sous d'autres cieux. Même Suzanne avait quitté les lieux. Éva : dans sa tombe. Ernest : toujours ailleurs. Il n'y restait plus que Martial pour animer un peu la demeure et le André qui lui avait fait faux bond le soir des élections...

Et les Fortier, Jeannine, ses sœurs... Ti-Noire et toutes ses sœurs, sauf la muette... Le prof Beaudoin... parti enseigner au loin pour un salaire double. Le vicaire à qui on avait donné la cure de Saint-Sébastien...

Une autre maison éventrée, vidée : celle des Lepage. Il ne restait plus que Jos. Ses trois sœurs, Elmire, Marie et Anna, partageaient maintenant la même tombe au cimetière.

Armand Grégoire, Blanc Gaboury : deux autres disparus, envolés avec leur consomption, pas des grosses pertes pour elle mais un peu de couleur en moins dans le décor.

Et même plus de famille Plouffe à la télévision pour égayer un peu les mercredis soirs et couper en deux l'ennui de la semaine.

Et voici que ce jour d'août, une triple nouvelle acheva de parfaire le tableau de cet été des grands changements. Le gouvernement fédéral, sous influence du député selon la rumeur, fit entreprendre la construction d'un bureau de poste tout neuf dans la cour des Maheux en face du magasin général des Grégoire. Qui plus est, Freddy prenait sa retraite comme maître de poste et il fermerait même son magasin dans les semaines à venir.

Un monde nouveau s'installait.

Un monde ancien devait céder le pas.

– NON, pas encore, ma noire ! s'écria-t-elle tout à coup. Tu vas pas donner ta démission...

C'est cela qu'avait dû lancer Ti-Noire à son miroir pour se convaincre de partir aux États réaliser son rêve américain quand l'attente s'éternisait et que ses peurs de la psychose faisaient surface.

– T'es pleine d'énergie, t'as aucune maladie, t'as des bonnes jambes, t'as pas de souci financier... T'as dix belles années à vivre encore... Dix... Ça fera vingt en tout : c'est-il trop dans la vie d'une femme, vingt ans de liberté ? Bouge, Rose ! Agis, Rose ! Prends, Rose ! Cherche pas dans le monde ancien, trouve dans le monde nouveau...

La femme était en sous-vêtements blancs, assise devant l'étalage de ses produits personnels, habillée d'une robe de chambre rose que lui avait offerte Georges Jolicœur lors d'une de ses visites à sa mère. Le vêtement largement ouvert laissait voir les généreux débordements de sa poitrine. Mais son visage sans maquillage manquait de vie. Elle prit un tampon et commença d'étendre sur ses joues une couche de fond de teint...

L'étudiant s'inquiétait quant à son avenir. Lui qui avait rêvé de géologie, d'une carrière scientifique, n'en avait pas eu les moyens financiers et s'était replié sur la solution du pis-aller : l'école Normale. Et encore, il n'était même pas sûr de pouvoir se rendre jusqu'au bout et d'atteindre son diplôme en enseignement. Le changement de gouvernement aiderait sans doute si les promesses faites par les libéraux étaient tenues. Cela voudrait dire des bourses d'études naguère accessibles aux seuls privilégiés de Duplessis. Oui, mais quelques centaines de dollars suffiraient-ils ? Il lui faudrait en tout cas un emploi d'été chaque année et celui qu'il occupait en ce moment ne serait plus disponible sans doute dans un an. Son frère Martial participerait au concours tenu pour trouver un nouveau maître de poste et, semblait-il que l'appui du député fédéral ferait toute la différence. C'était à voir. S'il l'emportait, il abandonnerait les deux emplois qu'il occupait y compris celui qu'il avait refilé à son frère pour les mois d'été.

Mais le jeune homme avait d'autres préoccupations. Le temps de Lisette était terminé. Partie elle aussi de la paroisse avec toute sa famille. Et un nouveau restaurant avait ouvert ses portes au centre du village. Un jeune couple. Une autre façon de voir : moins artisanale, moins familiale, plus moderne, plus capitaliste... Il avait le cœur à l'amour, mais l'amour ne venait pas à sa rencontre. Et puis, dans un autre compartiment de lui-même, il y avait cette énergie sexuelle qu'à l'instar des autres jeunes gens de son âge, il lui fallait canaliser hors de lui-même par le moyen le plus simple qui laissait toujours vive la soif de plus...

Et l'image du corps rose de Rose dans un lit rose ne cessait de le harceler... Elle le voulait, il voulait d'elle et pourtant il avait manqué le train quand le train s'était arrêté pour le faire monter... Qu'importe la différence d'âge, qu'importe l'enfer promis aux impudiques, qu'importe les témoins possibles et leurs ragots vicieux, qu'importe les sourires et les murmures, qu'importe les lois de la mentalité, il suffisait d'un coup de téléphone pour qu'elle s'ouvre de nouveau comme une fleur si peu fanée encore...

Il était là, l'appareil, de l'autre côté de la porte donnant sur la pièce de l'ancien magasin, posé sur une tablette... La femme avait fait tous les pas requis et des circonstances malencontreuses avaient érigé une barrière entre eux : à lui de la franchir maintenant. Sinon, elle prendrait son attitude comme un refus que son départ dans deux semaines rendrait définitif. Et puis elle se trouverait peut-être un nouvel amant après Philias et il serait trop tard...

C'était maintenant ou jamais. Il mit sa main sur le combiné et s'apprêta à décrocher, ce qui le mettrait automatiquement en contact avec la téléphoniste à qui il demanderait le numéro de Rose... Oui, mais on écouterait sur la ligne. On saurait. On placoterait... Et si Rose l'éconduisait par crainte elle-même des médisances ? Ce serait l'échec final... Non, il valait mieux aller sonner à sa porte... Ce serait facile, surtout qu'elle vivait seule maintenant dans cette grande maison...

Facile ? Vous avez dit facile ? Le cœur lui naviguait dans tous les sens comme un fragile esquif dans des rapides tourmentés... Il regarda dehors par la fenêtre... Mieux valait attendre la grande obscurité... Une demi-heure, pas plus...

Rose paracheva son œuvre en appliquant sur ses lèvres un rouge appuyé. Et son visage retrouva pas mal de l'éclat de jadis, pas celui de la jeunesse tout de même, mais sûrement celui de la femme au sommet de son énergie sexuelle. Pour libérer cette force, elle avait besoin de celle d'un homme et celui qu'elle avait dans la tête, dans la peau, dans le désir, se trouvait à quelques portes... Il fallait qu'il vienne la retrouver et maintenant... Mais elle craignait un autre échec. Il avait dit qu'il viendrait ce soir du 22 juin et il n'était pas venu, et depuis ce temps qu'il la fuyait comme la peste, semblait-il. Lui téléphoner et lui demander de venir, elle obtiendrait peut-être le même résultat... Et la téléphoniste écouterait sur la ligne... Une lettre peut-être ? Jamais de la vie. Bien trop compromettant. Et puis il faudrait une journée, or le bon temps, c'était en ce moment...

Elle se rendit à la fenêtre et regarda du côté de la maison des Maheux. Il y avait de l'éclairage donc très sûrement du monde à l'intérieur.

– Si on peut donc avoir le téléphone automatique ! maugréa-t-elle en laissant retomber la toile soulevée.

– Si on peut donc avoir le téléphone automatique ! maugréait André au même moment, rassis devant l'appareil de télévision qui annonçait le début dans quelques secondes à peine d'un western mettant en vedette l'invincible et inspirant John Wayne...

En réalité, cela servit de nouveau prétexte au jeune homme pour remettre à plus tard sa visite prévue chez Rose.

Il soupira et se cala dans la chaise pour regarder le cowboy de l'écran et penser à Rose. Sa main descendit sur sa braguette...

Rose quant à elle s'étendit sur son lit et fit une chose rare : elle pria tout en réprimant son désir en guise de sacrifice.

Elle pria le ciel de lui envoyer ce jeune homme. Voilà qui était tout à fait catholique : la prière, le sacrifice, le désir assassiné, l'espérance d'une intervention de plus fort que soi. Bien catholique et très québécois en plus...

***

Chapitre 32

Prier Dieu pour qu'il intervienne et fasse aboutir un projet sexuel, c'était risquer que le diable s'en mêle. Mais pour que le diable montre son nez, il aurait fallu que soit présente la notion de péché. Or Rose n'avait jamais cru que le péché puisse s'attacher à un acte aussi naturel et plaisant que celui de faire l'amour. Mais peut-être, songea aussi le démon de la chair, que l'étudiant y croyait, lui, au divin péché. Il le visita dans sa solitude, alors même que Wayne vidait son revolver sur une meute d'attaquants et faisait revoler les morceaux de cervelle dans toutes les directions.

Et il put se rendre compte à quel point l'étudiant luttait contre sa propre chair, n'osant pas la toucher à main nue et se contentant de la frotter, souvent avec colère, tout en jetant parfois un œil apeuré à un crucifix suspendu au-dessus de la télé... Pas besoin d'être bien malin pour comprendre ses craintes de Dieu et des 6e et 9e commandements.

Le diable décida donc de prendre un peu les choses en griffes par quelques suggestions de son cru. La première consistait à ramener Martial à la maison. Et le frère aîné de l'étudiant fut bientôt de retour de l'hôtel où il allait siroter une bière ou deux tous les soirs de semaine.

Ayant gravi furtivement les marches de l'escalier, il aperçut par la vitre de la porte les gestes de son jeune frère. Jusque là, rien à s'alarmer, mais quand une fois entré, il se rendit compte que les attouchements avaient lieu devant l'image de John Wayne, il s'inquiéta un peu. Les frères avaient-ils fait de lui... Nahhh...

— T'es pas avec ta blonde à soir ?

— Pas le vendredi. Suis allé faire un tour à l'hôtel...

— Y a un bon film... *Rio Bravo*...

— On dirait. De valeur que c'est pas en couleurs...

L'arrivant se rendit au réfrigérateur et prit une bière.

— T'en veux une ?

— Suis pas fort là-dessus, tu le sais.

— C'est une blonde qu'il te faudrait, fit Martial en s'asseyant sur une chaise longue qu'il aimait particulièrement.

— Bah ! j'ai le temps...

— Ce que tu laisses passer, tu pourras jamais le rattraper.

— Dans ce cas-là, pourquoi que tu te maries pas ? T'aurais ta blonde à l'année avec toi, ici, dans la maison.

— Si je suis choisi comme maître de poste, ça sera pas long que ça va se faire.

— Ouais ?

— Yes sir !

Le démon de la chair souffla fort des mots à l'oreille de l'aîné :

— Pis je vas lui annoncer avec un beau cadeau... Et à Noël, on va se fiancer. On aura plus besoin de se faire à manger, elle est ben bonne dans la popotte.

Le démon insista sur le mot cadeau.

— Ah ! oui j'avais envie de lui acheter une belle bouteille

de parfum comme en vend madame Martin. Je veux mettre au moins dix piastres là-dessus...

– Mais si t'es pas choisi... Tu seras pas tout seul à concourir...

– Acheter le cadeau avant, j'ai dans l'idée que ça me porterait chance. Plus tu crois en quelque chose...

– Séraphin le dit : le vouloir, c'est plus fort que tout.

– J'ose pas aller voir madame Martin, le monde va jaser. J'ai pas envie de passer pour un de ses amants...

– Elle a encore des bons morceaux, la vieille. Tu la trouves pas diable ou quoi ?

– Ben... elle est pas laide pour son âge, mais j'ai une blonde, moi.

– Je vas y aller, le chercher, ton parfum, moi. Quelle sorte que tu veux ?

Le démon dansait tout autour d'eux et de la pièce. Et il riait à fendre l'âme...

– N'importe quoi autour de dix piastres.

– Je vas y aller quand tu voudras. Demain, à soir si tu veux.

Martial posa sa bouteille et fouilla dans sa poche de pantalon pour en sortir un petit rouleau de billets dont il tira trois coupures de cinq qu'il tendit :

– Vas-y donc tiens ! Elle doit être chez elle : j'ai vu de la lumière dans ses fenêtres tantôt en arrivant ... Mais fais attention à elle, les jeunes hommes, elle est capable de dévorer ça, elle... Tu le sais, ce qui est arrivé à Jean d'Arc déjà...

– Inquiète-toi pas pantoute pour moi : une bonne femme de soixante ans, là...

– Oui, mais ton bon film, là, lui ?

– Ça sera pas si long que ça...

Un concours de circonstances rendait le jeune homme courageux, lui qui avait passé l'été à craindre la réaction de

Rose si elle devait lui reparler du soir des élections et du rendez-vous manqué. Il y avait la bravoure de John Wayne, sa réflexion sur son besoin charnel, son appréhension quant à son départ prochain, la belle occasion et par-dessus tout et loin au-dessus, les impérieuses demandes de sa chair.

Martial avait conscience d'envoyer son jeune frère dans la gueule de la louve, mais c'était un excellent service à lui rendre quoi qu'il advienne...

Les billets de cinq dollars firent office de moteurs pour entraîner André jusqu'à la porte de la veuve... Sans compter les poussées du démon ricaneur... incapable de rire dans sa barbe, puisque le feu la lui brûlait à mesure qu'elle poussait...

Rose somnolait. Le bruit de la sonnerie lui apparut très lointain, comme dans un rêve. Le jeune homme recommença. Aucune réponse. Encore. Rien. Devait-il en conclure qu'il ne se trouvait personne à l'intérieur ? Il consulta sa montre. Neuf heures et vingt. Il voyait pourtant une faible lumière à l'intérieur et de la lumière filtrait par les bords de la fenêtre de ce qu'il savait être sa chambre.

Peut-être l'avait-elle aperçu et refusait-elle de lui répondre pour le punir de son inconduite du 22 juin ? À deux reprises encore il regarda les aiguilles lumineuses de sa montre pour s'assurer qu'il n'était pas si tard que ça. Il allait peser de nouveau sur le bouton quand la porte s'ouvrit brusquement et qu'on le dévisagea avec un air soupçonneux qui, par bonheur, disparut aussitôt du visage de Rose :

– Tiens, de la belle visite à soir ! Deux mois de retard, mais entre pareil.

– Je viens pour Martial, dit-il avec assurance.

– C'est curieux, mais je pensais justement à toi tantôt.

Quand il fut à l'intérieur, elle referma la porte et poussa le verrou. Un subtil mélange d'odeurs parvint aux narines du visiteur. Il attendit qu'elle poursuive pour dire quelque chose.

Rose avait attaché les pans de sa robe de chambre et ses formes généreuses paraissaient.

En le voyant, tous les détails de son visage juvénile se précisèrent malgré le clair-obscur. Ses lèvres surtout, frisées, ourlées, charnues, terriblement excitantes pour une femme de cet âge dans un tel appétit charnel...

– Vu que tu m'avais dit que tu viendrais me voir, je me disais que je devrais te refaire mon invitation...

Elle ajouta un rire à son propos.

– J'avais pris un coup pis je me suis endormi en arrière de la salle le soir des élections.

– T'aurais dû me le dire le lendemain. J'ai pensé que t'avais pas le goût de venir me voir, là...

– Je viens pour Martial...

– Mais on va penser à nous autres tout d'abord, tu penses pas ?

– Sais pas là...

– Attends un peu, je vas chercher une bouteille de parfum.

– Il vous en a parlé ?

– De quoi ?

– Ben... de la bouteille de parfum qu'il veut pour sa blonde.

– Non, c'est pas ça, c'est une autre... pour toi. Un parfum de rose. Attends un peu...

Elle se rendit au piano et prit un échantillon, celui que depuis plusieurs mois, elle avait choisi à son intention. Celui à odeur de rose comme elle venait de le dire. Et revint sans toutefois ajouter à l'éclairage très réduit de la pièce. Et ouvrit la bouteille dans un geste tant de fois répété durant sa vie mais auquel maintenant elle donnait une signification toute particulière. Et la fit bouger en ondulant la main devant ce visage masculin que le noir et blanc rendait plus viril et donc moins adolescent.

– C'est pour toi, mon gars. Ça fait un bout de temps qu'elle t'attend sur le piano.

– Ben... comment ça ?

– Je te l'ai réservée. La rose, c'est la meilleure odeur de toutes les odeurs du monde.

– Ah !

De telles réponses laconiques à peine articulées questionnaient la femme. Comment parvenir à secouer les envies d'un gars encore plus constipé que son frère Gilles dont elle avait fait un homme deux ans plus tôt en le faisant émerger de sa prison de peur et de froid ?

Cela ne pourrait se faire que là-haut et, contrairement à l'autre, par le jeu de tous ses sens comme elle l'avait fait avec l'homme à la dynamite en 1951. Et puis celui-ci avait une belle peau lisse et un visage pur qu'une femme pénétrée veut voir inondé de jouissance dans l'ombre de la nuit.

– Tu viens pour une bouteille de parfum pour la blonde à ton frère. Viens. Suis-moi ! Les plus belles sont en haut dans ma chambre.

Le visiteur se dit que son frère qui l'attendait à la maison trouverait ça louche de le voir prendre trop de temps et se moquerait de lui à son retour.

Elle devina sa pensée :

– Ça sera pas long : tu vas tout voir, tout sentir, mon gars. Viens...

Ce dernier 'viens' fut doux et ferme à la fois. Et accompagné d'un toucher au bras en glissant vers la main. En gravissant les marches, lui docile à sa suite, elle dit à mi-voix comme si l'âme de quelqu'un était toujours là dans sa chambre à surveiller :

– Ça fait drôle de voir que y a personne dans la chambre à madame Jolicœur. Mais... c'est du passé...

Puis elle ajouta un rire à d'autres mots :

– Personne à s'inquiéter en tout cas...

– Personne non !

En haut de l'escalier, elle s'arrêta et, sans qu'il ne s'en rende compte, défit le nœud de sa robe qui s'ouvrit sur ses dessous, puis elle entra dans la pièce aussi peu éclairée que le salon et le couloir.

– Assis-toi sur le lit, je vas te montrer les bouteilles...

Aux mots qui ordonnent, elle ajouta le geste de la main qui tire sur le bras. Puis elle se rendit prendre une bouteille sur la commode et revint au lit où elle se tint devant lui, robe ouverte, image offerte :

– Belle, hein ?

Elle tenait l'objet à hauteur de son ventre de sorte que les yeux du jeune homme pouvaient aller de sa poitrine à sa petite culotte et se charger d'images puissantes propres à dé-clencher en lui une énorme libération d'énergie sexuelle.

– Touche !

Un premier barrage céda en lui et sa bouche fut inondée de salive. Il leva une main tremblante, l'ouvrit. Elle frotta le cristal ciselé sur sa paume. Il marmonna la première chose à lui venir en tête :

– Martial, il porte pas ça, la bière...

Elle lança un message à double sens :

– Veux-tu que je t'en montre encore ?

– Trois quatre petites, pis il s'endort dans la cuisine.

Elle oublia le parfum :

– Ah ! oui ? Comme ça, tu peux rester plus longtemps avec moi. Je vas te montrer tout ce que tu voudras...

Un autre barrage éclata en lui. Sa main empoigna la bou-teille et la posa avec fracas sur la table de chevet à la tête du lit. Et avec ce désir débridé devenu en lui une sorte de lave volcanique, une immense peur de l'échec par le rejet parcourut toutes les fibres de son tissu pensant. Il se leva, se rua sur elle en tournant et la jeta sur le lit sans même entendre les mots de satisfaction qu'elle prononça alors :

– Hen hen, je pense que ça va y être...

Jamais on ne l'avait bousculée de cette façon et il avait fallu le plus timoré de tous ses amants en puissance pour le faire. Le jeune homme à odeur de rose. Le plat de résistance. Celui qu'une mer d'années séparait d'elle. Et pourtant rien d'œdipien avec lui pas plus qu'avec les deux autres très jeunes qu'elle avait séduits avant lui ! Elle se sentait comme la mer en train de baigner une île surgissant au milieu d'elle par la puissance d'un volcan.

Le démon de la chair, guère plus gros qu'un lutin follet, planta sa fourche des dizaines de fois dans l'organe mâle.

– Pas trop vite si tu veux que ça dure, mon gars.

Mais il n'entend pas ce qu'elle dit avec miel. Il veut dévorer cette chair de femme... Lèche le ventre, le cou, la partie de la poitrine qui déborde du soutien-gorge...

Rose reprend goût à l'avenir. Son cœur bondit, le sang la fouette sous les tempes...

Il ne sait plus ce qu'il fait, la mord là où le mal fait du bien : à l'épaule, au bras, au ventre, au pubis à travers le tissu blanc...

Il la mord encore; elle se tord de bien-être.

Un orage éclate en elle. Des éclairs fusent, tracent des zébrures magnifiques dans toute sa personne physique. Des coups violents et exquis heurtent ses parois vaginales; un nuage crevé se déverse, arrose copieusement ses muqueuses. Le feu follet y danse sous la pluie...

Mais il y a encore à faire. Le dénuder. En tout cas l'aider à le faire pour qu'il le fasse. Éperdu, il a gardé son veston pâle, sa chemise foncée, son pantalon noir... En lui, l'animal déchaîné saisit confusément les choses. Il cesse un moment de s'approprier le territoire féminin pour se libérer de sa peau artificielle et les vêtements sont arrachés, jetés en bas du lit et elle peut apercevoir son organe peu important mais au paroxysme de son importance tant il pointe vers elle. Gruznek faisait trois fois ça, Germain Bédard et d'autres deux fois mais en ce moment, ces comparaisons ne signifient rien pour elle. Qu'il sache s'en servir et ce serait la plus belle verge du monde !...

Elle tire sur sa robe pour que disparaissent les accumulations de tissu sous ses reins. L'éclairage n'est pas suffisant pour qu'on puisse discerner les couleurs. Jamais elle n'a été prête si vite à recevoir en elle un corps d'homme.

Il veut voir, tout voir ce qu'il n'a jamais vu de sa vie, car pas une revue porno ne l'a atteint et ce qu'il a eu de plus osé en sa possession est une photo de la plantureuse Jane Russel en maillot de bain, image qu'un bon frère lui a confisquée, sans doute pour le protéger et s'en servir à son propre usage dans le secret de sa chambre à coucher du collège...

Elle défait le soutien-gorge qui a son attache devant, tandis qu'il tire vers le bas sur la culotte et l'en débarrasse tout à fait. La femme craint un peu les effets provoqués par ses rondeurs lâches mais sa peur disparaît aussitôt quand la fébrilité de l'amant, de ses mains, de ses lèvres, se montre encore plus grande qu'auparavant. Et pendant qu'il tète un sein, le feu follet titille l'autre...

Il veut tout avoir de cette chair abondamment répandue. En touche chaque morceau, y creuse des puits de plaisir avec ses doigts, se charge les mains de chaleur étendue, fait suivre ses mains exploratrices d'une bouche affamée qui s'abreuve de miel et de lait...

Elle le veut sur elle comme un amant, pas comme un enfant. Le tire doucement par les épaules, élargit l'espace entre ses jambes pour le recevoir, l'emprisonner, le vider de son énergie et s'en nourrir... Il n'obéit pas à sa demande, quitte la région montagneuse comme John Wayne sur son cheval, se précipite dans la vallée à la recherche d'une résistance à abattre.

L'odeur qu'il y trouve va chercher loin, très loin en lui : aussi loin que des millions d'années par l'escalier tournant de ses gènes. L'excitation du mâle monte encore de plusieurs paliers. Il mord comme un fauve sans injurier, aspire, absorbe, mouille...

La femme échappe un râle. Il le prend pour une menace, grogne. Elle craint qu'il la morde sur les parties génitales, referme un peu les jambes. Lui craint à nouveau un refus, un rejet, une fermeture.

Les sentiments, sensations, impulsions de chacun tout à coup se croisent et se fusionnent là même où danse le vilain lutin. Et commandent la fonte des corps l'un en l'autre. Guidé par son instinct, il se jette sur elle, met ses genoux entre les cuisses, la touche de son sexe. Elle s'ouvre. Il plonge.

Il avait toujours imaginé que l'étui sexuel féminin enserrerait étroitement son sexe à la façon d'une main qui empoigne, mais voilà qu'il nageait, pataugeait en sa chaleur de femme et se faisait emporter dans un voyage formidable bourré d'odeurs et de couleurs.

Elle devança son rythme.

Ses profondeurs éclatèrent de nouveau et des plaintes sortirent de sa bouche comme celles de l'agonie. Puis quand il accéléra et qu'elle sut l'orgasme masculin imminent, elle prononça à son oreille un énorme mot, un seul qui aspira d'un seul coup toutes ses énergies d'homme, toutes, toutes :

– OUI...

Un oui prolongé dans un sifflement. Un oui répété à chaque jet reçu, à chaque contraction de l'organe mâle, à chaque coup de boutoir... Le corps du jeune homme fut agité de longs et incessants tressaillements qui n'en finissaient pas comme s'il avait été plongé dans une source d'eau chaude puis rejeté sur une banquise. En fait, ça n'avait rien à voir avec le chaud ou le froid et tout avec une sorte de ressac du plaisir que sa peau absorbait en des vagues terminant leurs ondulations dans le cuir chevelu et à la plante des pieds.

Ils se reposèrent. Et reprirent leurs ébats sans rien se dire autrement que par leurs caresses lentes et larges. L'homme retrouva vite une bonne part de ses énergies.

Ce fut plus humain en deuxième reprise.

Il l'embrassa sur la bouche.

Trop fatigué pour participer, le vilain lutin s'endormit sur une cuisse de la femme...

Quand il quitta Rose à minuit, le jeune homme promit de revenir...

***

Chapitre 33

Pendant que Rose se félicitait de sa nouvelle conquête, André fut vite rattrapé par le remords. En fait, la nuit même du vendredi au samedi où le sommeil refusa obstinément de le visiter malgré tous les tours qu'il fit faire à ses grandes questions existentielles.

Vidé du meilleur de ses énergies voici que les enseignements du petit catéchisme venaient le hanter et que toutes ses craintes bassement charnelles d'avant l'acte avec Rose se muaient en une seule peur spirituelle : la crainte de Dieu.

– Tu peux toujours pas confesser ça au curé, lui souffla une voix à l'oreille.

Ce ne pouvait pas être celle de Martial qui, lui, dormait à poings fermés dans la cuisine à sa même place à son retour de chez Rose, et qui devait le faire depuis presque son départ pour s'y rendre, puisqu'il ne traînait sur le plancher à côté de la chaise longue qu'une seule bouteille de bière vide.

Comment l'étudiant perdu aurait-il pu s'imaginer que le chuchoteur à son oreille était le démon de la chair désireux de le voir rester le plus longtemps possible en état de péché très très mortel ?

– Pis si j'ai un accident en retournant à Sherbrooke comme la gang du petit Jacques ?...

Le petit Jacques et ses amis retournaient en ville quelque temps auparavant et sur une hauteur de Lingwick, leur voiture trop pressée avait embouti un camion chargé de billes de douze pieds. Arrêté de surcroît. L'impact avait transformé les quatre jeunes gens en pizzas 'all dressed', salami instantané fourni.

– Ben non, ben non... la mort, c'est pas pour toi, c'est pour les autres, voyons !

Quand vinrent les aurores et une érection matinale, le remords pesa un peu moins lourd sur la conscience de la pauvre victime d'un presque viol.

L'apercevant dans l'escalier, Martial dit, l'œil plutôt sarcastique :

– As-tu couché avec la chienne à Jacques ou quoi ?

– Comment ça ? fit le jeune homme en tâchant d'aplatir sur son crâne des épis de cheveux pointant à hue et à dia.

– L'air 'fatiké'... Viens prendre un café !... Dis donc, as-tu ma bouteille de parfum ?

– Quoi ?

– J'étais pas complètement soûl... Je t'ai envoyé voir la Rose pour un cadeau à ma blonde...

– Ah oui ! Non...

– Oui ou non ?

– Oui... Non... Elle avait rien...

– La Rose : pas de parfum ? C'est comme le curé pas de soutane, ça...

– Je veux dire... heu... ben... elle était pas là...

Martial se leva de table et se rendit prendre la cafetière sur le poêle. Il revint en vider dans la tasse de son frère :

– Elle en avait pas ou elle était pas là ?

– Bah ! dit le jeune homme en tirant la chaise et en s'y laissant tomber, j'ai la tête à l'envers à matin.

– C'est moi qu'a bu pis c'est toi qu'a mal à tête...

André fouilla dans sa poche et sortit les trois billets de cinq qu'il jeta sur la table à côté des rôties.

– Tu iras toi-même, moi, j'connais pas trop ça.

Martial soupçonnait la vérité et il en était fort aise. Conscient d'avoir poussé assez loin, il dirigea la conversation vers autre chose. Lui-même avait eu sa première relation sexuelle à vingt ans au sanatorium avec Anita Gagné, et il avait regretté que cela arrive si tard dans sa vie... Tant mieux si Rose avait débauché son jeune frère...

L'étudiant s'installa dans une maison de pension de la rue Bowen à Sherbrooke. Il y partageait une partie du sous-sol avec une connaissance de Martial, un professeur improvisé comme il y en avait beaucoup à l'époque, désireux de se faire diplômer et habité par le désir encore inavoué de se faire prêtre. Ce personnage bourré de vieux principes ne tarda pas à prêcher à son jeune colocataire la vertu d'abstinence et les malheurs du vice. Pire : pour brasser son remords, le jeune homme reçut les premières leçons d'un cours d'introduction à la psychologie et il apprit tout du complexe d'Œdipe. Non seulement, se dit-il alors, il avait péché avec Rose, mais il avait commis une sorte d'inceste par personne interposée...

Il devait se laver de tout ça. Il se rendit voir un vrai prêtre et confessa son été...

Mais il y avait une superbe jeune fille de dix-huit ans, grande et potelée, qui pensionnait avec sa sœur là-haut et travaillait à l'hôpital... Le feu follet se mit à rire et à danser quand il vit l'étudiant revenir de l'église...

Ils se donnèrent rendez-vous au cinéma. Et les mains de

l'étudiant se rendirent coupables d'un double péché tout le temps du film. Par chance, ce ne se transformerait jamais en un péché très mortel comme avec Rose. Léopold, le coloc, fit avouer son crime au jeune homme après lui avoir tiré les vers du nez; il en glissa vite un mot à la propriétaire et la jeune fille fut expulsée et l'étudiant menacé...

Pendant ce temps, en Beauce, Martial devenait maître de poste. Il donna autre chose à sa blonde qu'une bouteille de parfum. De toute façon, à Noël, il lui offrirait une bague de fiançailles et un avenir...

Et la santé de Rose laissait à désirer. Non point qu'elle souffrît d'un mal précis mais elle ressentait une sorte de lassitude, plus physique que morale. Son jeune amant d'un soir était revenu chez lui pour quelques jours à la Toussaint et ne lui avait pas donné signe de vie. Peut-être que durant le congé des Fêtes, il serait moins accaparé par ses études...

*

Comme trois de ses amis, l'étudiant fut invité par une jeune fille du village voisin à une soirée tenue chez elle sous la surveillance étroite mais discrète de sa mère.

Au début chacun n'avait pas sa chacune puis les danses permirent peu à peu la sélection des couples. Et André se retrouva avec l'hôtesse, jeune personne bien enveloppée, de deux ans sa cadette.

Au moment de partir, il lui demanda un baiser qu'elle lui refusa. Par contre, elle l'invita à revenir, lui tout seul et lui pour elle. Il accepta...

C'est ainsi que le démon de la chair, ce petit farfadet malicieux qui avait failli coûter son âme à l'étudiant, fut emprisonné dans une basse-fosse au fond de lui par la crainte de Dieu avec l'aide de gens hautement vertueux comme Léopold à la vocation tardive et la mère de Michèle, femme sévère et de grande moralité...

*

À force de surveiller les passants depuis sa fenêtre, Rose parvint à coincer le jeune homme. Le jour, il se rendait jouer aux cartes dans un mini-restaurant appelé le 'shack des Anglais' où s'entassaient une douzaine de fumeurs de cigares, de pipe et de cigarettes autour de deux tables sur lesquelles roulaient des pièces de monnaie, des jurons et des mensonges. Et pour s'y rendre et en revenir, il lui fallait passer devant sa porte. Une fin d'après-midi, elle fit en sorte de le croiser même s'il marchait de l'autre côté de la rue.

– Tiens, si c'est pas mon petit Maheux ! fit-elle faussement surprise quand il faillit se buter contre elle devant la maison de l'aveugle.

– Ah ! bonjour.

Il faisait noir dehors et le seul éclairage de la rue provenait des ampoules de cent watts des lampadaires et des résidus de lumière échappés par les fenêtres des maisons.

– Ça fait longtemps...

– Suis venu deux jours à la Toussaint... Pas mal poigné par les études.

– Durant les fêtes, tu dois pas l'être trop trop ?

– Des 'parties' comme on dit...

– Gageons que tu t'es fait une blonde.

– Ben... ouè...

– Je la connais ?

– Ben... sais pas...

L'échange fut bref. Ce que redoutait Rose s'était produit. Comme le disait souvent Gus : les jeunes avec les jeunes, les vieux avec les vieux...

*

Le soir du 31 décembre, à minuit le premier janvier 1961, l'étudiant eut droit à un court baiser de la part de Michèle. C'est elle qui prit l'initiative de le lui donner pour souligner l'arrivée de la nouvelle année.

Ce même soir, Rose se coucha très fatiguée. Mais tout était prêt pour recevoir ses enfants au jour de l'An midi...

***

Chapitre 34

Même quand le chat est présent, il arrive que les souris dansent à son nez et à sa moustache. Mais quand le chat est repu, il préfère dormir que de s'essouffler à courir la gent trotte-menu.

Le docteur Drouin qui devait siéger à Québec maintenant continuait sa pratique un jour ou deux par semaine dans la paroisse. Repu de travail, il ne s'inquiétait aucunement des visites mensuelles d'un guérisseur qui tenait alors un 'cabinet' ouvert dans une chambre de l'hôtel du Centre. –Les tenanciers du nouvel établissement à l'autre bout du village refusaient de se commettre en de telles choses, mais pour Fortunat, ce vieux routier du commerce, un seul principe directeur : le soleil reluit pour tous...–

C'était l'hiver 1961. Le choc de 1960 avait ses effets sur bien du monde. Et ceux qui ne pouvaient mettre le doigt sur le bobo qui les affectait ou qu'ils imaginaient ou bien que le docteur n'avait pas satisfaits par son diagnostic, subissaient la tentation d'aller se mettre à nu devant cet homme qui déclarait posséder un pouvoir mental de guérison. Il n'était pas le premier ni ne serait le dernier dans sa catégorie, il n'était pas le seul, mais il était de loin le plus couru.

Femme de peu de foi en bien des choses, Rose dit :

– Monsieur Desfossés, je ne suis pas malade... mais pas bien non plus. On dirait que je manque d'énergie... Fatiguée, tout le temps ben fatiguée...

Lorsque les maux de l'âge s'intensifient, la confiance en ses propres forces diminue et l'humain se tourne alors vers une aide extérieure : médicale, occulte, religieuse...

Moustachu, bedonnant, cravaté, l'homme assis derrière une table, fit signe à sa visiteuse de prendre place sur une chaise à bras devant lui.

– Ça fait longtemps, ce que vous dites là ?

– Quelques mois...

– Voulez-vous ôter votre manteau; fait chaud ici.

La voix possédait une raucité qui lui conférait une autorité certaine et le visage gardait son sérieux en tout temps.

Déjà assise, la femme sortit ses épaules et ses bras des manches et repoussa le manteau entre elle et le dossier, laissant à découvert sa personne opulente que le guérisseur imaginait nue mais surtout pas malade.

Ce qui tracassait la veuve sans même qu'elle ne puisse le verbaliser, c'était le souvenir des plaintes d'Éva quelques moins avant qu'on ne lui décèle un cancer.

Et puis un slogan politique répandu par Réal Caouette chaque semaine par son émission de télé guidait bien des gens en bien autre chose que leurs penchants d'électeurs : "Vous n'avez rien à perdre, mesdames et messieurs, essayez le crédit social !"

"T'as rien à perdre, Rose, essaie le guérisseur. S'il te fait du bien, tu y gagneras. Sinon, ça t'aura coûté cinq piastres..."

– Quel âge... madame ?...

– Martin, Rose Martin... Sur le bord de 61 ans...

– Mais vous avez l'air toute jeune, s'exclama-t-il en levant des bras incrédules. Je vous donnais dix ans de moins.

Elle soupira :

– Aimable à vous, mais les années sont là.

– Presque pas de rides ! Les femmes de votre âge ont le visage tout en plis...

– J'ai jamais travaillé sous le soleil pis j'ai pris bon soin de ma peau.

– Votre mari est pas cultivateur ?

– Suis veuve... Moi, suis la madame Avon de la paroisse.

– Ah ! je comprends !

– C'est ça...

– Eh bien, laissez-moi vous dire une chose, madame Rose : si vous aviez un mal en entrant, c'est parti. Vos énergies vont revenir avec le soleil du printemps... Veuve depuis longtemps ?

– Un an, mais ça fait onze ans que je vis sans mon mari. Vous, un homme de la ville, ça doit pas vous surprendre... je dirais vous scandaliser ?

– Pas du tout ! Comme on dit : vaut mieux se détester de loin que dans la même maison.

– Là, je vous arrête. C'est vrai, ça, mais c'était pas mon cas. J'peux pas dire que je détestais mon mari, mais j'avais besoin de vivre ma vie à ma manière. En liberté si vous voulez... Les femmes vivent en prison pis moi, j'voulais pas ça. Même avec un mou comme mon mari, j'étais en prison. À cause de ce qui nous entoure, de ce que le monde attend qu'on va faire, comment qu'on va agir juste parce qu'on est une femme mariée...

– Une chose est sûre : vous parlez librement, madame.

– Parce que vous venez de la ville. C'est pas des affaires que je vas dire aux gens de par ici... Vous voyez qu'on est jamais libre comme on le voudrait.

Desfossés rencontrait rarement de telles femmes, même en ville, et celle-ci l'intéressa au plus haut point. Et surtout il lui semblait lire dans ses gestes, sa personne et son regard malgré les verres qui le déformaient, une sensualité capable d'enflammer joyeusement beaucoup d'hommes, même quinquagénaires comme lui. Mais le guérisseur travaillait sous une règle, un principe de béton : ne jamais, au grand jamais, toucher de ses mains un patient visiteur. Qu'on ne puisse pas l'accuser de ceci ou cela et qu'advenant la chose, des centaines de témoins puissent se lever et démolir l'accusation par leurs voix.

Cette fois pourtant, la tentation était forte. Si forte qu'il prit la décision de tenter un échange intime avec elle par les mots seulement.

– Sans homme dans votre vie depuis onze ans, ça... soulage comme on pourrait dire ? fit-il avec un 'fa' dans la voix.

– Ça, c'est vous qui le dites, monsieur.

– Je... je ne comprends pas...

– Que ça soulage... c'est vous qui le dites...

– Ah ! j'ai pensé un moment que vous vouliez parler de la première partie de ma question : sans homme dans votre vie.

Elle hésita, rapetissa son regard, mit sa tête légèrement en biais :

– Disons que ça aussi, c'est vous qui le dites.

Il expulsa de ses poumons un bon bol d'air :

– Voici, madame Rose, peut-être que votre état de santé est un peu moins bon qu'il y a deux ou trois ans, mais il me paraît bien meilleur que celui des personnes de votre génération... de notre génération, puisque j'en fais partie aussi, n'est-ce pas ? Et ça, c'est parce que vous êtes forte depuis toujours probablement. Vous savez, c'est pas être indépendant qui rend fort, c'est être fort qui rend indépendant.

– C'est ce que je pense.

– Écoutez, si j'étais un charlatan et un homme malhonnête, je vous trouverais une maladie pour être certain de vous revoir dans un mois... Mais j'espère que vous me rendrez visite quand même et sans qu'il vous en coûte un sou noir : ceci entre nous, bien entendu...

Elle fouilla dans sa bourse qu'elle avait posée sur le plancher à côté de sa chaise et tout en parlant, en sortit un billet de cinq dollars qu'elle avait préparé pour lui. Il refusa net :

– Non seulement je ne veux pas, mais je veux votre promesse de revenir me voir.

La dernière chose à laquelle s'attendait la veuve en venant dans ce 'cabinet' de guérison improvisé, c'était de trouver un homme si aisément prêt, elle le sentait nettement, à devenir un amant. Et une fois encore, elle prit conscience de son pouvoir sexuel sur les mâles de l'espèce. Elle aurait un mois pour réfléchir à la question.

– Je vais revenir, dit-elle en se levant, ne serait-ce que pour passer un quart d'heure en votre compagnie.

– Vous viendrez le soir : je vous réserverai la dernière et la meilleure place.

– Tiens, c'est une bonne idée, ça.

*

Il vint du monde des dix rangs de la paroisse en plus de ceux du village. La réputation du guérisseur le précédait. Les médias en avaient fait une vedette, un petit demi-dieu régional. Un autre chat que le docteur pourtant veillait au grain. Le curé qui s'était tu lors des deux premières visites de ce chaman exploiteur venu indirectement piger dans la quête du dimanche, commença à s'indigner intérieurement à mesure que des rumeurs parvenaient au presbytère via des témoignages ou des confidences au confessionnal. Et cela même si Desfossés se disait catholique pratiquant.

Et le dimanche précédant la prochaine venue du guérisseur, l'abbé Ennis prêcha contre lui sans le nommer.

"Mes bien chers frères, seul Dieu a le pouvoir de guérison et il l'exerce à travers nos médecins diplômés et exceptionnellement, je dirai exceptionnellement, à travers nous, ses prêtres catholiques. En réalité, à travers les sacrements. Mais ceux-là qui prétendent vous guérir parce qu'ils sont branchés directement sur notre Père qui est dans les cieux n'ont pas reçu l'aval de la sainte Église catholique romaine. Il y a un commandement de Dieu qui le proclame et c'est le huitième. *Faux témoignage ne diras, ni ne mentiras aucunement.* Pie XII, notre saint Père le pape l'a écrit dans une de ses bulles : soyez vigilants, mes frères, le mal se cache souvent sous les apparences du bien. Mais le plus important de tous les commandements de Dieu, c'est encore le premier. *Un seul Dieu tu adoreras et aimeras parfaitement.* L'on peut violer ce commandement en attribuant à un être créé une perfection qui n'appartient qu'à Dieu. Et je vous rappelle une fois encore la question 366 du catéchisme et sa réponse. *Est-il permis de faire usage de sorcellerie et de charmes, ou d'ajouter foi aux rêves, aux charlatans, aux diseurs de bonne aventure ? Non, cela n'est pas permis. Car ce serait attribuer à des êtres créés des perfections ou un pouvoir qui n'appartient qu'à Dieu seul.*

Mes bien chers frères, ce n'est pas la première fois que je vous dis ces choses..."

Plusieurs de ceux qui avaient eu un rendez-vous avec Desfossés cet hiver-là ressentaient de la honte et du remords en ce moment. Mais au moins la moitié d'entre eux gardaient cachée leur intention de revoir le guérisseur à la seconde occasion et non pas la prochaine fois qu'il se pointerait au village.

Rose, tenant à son vieux plaisir de s'opposer au curé et fidèle à son habitude de prendre elle-même ses décisions, eût été pleinement convaincue par ce sermon de retourner voir Desfossés la prochaine fois qu'il viendrait s'il avait hésité à le faire.

*

Le curé avait un terrible mal de dos depuis qu'il avait forcé pour en aider d'autres à pousser sa Chrysler hors d'un fossé dans le bas de la Grand-Ligne. Allongé sur la table d'examen, il attendait que le docteur Flavien revienne afin de l'ausculter et le soigner. Mais le médecin-député était en ce moment au téléphone et il jasait, jasait, jasait... Et on pouvait l'entendre depuis le bureau.

"C'est un rang important et qui a besoin d'être réparé, exhaussé, pavé. Et j'ai l'appui du ministre de la Voirie à ce propos. Il ne manque plus qu'aux fonctionnaires à faire avancer le dossier. Et vous, mon cher Fréchette, pourriez lui faire faire des pas rapides dans la pile..."

Le pauvre prêtre grimaçait de douleur, mais le député poursuivait sans se soucier de lui le moins du monde :

"... Rappelez-vous que nous avons arraché le comté à l'Union nationale et qu'il faudra en faire un peu plus pour la Beauce si nous voulons la garder dans le camp libéral..."

Le curé ferma les yeux et les paroles de Flavien devinrent murmurantes, lointaines. Tout à coup il sentit une présence à son côté. Son flair de serviteur de Dieu lui dit qu'il s'agissait d'un être ennemi. Peinant, il parvint à se tourner et se retrouva en plein devant un terrible démon à visage rouge, ricaneur, malveillant, qui posait sur lui un regard semblable à celui de Superman (Surhomme dans les B.D. de la Patrie) quand il désirait plonger à l'intérieur des choses. Les affres qui comprimaient le prêtre, corps et cœur, dans un étau broyeur, décuplèrent quand il reconnut sous les traits de ce personnage démoniaque nul autre que le visage effrayant de Germain Bédard.

De peine et de misère, le curé parvint à faire glisser sa main le long de sa poitrine et ses doigts pénétrèrent dans une petite poche de sa soutane afin d'y trouver une médaille de la Vierge qu'il sortit et souleva péniblement, son dos toujours aussi douloureux.

Le diable eut un mouvement de recul, comme d'effroi.

– Vade retro satana ! ordonna le prêtre.

Le diable recula encore et commença à lorgner vers la porte de sortie afin d'échapper à la puissance divine qui traversait l'éther comme un éclair fulgurant, s'approvisionnant d'énergie dans la médaille brandie et courant dans le bras tendu vers sa personne soufreuse. Quel prêtre, avec le saint curé d'Ars, n'a pas rêvé un jour de commander aux forces du mal ?

– Oust ! ajouta le curé.

Le diable fit un pas de danse.

– Oust ! Oust !

Le diable fit deux, trois, dix pas de danse.

C'est alors qu'une mouche se posa sur le front du prêtre. Homme d'une propreté exemplaire, l'abbé fit un geste pour la chasser et c'est elle qui reçut la charge vengeresse du bien incarné... Elle s'écrasa, ailes à l'envers, dans le bac à dentiers sur la table blanche près de l'évier. Cette fraction de seconde suffit à ce diable de Bédard de filer à l'anglaise sans demander son reste et non sans plonger ses yeux rayons X dans le flanc du curé dont la douleur intense au dos s'aggrava.

Il ouvrit les yeux et se rendit compte qu'il avait rêvé.

Et Flavien, le politicien, parlait, parlait, parlait sans se soucier de son électeur souffrant...

Le curé ferma de nouveau les yeux et fit un vœu : celui de voir sa douleur disparaître à tout prix. alors il sentit une autre présence à son côté. Si ça devait être ce Bédard de malheur, cette fois, il l'arroserait de médailles, cachant parmi elles, l'une des plus puissantes, à l'égal de saint Michel : celle du Sacré-Cœur.

"Je peux vous aider, monsieur le curé ?"

L'abbé rouvrit les yeux. Il aperçut un visage masculin élargi par un immense sourire.

"Comment ? M'aider, mais vous n'êtes même pas docteur."

"Pas docteur, mais guérisseur ! Je sais guérir les corps comme vous savez guérir les âmes."

"En vertu de quel pouvoir ?"

"C'est un don de Dieu comme d'autres ont reçu celui de faire de la bonne menuiserie ou de jardiner."

"Le pouvoir de guérir, Dieu ne le donne pas au premier venu..."

"Mais bien entendu ! Rares sont ceux qui le possèdent."

"Éloignez-vous de moi ! Si quelqu'un peut soigner mon mal de dos, c'est le docteur député ici présent ou bien moi-même avec mes prières et mes médailles du Sacré-Cœur..."

Le guérisseur leva les mains et hocha la tête pour annoncer qu'il respectait la décision du personnage imposant. Le prêtre crut que c'était pour le toucher.

"Holà ! Holà ! on ne bouge plus, monsieur Desfossés !"

"Je m'en vais, je vous obéis."

Pendant qu'il reculait vers la sortie, l'abbé tendit l'oreille vers la pièce voisine où le député parlait, parlait, parlait... Il tenta de bouger et une douleur fulgurante le poignarda en plein dos...

"Attendez !" ordonna-t-il à Desfossés qui avait maintenant la main sur la poignée de la porte.

Le guérisseur obéit encore.

La souffrance put se lire sur le visage du curé.

"Revenez !"

Le guérisseur accepta.

"Que pouvez-vous faire pour moi ?"

"Vous n'avez qu'à vous tourner vers moi et vous lever, et vous serez guéri."

"Je ne peux pas vous croire."

"Il faut y croire."

La douleur frappa de nouveau.

"J'y crois, j'y crois d'abord que vous le voulez."

Et le prêtre se tourna puis se dressa dans son lit. Il ouvrit les yeux pour se rendre compte qu'il avait fait un très mauvais rêve causé par une couverture qui s'était ratatinée en bosse sous sa colonne vertébrale.

Un mauvais rêve : c'était bien peu dire. Il s'exclama en grommelant :

– Quel cauchemar impensable : avoir été guéri par un guérisseur !

Il égalisa ses draps et s'allongea de nouveau dans le clair-obscur créé dans la chambre par les rayons de lune réfléchis dans toutes les directions par la neige fraîche répandue ces dernières heures grâce à un ciel généreux.

Le lendemain du sermon, quelqu'un appela le guérisseur et lui fit part des paroles du curé. Desfossés annonça qu'il reviendrait, mais dans le village voisin. Il le ferait savoir à tous de Saint-Honoré qui n'auraient que cinq milles de plus à parcourir pour aller le rencontrer et, bien mieux, pour se mettre à l'abri des gros yeux du presbytère. Le seul vrai perdant serait Fortunat qui ne toucherait plus mensuellement le revenu de location d'une chambre et celui d'un achalandage accru durant la présence dans l'hôtel de Desfossés.

***

Chapitre 35

Quoi de mieux pour voir le bonheur en marche que d'assister à un mariage en règle devant Dieu et les hommes ? Rose le faisait pour un peu ça, mais aussi pour des raisons marchandes. Sourires aux assistants lors de la marche nuptiale alors que, politesse oblige, elle restait dans son banc de l'allée centrale et laissait sortir tout le monde avant que de s'effacer par la porte de côté.

On la trouvait bien sympathique, la dame Avon et à chaque mariage, elle fidélisait un peu plus sa clientèle. Éva lui avait suggéré cette idée payante, elle qui ne pouvait pourtant le faire à cause de sa présence requise à son magasin. Mais elle compensait dans son entreprise de relations publiques par le biais d'appels téléphoniques réguliers à ses clientes. Un bon suivi !

Mais en ce samedi ensoleillé de juillet 1961 s'ajoutait une autre signification à sa présence à l'église, tandis que Laurette et Martial prononçaient le oui irréversible. Et c'était pour voir les deux plus jeunes frères du marié qu'elle avait fait sortir de l'adolescence pour en faire des hommes. Elle savait fort bien que ni l'un ni l'autre ne s'en serait vanté à qui que ce soit, pas même à l'autre, et elle désirait apercevoir le fond du regard de chacun.

En réalité, c'est bien plus elle-même qui avait perdu dans l'échange et elle en était consciente. Ni de l'un ni de l'autre elle n'était parvenue à se faire un amant le moindrement durable et une fois initié aux choses de la vie, ils avaient tous les deux détalé comme des lapins.

Mais elle ne leur en voulait pas pour autant et c'était plus pour faire avec chacun une sorte d'échange de mercis par le regard qu'elle se trouvait là.

"Ta lam ta lam ta lam ta lam taa lam taa lam am..."

C'était Pauline à l'orgue, qui annonçait à l'humanité le plus beau mariage de l'été. Car elle et son mari député y assistaient pour le meilleur et pour le pire.

Intimidé, Martial souriait difficilement. Sa jeune épouse se comportait comme la veille ou la semaine d'avant ou en tout temps. Se marier ou bien aller à la pêche ou aux funérailles, c'était pareil pour elle. La déprime inscrite dans la nature humaine et cachée dans les tréfonds des plus optimistes avait oublié de prendre son nom en note au moment de sa conception une trentaine d'années auparavant.

"Ta de lam de tam de lam. Ta de lam de ta de lam..."

Laurette sous son voile saluait à la manière de la tsarine Alexandra de Russie aux temps glorieux de la cour impériale. Mais à hauteur de Rose, elle se pencha pour lui dire à l'oreille :

– Je vous remercie pour votre cadeau. Je le porte, le parfum, aujourd'hui. Mon mari m'a dit que je sens bon.

– Tant mieux, tant mieux !

Puis Rachel au bras de son époux échangea avec Rose un regard chargé de lueurs ayant pour nom Germain Bédard, ce diable d'homme dont ni l'une ni l'autre n'avait entendu parler depuis dix ans au moins.

D'autres suivirent, qui hésitaient à saluer cette femme qu'ils ne connaissaient pas tandis que certains lui souriaient. Et ce fut Gilles accompagné d'une grande perche à cheveux roux qui trouva bizarre ce regard-là braqué sur son mari.

"Elle est là à toutes les noces à reluquer," lui dira le jeune homme plus tard pour se disculper et rassurer.

Enfin, ce furent André et sa compagne Michèle. Il avait emprunté l'auto de Martial pour aller la quérir à une heure bien précise et il devrait la ramener à sa maman à une heure fixée par elle. Une heure sévère, autoritaire, à gros yeux ronds que la femme avait soigneusement inscrite dans le carnet auditif du jeune homme impressionné...

Son regard croisa celui de Rose. Il ne le soutint pas. Pas même une seconde et baissa les yeux. La femme suivit ce couple qui fermait la marche...

"Ta lam ! ! !"

Pauline ferma vite ses cahiers et se dépêcha de quitter le jubé de l'orgue pour rejoindre son mari parmi les assistants pour la photo sur le perron.

Au nouveau restaurant, de l'autre côté de la rue, des badauds, les bras croisés, observaient la scène. Ils espéraient vivre la même chose... ou ne pas la vivre. Le fou du village, les pieds tordus, le dos voûté, passa devant les mariés sur le trottoir et ne daigna pas leur jeter le moindre regard. Soudain, il s'arrêta et cracha par terre. Puis il mit son pouce sur sa narine gauche et souffla de l'autre pour expulser des humeurs indésirables. Laurette se fâcha et lui cria des bêtises à tue-tête :

– Tit-Georges, t'es ben mal élevé, toi ! Maudit cochon, achète-toi donc un mouchoir !

L'homme releva la tête, menaça du regard et des sourcils ramassés :

– Mange donc un maudit char de marde, toi, à matin.

Et il reprit son chemin en jurant :

– Maudites machines de calvaire de maudites cochonneries du 'yable' de sacrement de bon yeu...

C'était bien moins la mariée qui l'emmerdait que toutes ces automobiles prêtes à former convoi.

– Qui c'est celui-là ? demanda Michèle à l'oreille de son compagnon.

– Lui ? C'est notre meilleur, fit André en riant.

– Qu'est-ce ça doit être le reste du monde par ici ?

Jolie, amaigrie, intelligente, Michèle avait beaucoup pour inspirer le beau sentiment et tout pour l'éteindre soit sa mère qu'elle traînait toujours aussi bien dans sa tête et ses mains que ses pieds. Ses pieds surtout.

Son compagnon avait l'intention bien arrêtée quant à lui de l'emmener dans un petit rang cet après-midi-là ou bien en soirée. Tiens, sur le coteau dominant le village, derrière la montagne de bran de scie où Pit Poulin conduisait Rose parfois naguère pour lui faire voir le bout du monde et de son revolver. Un endroit tranquille pour y accomplir des péchés modérés... de ceux qui ont meilleur goût pour un jeune homme encore accroché à des principes malgré toutes les tentations auxquelles il avait cédé jusque là.

Il restait à prendre les dernières photos avec les mariés seulement. Le photographe ordonna les sourires et tandis qu'il procédait, un citoyen s'approcha lentement, mais trop vite tout de même et il apparut de profil dans l'objectif. Trop tard pour l'artiste qui pesa sur le bouton. C'est ainsi que François Bélanger, désireux de serrer la main de Martial pour qui il avait une grande reconnaissance, fut de la photo. Impatient, le photographe lui ordonna de reculer et il put finir son travail.

François grimaça mais personne ne s'en rendit compte. Puis il fut hélé par Martial lui-même et vint lui serrer la main tandis que la décapotable de circonstance venait se mettre en place devant le perron.

– U nu féct...ii dé oun chann...

Martial était de ceux qui parvenaient à discerner ce que le pauvre homme tâchait d'exprimer sans que d'aucune manière son visage en bourrelets pivelés ne puisse lui venir en aide par le sourire, la moue ou toute autre gestuelle inspirée par les émotions.

– T'es venu me féliciter pis nous dire bonne chance ? Ben merci, fit le marié en lui serrant la main.

Laurette s'était éloignée de quelques pas pour dire sans trop de discrétion à Pauline :

– Par chance que j'sus pas superstitieuse : il pourrait nous venir au monde tout un escogriffe. Tit-Georges qui se mouche devant nous autres sur le trottoir pis le François Bélanger qui vient se mettre la face devant le kodak.

Jean-Louis, qui était en retrait, blagua :

– Te vois-tu mettre au monde un mélange des deux : ça te ferait un beau plus vieux de famille, ça.

– Mon Simon va être beau : inquiète-toi pas pour ça, mon Jean-Louis.

– J'en doute pas une seconde. Et intelligent, c'est sûr !

*

Rose rentra chez elle. Depuis un mois, elle habitait une maison mobile dans la rue de la caisse populaire. Un petit salon en entrant. Cuisine au milieu puis un couloir qui conduisait à la salle de bains et à sa chambre. Elle se sentait à l'étroit après avoir si longtemps habité dans la salle paroissiale puis chez madame Jolicœur dans cette maison interminable à deux étages avec sous-sol où l'on pouvait marcher debout sans se cogner la tête aux solives.

Elle avait dû réduire ses inventaires. Et tous ses parfums et produits trouvaient leur place dans un vaisselier vitré qui lui servait de vitrine d'étalage.

En soupirant fort, elle se laissa tomber dans un fauteuil devant l'appareil de télévision et son cœur devint triste. Un mythe veut que la solitude soit plus lourde dans une grande maison et pourtant la veuve était en désaccord avec cela. Elle se sentait plus seule maintenant que du temps de sa vie chez madame Jolicœur.

Il n'y avait eu aucune suite à sa visite au guérisseur Desfossés l'hiver d'avant et quand l'homme avait ouvert bureau à distance, elle n'y était pas allée lui rendre visite de nouveau faute d'une occasion, faute d'y songer le moment venu, faute surtout de se sentir lasse.

Il avait eu raison : ce devait être l'hiver, le coupable quant à sa crise de neurasthénie de janvier. Le printemps arrivé, un regain d'énergie s'était manifesté. Par bonheur car il lui avait fallu des réserves pour déménager.

Ce mariage du jour la faisait vieillir. Il n'y avait plus guère de chance qu'elle se trouve un nouvel amant jeune, un étalon fringant que la nature excite sans qu'il soit besoin d'un excitant. Il y en avait d'autres de l'âge des petits Maheux, mais c'eût été risqué de leur toucher car ils avaient tous une mère pour les couver jusqu'à leur fiancée et même au-delà...

Elle songeait donc de plus en plus à reprendre son lien avec Philias en pis-aller. D'autant que leurs terrains jouxtaient et qu'il suffirait donc au garagiste de faire quelques pas par "au travers", depuis la porte arrière de sa maison jusqu'à celle de la maison mobile. Elle tiendrait ses lumières éteintes et personne ne verrait venir le bonhomme...

Un signe et il accourrait. Mais le pauvre entrait dans la soixantaine et il prenait ses désirs pour des réalités. Par bonheur que Rose avait la main agile ou alors elle risquait de rester sur son appétit.

Par contre, il vient un jour, même pour une femme aussi chaude qu'elle, où une présence n'a pas besoin de sexe pour remplir un vide profond...

*

"Cling cling cling cling cling cling cling cling..."

Les ustensiles assommaient la porcelaine et le cristal de même que les tympans les plus fragiles.

– Les mariés, les mariés, les mariés, était-il crié par plusieurs.

– Encore un bec, ça va les épuiser, parvint à faire comprendre Michèle à son ami.

– Si on nous demande de le faire, nous autres, qu'est-ce qu'on fait ?

– On fera ce qu'il faut.

– Ta mère ?

– Elle sait ben qu'un bec en public comme ça...

"Cling cling cling cling cling cling..."

– Michèle pis André; Michèle pis André; Michèle pis André...

Le couple se leva. Le bec fut aérien, trop pudique aux yeux de l'assistance qui leur exigea à coups de cling cling de recommencer. Cette fois, le jeune homme attrapa sa compagne et lui appliqua en pleine bouche le plus français, le plus mouillé, le plus lascif des baisers publics de mémoire de Saint-Honoré. Le geste était bien plus spectaculaire que libidineux. Mais la jeune fille joua à la vierge offensée. Toutefois, pour la première fois de sa vie, elle se demanda si le métier de sexologue existait, qui lui permettrait de fouiller dans ces mâles-là qui devenaient si facilement avides en présence d'une femelle... À dix-sept ans, elle aurait bien le temps d'y penser de nouveau, à l'orientation de sa vie et à un choix de carrière. En tout cas, on ne ferait d'elle ni une maîtresse d'école ni une infirmière...

Plus tard, il y eut musique de danse avec l'orchestre à Tit-Kit. Et au beau milieu de l'après-midi arrivèrent à l'hôtel trois jeunes filles : deux brunettes et une blonde flamboyante. Elles prirent place pas loin des salles de toilette et se firent servir des consommations. Plusieurs les remarquèrent du fait qu'elles étaient des étrangères. Et quand André eut à se rendre aux toilettes, il passa tout près d'elle. La blonde le regarda droit dans les yeux et lui adressa le clin d'œil du siècle. De quoi le faire fondre comme de la glace au soleil de mai. Et quand il regagna sa place, l'une dit aux autres pour que le jeune homme l'entende clairement :

– Ouais, ben on va revenir à soir. C'est 'too much' icitte, vous trouvez pas.

Elle reçut des approbations.

*

André ne put emmener Michèle derrière le tas de bran de scie pas plus que dans le rang du moulin à carde où se trouvait un lieu inspirant pour les jeunes automobilistes et il lui fallut reconduire sa blonde à la maison. Comble de malheur, il lui fallait revenir redonner à son frère son auto et lui permettre de partir en voyage de noce.

Quand les mariés eurent quitté les lieux, il se rendit chez lui, prit un repas de solitaire au cours duquel il se rappela la soirée charnelle passée avec Rose. Et il eut le goût de faire sauter à la dynamite tous ses principes. En tout cas la mèche était drôlement allumée là, dans le bas de son corps...

*

Rose fit en sorte que Philias s'approche. Elle se rendit à la clôture et examina quelque chose qui n'existait même pas. C'était après souper et il faisait encore clair. L'homme l'aperçut et sortit de chez lui par la porte de la cave.

– Y a-t-il quelque chose qui va pas ? demanda-t-il en s'approchant par grands pas dans le foin long.

– Je me demande si c'est pas ici que j'ai perdu quelque chose hier. Mais ça fait rien. Ça va bien, toi ? Ça fait longtemps qu'on s'est pas parlé.

– J'attendais que tu me fasses signe.

– Je te fais signe.

– Quand j'ai su que tu déménageais icitte, j'ai pensé qu'on

pourrait se voir... Pas mal plus facile...

– Attends la noirceur pis viens...

– C'est beau.

Elle tourna les talons et il fit de même puis après quelques pas, elle lui lança :

– Pis oublie pas de passer par ta chambre de bain...

– Ben oui, ben oui...

De retour à la maison, elle prit son fauteuil, soupira puis alluma le téléviseur. Une nouvelle routine s'installerait. Le temps passerait, passerait...

*

André retourna à l'hôtel où il y aurait ce soir-là le 'shower' d'un couple formé de Cécile Sirois, fille de Marie et d'un jeune homme du rang neuf. Il y retrouva des amis au comptoir-bar et la femme du propriétaire s'étonna :

– As-tu cassé avec ta blonde ?

– Fallait qu'elle retourne avec sa maman.

– Je te félicite, c'est une belle fille.

– Intouchable... comme Eliot Ness...

Il en fit rire plusieurs. Et sirota une bière, deux bières, trois bières... Pas trop vite pour ne pas sombrer dans l'état comateux qui l'avait empêché le soir des élections provinciales de devenir un homme grâce au pouvoir magique et aux parfums de Rose.

Une demi-heure après les premières notes de musique du nouvel orchestre, les inconnues de l'après-midi se pointèrent le nez. Le jeune homme était déjà en amour avec la blonde flamboyante. Il la fit danser, la colla un peu, mais pas trop. Ses maudits principes le reprirent d'assaut et la pauvre fille ne comprit pas qu'il tienne entre elle et lui une distance aussi respectueuse.

Bonne stratégie de sa part s'il s'agissait d'une stratégie car elle accepta son invitation à la reconduire chez elle dans la paroisse voisine. Dut-il se ruiner, il prendrait un taxi. Par chance, deux de ses copains devinrent les cavaliers des autres filles, les sœurs de la première, et il n'en coûta à chacun que le tiers du prix pour ce transport. Mais quelle jeune fille se laisserait peloter en présence de ses sœurs ? Principes du jeune homme et réserve de la jeune fille formèrent bon ménage.

Au moins, à la fin de la soirée, il savait son prénom et son nom de famille : Sylviane Roy.

*

Pendant ce temps, Philias et Rose jasaient dans la chambre à coucher après les gestes de l'amour physique qui n'avaient abouti à rien du tout.

Il parla de sa semi-retraite, de ses talents de mécanicien toujours aussi appréciés, de sa crainte de la mort et de l'au-delà.

– Parle pas de ça : tu me donnes des frissons dans le dos, là, toi !

Ils étaient étendus, tous les deux dans leurs sous-vêtements, elle au fond du lit près du mur, lui les deux mains sous la tête sur l'oreiller et il n'entrait dans la pièce par la porte entrouverte que l'éclairage indirect de la salle de toilette à la porte entrebâillée.

– Faut ben finir par se faire à l'idée...

– Dans le temps comme dans le temps !

– Reste quoi dans la vie, passé soixante ans ?

– Reste c'est qu'on fait là : parler...

– Ouais...

Ils parlèrent une autre heure puis il s'en alla.

*

Le lendemain midi, au moment de prendre le combiné du téléphone pour appeler Michèle, André composa plutôt le numéro des parents de Sylviane...

Il tomba en amour encore plus dans les heures qui suivirent.

Transporté dans les nuages par une sorte d'idéal, ses principes moraux redevinrent son catéchisme du quotidien et, les soirs de rencontre avec sa nouvelle, cela lui valut bien d'autres douleurs dans le fin bas du ventre...

***

Chapitre 36

Pour d'aucuns, 1962 fut l'année de l'amour, pour d'autres, l'année du pouvoir, pour d'autres encore, celle de la mort...

Pour Rose Martin, ce fut l'année des frontières.

Son hiver fut particulièrement tranquille dans l'étroitesse de sa maison. Philias ne la visita que deux fois et à chacune, il lui apparut plus étrange que la précédente.

Il parlait comme naguère puis tout à coup dérapait et entrait dans une sorte de délire incontrôlable, semblable à celui d'un fidèle du mouvement charismatique qui se met à parler en langues, sauf que le garagiste, lui, marmonnait alors à mi-voix et prononçait clairement chaque deux ou trois phrases des mots ayant un rapport quelconque avec la mécanique. C'était comme si François Bélanger avait enchâssé dans son discours un concept bien appuyé accaparant à lui seul tout l'espace intelligible.

"Starter. Strap de fan. Batterie morte. Tabarnac !... Christ de carburateur, m'a t'avoir !"

Pauvre femme qui ne réussissait pas à saisir cette langue

anglo-mécanico-liturgico-bizarroïde ! Pire que ce latin des messes dont sa connaissance se limitait à *Dominus vobiscum* et *Et cum spiritu tuo*.

Il n'y eut pas de sexe. Aucun rapprochement. L'homme n'alla même pas dans sa chambre. Télé. Silence. La seconde fois, il quitta précipitamment pour, dit-il, ne pas manquer le match de hockey.

– Depuis que Maurice Richard est parti du club, affirma-t-il, moé, faut que je travaille le double devant ma télévision pour faire gagner le Canadien.

Décidément, Rose s'y entendait de moins en moins. Philias devenait-il fou raide ou bien n'était-il qu'un homme ordinaire forçant pour son équipe préférée ?

Le seul client que Philias garda fut le docteur député qui vivait avec son épouse et leur jeune enfant dans leur maison en biais avec le garage. Et quand il effectuait une réparation sur une de leurs voitures, le mécanicien retrouvait toute sa lucidité.

Rose s'arrêta au garage à deux reprises au cours de juin. Il lui apparut que sa relation avec lui avait vécu. Restait à vivre un bon voisinage. Elle poursuivit sa tournée et s'arrêta plus longtemps chez sa cliente Laurette devenue mère d'un fils en mai.

Elle montra à Rose son beau bébé rond et blond, et souriant même dans son sommeil, comme s'il avait été fait pour le bonheur total, le cher petit ange. Aucune ressemblance avec Tit-Georges et François dont la présence devant l'église le matin du mariage n'avait rien signifié sur la descendance des époux.

– Comment il s'appelle ?

– Simon.

– Il est pas tannant ?

– On l'entend pas. Un ange du paradis.

– On dirait un petit ange.

Les femmes devant les bébés ressemblent aux hommes devant leur hockey. Et leur admiration devant ce chef-d'œuvre de chérubin s'habilla de plusieurs autres phrases exclamatives.

Puis Rose ouvrit sa valise sur la table et fit sa présentation habituelle. Depuis belle lurette, Laurette tutoyait l'autre malgré leur différence d'âge. Il y eut transaction. Puis la représentante fit une proposition :

– Si t'as envie de reprendre ma ligne, dans une couple d'années, je vas lâcher.

C'était vraiment la première fois que Rose exprimait cette échéance à laquelle pourtant elle songeait de temps en temps.

– Ben... là, j'peux pas avec un jeune bébé...

– C'est comme je te dis : dans une couple d'années...

– Je dis pas non.

– Eux de la compagnie connaissent personne dans la paroisse. Ils vont se fier sur moi pour trouver une remplaçante.

Puis il fut question de politique. Fort d'un thème facile à trouver et probablement rentable, la nationalisation de l'électricité, le premier ministre Lesage avait déclenché des élections prématurées et l'on se retrouvait de nouveau en pleine fièvre électorale.

– On dit que Flavien pourrait se faire battre, dit Laurette.

– Ça me surprendrait : les libéraux sont forts plus que jamais.

– Oui mais... Paraît que... y aurait autant de patronage dans le comté que du temps des bleus.

– Tu penses ?

– C'est pas moi qui le dis. Je dis ce qui se dit.

– En tout cas, je vas voter pour lui pareil.

– Ah ! nous autres itou ! Libéral un jour, libéral toujours.

Puis il fut question du jeune frère de Martial qui était devenu enseignant au village et continuait de vivre dans la maison familiale maintenant occupée par le couple tandis que le père, victime d'une crise cardiaque dans les chantiers avait été enterré au mois de février.

– Il va se marier l'été prochain. Aussi ben de même, il va avoir son chez-eux.

– Tant mieux pour lui !

– Pis l'autre, le Gilles, lui itou devrait pas retarder à se marier. Il sort avec une Anglaise de Nouvelle-Écosse. Pas un mot de français. Ben fine pareil...

Et ce furent des lieux communs. "Le temps passe donc vite." "Je les ai vus grandir, ces deux-là." "C'est leur mère qui sera contente de les voir réussir."

Après son départ, la veuve retourna chez elle. Ce jour-là, elle n'avait pas le goût de faire d'autres portes...

*

Et Flavien perdit ses élections malgré que le gouvernement libéral fût reporté au pouvoir avec une majorité dite confortable. Et il fut très mauvais perdant. Le soir de la défaite, les adversaires furent violemment attaqués et les organisateurs locaux du parti bousculés. Le docteur mettait ainsi un point final à sa carrière politique. Toutefois, comme il est de mise dans une province où les mœurs politiques sont cariées par définition même, il obtiendrait ce que les petites gens appelaient la 'sacoche', soit le contrôle des dépenses gouvernementales dans le comté. Cela lui donna quatre années pour s'enrichir sous la table sans devoir en retour donner au peuple les services d'un député.

*

Le cinq août, un dimanche, Rose alluma son appareil de radio après la messe. Une nouvelle la surprit comme bien d'autres à travers le monde. Marilyn Monroe avait mis fin à ses jours à l'âge de trente-six ans à l'aide d'une surdose de barbituriques. De pareilles tragédies forcent la réflexion et induisent les vieilles questions existentielles que se pose l'humain depuis la nuit des temps, depuis qu'il a pris conscience de sa propre existence et qu'ainsi, il s'est différencié des autres animaux. À quoi ça rime, tout ça ? Pourquoi venir au monde ? Pourquoi mourir ? Pourquoi les étoiles ? Pourquoi le temps ? C'était cette question surtout qui tracassait Rose ce matin-là, suite à cette nouvelle.

Elle sentait le besoin de parler à quelqu'un. À n'importe qui. Oui, mais à qui ? Sûrement pas à quelqu'un des générations qui suivent, car ils ne peuvent donc pas comprendre pareil questionnement, tel enfermement dans les frontières de la vie et les limites de sa durée.

Depuis deux mois qu'elle n'avait pas vu Philias, peut-être serait-il temps de lui ouvrir sa porte. Il ne viendrait jamais sans une invitation formelle de sa part.

Maintenant le garage avait définitivement fermé ses portes et son dernier client faisait entretenir ses véhicules ailleurs, chez des garagistes qui avaient activement soutenu sa campagne.

Depuis trois soirs, l'éclairage dans la maison de son voisin était le même. Une lumière venue de sa chambre à coucher. Une autre dans sa cuisine. Et une lueur faiblarde et jaunâtre qui s'échappait du garage, d'une fenêtre aux vitres noircies. Elle lui téléphona un soir à la brunante et n'obtint pas de réponse. Se reprit une heure plus tard : même silence, même absence. Alors elle passa par l'arrière, par le sentier qu'il avait improvisé entre leurs résidences et alla frapper à sa porte. Nulle réponse.

– Doit être parti se promener ! murmura-t-elle.

Néanmoins, elle s'inquiéta. L'homme était si perdu ces derniers temps.

– Peut-être qu'il sentait sa mort, sait-on jamais. Pis c'est pour ça qu'il en parlait...

Pour en avoir le cœur net, elle n'avait qu'à se rendre au garage, mettre le nez dans la vitre et voir si l'auto était bien là, auquel cas il y aurait lieu d'alerter quelqu'un... Il n'y avait pas de ronces ou de chardon pour s'y rendre, la terre ayant été polluée par des épanchements d'huile usée et bientôt, elle fut à l'endroit voulu. La voiture était là, sous un drap, comme de coutume. Elle se rendit plus loin et regarda par la fenêtre qui laissait échapper cette petite lumière malade. Il lui sembla apercevoir un objet suspendu, sans doute un moteur accroché au treuil, une image qu'il lui avait été donné de voir à quelques reprises. Puis ses yeux comprirent et se remplirent de stupeur. Ce n'était pas un objet mais un corps humain. Et ce pendu ne pouvait être que Philias.

En femme qui ne perd jamais pied quelle que soit la circonstance, Rose retourna à la maison et logea un appel à son vieil ami Pit Poulin qui exerçait toujours le rôle de policier provincial pour quelques paroisses avoisinantes. Un quart d'heure plus tard, aidé d'un collègue, il défonçait la porte avant et l'on décrochait le corps.

Quand la dépouille fut dans la fosse au cimetière après la cérémonie de l'enterrement, il ne resta plus que Rose et Bernadette pour se recueillir une dernière fois.

– Un homme qui fait ça est pas responsable, dit Bernadette. Il doit être au paradis pareil. C'était pas un méchant...

– C'est pas lui, le responsable de sa mort.

– Comment ça ?

– C'est le temps.

– C'est que tu veux dire avec ça ?

– Tu y penseras...

– C'est monsieur le curé qui est affecté; ils se voyaient souvent... mais moins depuis que le garage est fermé...

Et ce furent d'autres lieux communs. "Faut tous y passer." "Il a fait une bonne vie." "Il se ressemblait dans sa tombe." "C'est de valeur : il manquait de monde au salon. Lui qui a rendu service à tout le monde de la paroisse..."

*

Une jeune fille, qui avait ouvert un salon de coiffure dans la demeure de ses parents au printemps, répondait au téléphone. La voix lui demanda le prix d'une teinture pour ses cheveux. Elle donna le renseignement. Rendez-vous fut pris pour le matin suivant. C'est au comble de l'étonnement que Luce, la coiffeuse, personnage blond bien enveloppé, raccrocha le combiné.

Et à l'heure dite, le lendemain, sa cliente entra :

– Bonjour, madame Martin.

– Bonjour.

– Belle journée aujourd'hui !

– Pas pire. Ça doit te surprendre, ce que je t'ai demandé au téléphone.

– Un peu.

– Pas pire de se faire teindre en blond qu'à sa couleur naturelle, tu penses pas ?

– Absolument !

C'est ainsi que Rose devint blonde comme les blés mûrs et s'en trouva fort aise quand, une fois coiffée, elle se vit dans le miroir.

– Comment vous trouvez ça ?

– Je vas encore me faire dire que je ressemble à Mae West.

– Voyons donc ! dit la coiffeuse dans un éclat de rire.

– C'est mieux pour une femme de ressembler à Mae West que de ressembler à Joe Louis. C'est ça que je leur disais...

– En tout cas, ça vous rajeunit, dit Luce avec assurance.

– J'espère bien !

Alors même que s'achevait sa visite et que Rose constatait le résultat dans la glace, quelqu'un entra qu'elle ne vit pas sur le coup.

– Tiens, salut Robert ! s'exclama Luce qui avait devant elle un jeune homme en habit militaire.

Il s'agissait d'un garçon de vingt ans, un aîné de famille entré dans l'armée canadienne voilà un an et revenu en visite chez lui.

– Si c'est pas Robert Leclerc ! fit Rose quand elle se retourna.

Resté près de la porte, il la regarda avec intensité et parut chercher dans sa mémoire.

– Voyons donc, fit Luce, tu reconnais donc pas madame Martin ?

– Ah ! madame Rose, dit le visiteur en se cognant la tête avec ses deux doigts réunis.

– C'est de me voir en blonde... ça fait drôle pour une femme de mon âge qui l'a jamais été...

La famille du jeune homme demeurait de l'autre côté de la rue. Arrivé la veille, il effectuait une visite de bon voisinage à Luce et aux siens qu'il connaissait depuis des années mais n'avait pas revus depuis son départ.

– Toujours à Kingston ? demanda la coiffeuse.

– Non. À Saint-Jean.

– Ah ! mais tu t'es rapproché de nous autres...

Toujours assise dans la chaise, Rose écoutait en toisant ce beau gosse comme l'aurait fait Mae West devant Cary Grant. Six pieds, mince, droit, séduisant dans son uniforme, Robert portait son regard alternativement de l'une à l'autre et les propos furent ceux auxquels on peut s'attendre en de telles circonstances. Sauf que revigorée, renouvelée, Rose avait retrouvé une partie de son pouvoir sexuel et en transformait l'énergie en ondes qu'elle projetait vers lui par jets incessants comme si ses yeux avaient été des lances d'incendie.

Par chance pour elle, ce matin-là, elle avait mis un parfum à odeur de menthe, précisément celui que le visiteur aimait le plus sur un corps de femme. Il n'était pas un novice en matière de sexualité et savait lire dans un regard féminin. Surtout en pleine clarté comme maintenant. Et que quatre décennies les séparent ajoutait du piquant à la chose autant pour lui que pour elle.

– T'es venu pour... quelques jours ? dit Rose.

– Je repars lundi.

– Mon Dieu, t'es pas longtemps avec nous autres !

Il pénétra le regard de la femme :

– L'important, c'est pas la quantité, c'est la qualité.

– Comme pour le parfum.

– Comme pour les parfums.

Il possédait une voix douce, accommodante et un ton complice. Il sembla à Rose qu'elle ne s'était pas fait teindre les cheveux en vain. D'autant que par ce manège, c'est du temps qu'elle voulait gagner. À soixante-deux ans en 1962 avec tout ce qui était à se libérer autour d'elle, pas question de lancer la serviette encore. Et voilà que son effort, elle le sentait déjà, avait des chances de porter des fruits très rapides. Et que Philias repose en paix !

– Bon, ben, je vais vous laisser là-dessus, dit-elle. Vous avez peut-être des choses à vous dire...

Luce crut bon éclaircir les choses :

– On est pas des intimes, hein, Robert ?

– Je venais juste te saluer en passant, dit le militaire.

Il fut sur le point de précéder Rose dans la porte de sortie qui fit entendre une sonnerie rappelant à la veuve ces visites chaudes d'antan quand elle vivait chez madame Jolicœur, celles surtout de Germain Bédard à la nuit tombée.

– Excusez-moi... Je reviendrai, Luce, pour voir les gars.

– Salut ! Je vais leur dire.

Une cliente eut le temps d'entrer. Rose sortit. Robert suivit de près. Elle descendit. Ils se redirent quelques mots.

– Excusez-moi de pas vous avoir reconnue... Ça vous change, vos cheveux ! Ça vous va... très bien...

– C'est de valeur que tu restes pas plus longtemps; on aurait pu aller prendre un café.

– On pourrait y aller quand même.

– Sûrement ! Où ça ?

– Y a un autobus pour Saint-Georges à sept heures du soir : allons prendre notre café là-bas.

– Bonne idée ! On se rejoindrait où ?

– Je vais prendre l'autobus moi aussi. On décidera au terminus. Pour revenir... ben on décidera là-bas...

– C'est entendu !

Robert était de bonne race. Pas besoin de lui faire un dessin pour qu'il comprenne les approches de l'amour, sa progression, son langage. Et il avait affaire à une femme d'expérience qui n'attendait pas que le loup fasse une longue parade devant elle pour être d'accord.

Jamais elle n'avait fait mouche si vite et de manière aussi imprévue. Comme si tout avait été "arrangé avec le gars des vues". Mais plusieurs raisons expliquaient les choses. Lui savait qu'elle avait la cuisse légère. Il avait envie d'une femme et Rose lui apparaissait comme un plat de choix parce qu'elle savait ce qu'elle voulait, parce qu'elle était capable de séparer l'amour de la sexualité. Enfin, il ne lui restait que quarante heures avant de reprendre l'autobus pour Sherbrooke et Saint-Jean.

Un seul hasard était intervenu dans cette rencontre : le fait qu'il vienne chez Luce tandis que Rose s'y trouvait...

Hasard ? Même pas. Il l'avait vue entrer de chez lui et s'était donné un prétexte pour traverser chez la coiffeuse...

***

Chapitre 37

Pas besoin de dissimuler ! Pas besoin d'attendre la nuit noire, de se glisser furtivement le long de l'église ou de la salle paroissiale, pas besoin de se coucher sur une banquette arrière : grande liberté de mouvement. Plus encore que du temps du diable et de sa maison cachée dans le bois du rang dix. Déjà méconnaissable à cause de sa chevelure, Rose monta dans l'autobus une heure après avoir soupé au restaurant et confié à la serveuse qu'elle allait se 'promener' à Saint-Georges chez une amie.

Il y avait une dizaine de personnes dans le véhicule, aucune qui lui soit familière. Elle prit une banquette donnant sur l'allée centrale de sorte que les gens sur la rue ne puissent pas la voir. Vieille habitude d'échapper à l'indiscrétion. Alors elle sourit à son excès de prudence et à sa nouvelle latitude.

Le chauffeur n'eut même pas le temps de faire entrer l'autobus en troisième vitesse qu'il lui fallut décélérer de nouveau pour s'arrêter devant le salon de coiffure. Robert monta à son tour et après avoir payé son billet, il alla s'asseoir à la banquette voisine de celle de Rose. Ils se saluèrent d'un signe de tête et d'un sourire complice.

Bientôt le véhicule quittait le village. Ces deux personnes qui savaient déjà qu'elles seraient des amants dans quelques heures entreprirent une conversation incluant une certaine distance officielle qui excitait leur désir déjà rôdant par toute leur substance.

– Ça fait longtemps que t'es dans l'armée, Robert ?

– Presque deux ans.

– T'aimes ça ?

– Oui.

– Pas peur d'aller te battre à la guerre ?

– On pense pas à ça. Et puis la prochaine guerre se fera à coups de missiles à tête nucléaire.

Elle répéta lentement :

– Missile... à tête... nucléaire.

Ils se regardèrent et surent et se dirent en silence qu'ils pensaient à la même chose.

– Avec Kennedy à la tête des États-Unis, on peut dormir en paix pour un bout de temps.

– Ils font donc un beau petit couple, les Kennedy, hein ?

– Et comment !

– Pis là, tu vas te promener à Saint-Georges ?

– C'est ça, oui. Et vous ?

– La même chose.

Il ôta son casque qu'il inséra dans une sangle sur son épaule :

– Vous allez chez de la parenté ? lui demanda-t-il avec un clin d'œil.

– C'est en plein ça ! Et toi itou ?

– C'est ça.

– L'entraînement, comment ça se passe ? C'est-il comme

on voit à la télévision ? Courir avec un fusil... tout barbouillé de vase... grimper dans des murs de corde...

– C'est pas toujours de même, mais ça arrive... Et puis... beaucoup de 'push-up'... vous savez, allongé sur le sol et on abaisse et on élève son corps par la seule force de ses bras... Dix fois, vingt fois...

– Ça tient son homme en forme.

– Pas mal.

Ils se sourirent et se comprirent encore par-delà les mots dits.

– T'as quel âge asteur, toi ?

– Vingt ans faits.

– Ah ! je me souviens de toi quand t'étais tout petit. Plus vieux de famille. Ta mère était pas mal fière de toi. Elle doit l'être encore, j'imagine.

– Sauf qu'elle en a douze autres pour exercer sa fierté.

– Une belle famille comme on dit. Ça prend une femme courageuse pour en élever autant.

– Et vous, vous avez trois grands enfants ?

– Le bon Dieu m'en a pas donné plus.

Puis elle souffla pour que personne n'entende :

– Faut dire que j'en voulais pas plus pis que j'ai fait ce qu'il fallait pour ça.

Il répondit sur le même ton :

– Faut pas dire ça à confesse.

On ne mit pas longtemps à quitter la Grand-Ligne pour entrer dans le rang six et l'autobus roula alors sur un chemin gravelé. Une odeur de poussière se répandit et cela, ou autre chose peut-être, provoqua une quinte de toux chez le conducteur. Si violente que les passagers commencèrent à s'inquiéter.

– Par chance que c'est pas un avion, dit Robert.

– Il tousse comme Armand Grégoire au plus fort de sa consomption, commenta Rose.

Il fallut même s'arrêter et le chauffeur descendit pour prendre de l'air et retrouver son souffle.

– Il a même pas cinquante ans.

– Une poussière qui veut pas sortir... Ça m'est déjà arrivé, dit le jeune homme.

Rose avait beau porter une robe beige d'un tissu peu moulant, sa poitrine ressortait bien assez pour attirer des regards glissants de la part du jeune homme. Elle les remarquait et s'en flattait.

On reprit la route. Bientôt quelqu'un monta à bord. Une femme du rang cliente de Rose et tante de Robert. Leur conversation fut interrompue. Et c'est elle qui devint le centre d'attraction jusqu'au terminus où elle descendit. Chacun dut lui mentir à au moins quelques reprises. Et dut se rendre compte que la Beauce n'est pas grosse...

L'autobus poursuivit avec quelques personnes dont Rose et Robert jusqu'à un motel à la sortie de la ville. En fait un restaurant-motel où l'on passerait du temps au bar du sous-sol et où l'on prendrait à deux les décisions déjà prises par chacun de son côté.

Il était vingt heures et demie.

À la porte du bar, une affiche dans la marquise annonçait un organiste de Montréal qui serait là pour distraire la clientèle durant la soirée. Ceux qui voyaient le couple pensaient automatiquement à une parenté entre les deux partenaires vu leur différence d'âge. Comment imaginer plus entre ces deux-là sans faire preuve d'une certaine dose de perversité au fond de l'âme ? se disaient-ils forcément aussi. Mais une fois installés à une table, on les remarqua moins; ils se fondirent avec le décor chargé sous un éclairage des plus reposants. Une serveuse vint prendre leur commande.

Lucien Hétu, un musicien qui rappelait à Rose le Blanc

Gaboury tant il était émacié, fragile et voûté, alla prendre place à son orgue, un instrument bien connu par toute la province, et, de sa voix nasillarde, il souhaita la bienvenue à la salle à moitié remplie via son micro qu'il touchait presque de ses lèvres.

– Mon nom est Lucien Hétu... Aux amoureux et à tous les autres dans cette salle... Ah ! mais d'après ce que je peux voir, il n'y a que des amoureux ici... Je vous souhaite à tous une belle soirée. Si vous voulez faire une demande spéciale, écrivez le morceau désiré sur un papier. Il y en a à votre table... Et venez le mettre ici, dans ce panier sur l'orgue...

Sa pièce d'ouverture fut *Feuille de gui*, son plus grand succès sur disque à ce jour.

– J'aime ça ici, dit Rose. La musique est bonne et on s'entend quand même parler.

– Mes jeunes frères sont en train de monter un orchestre : ils font pas mal plus de bruit. Ici, ça serait pas la bonne salle pour eux autres.

Ils parlèrent de petites choses, de gens de leur village, d'un cousin de Robert mort tragiquement sur la ferme de son père, d'autres cousins plus heureux, partis pour Hartford y gagner de gros salaires. Des gens commencèrent à danser. Chacun se sentant un peu gris maintenant, ils se joignirent aux autres pour un 'slow' sur les musiques de *Blue Moon*.

D'aucuns se demandaient qui ils étaient, ces deux-là qui dansaient un peu trop emboîtés pour être de la même famille, encore qu'à l'aube de cette période de libération sexuelle, les plus délurés s'attendaient à tout déjà... En tout cas, de les voir faire en excitait plus d'un et les partenaires se collaient davantage.

Robert avait eu dans ses bras plusieurs jeunes femmes depuis et avant son départ, il avait même eu des relations sexuelles avec quatre d'entre elles, mais il n'avait jamais ressenti par toutes ses cellules pareille énergie, pareil courant électrique. La magie de Rose et son parfum agissaient sur sa jeunesse et sa virilité. Elle savait le toucher, l'effleurer avec ses seins, sa cuisse sans lui faire craindre un envahissement : juste la bonne mesure de celle qui sait aguicher et le sait jusque dans les moindres détails.

Certains qui voient une femme de cet âge, blonde comme de l'or, suggestive malgré elle, et en train de séduire un trop jeune à leur goût, se disent aussitôt qu'il s'agit d'une 'vieille guidoune' de la même façon qu'un homme d'âge mûr passe pour un 'vieux cochon' s'il a dans ses bras une femme trop jeune à leur goût. Mais ce soir-là, dans ce bar, ce préjugé des envieux était absent. Se trouvait-il une explication générale ou bien en chaque personne, le pardon à soi-même pour des fantasmes non conformistes avalisait-il cette façon de s'aimer de deux générations déjà éloignées ?

– Une demande spéciale, ça vous dirait quelque chose ?

– Ben... oui...

Il la serra un peu plus fort :

– Vous avez une suggestion ?

– Oui.

– Quoi ?

– Devine donc !

Elle songeait à l'amour dans une chambre du motel.

– *Surrender*, peut-être ? Une chanson d'Elvis.

– Ça veut dire quoi ?

– Ça veut dire : rendez vous ! Dans le sens de capitulez et... tombez dans mes bras.

À son tour, elle imprima de l'énergie sur son bras droit et poussa son bassin vers lui pour lui répondre autant avec son corps qu'avec ses mots :

– Je demande pas mieux; je pensais justement à ça.

– On se prend une chambre pour aller se détendre un petit peu ?

– On sait ben tous les deux que c'est pour ça qu'on est là.

Je croirais, hein ?

– Certain qu'on est là pour ça !...

Elle sourit, ce qui lui arrivait rarement, à sentir sa virilité sur sa cuisse. Il reprit :

– On demande *Surrender* quand même ?

– On a tout notre temps, tu penses pas ?

– Tout notre temps.

Ils retournèrent à leur place, commandèrent une autre consommation. Lui se rendit à l'orgue qui s'était tue le temps que l'instrumentiste fouille dans ses papiers de musique et lui tendit directement leur demande.

Voilà qui régla le cas de l'interrogation pour laquelle Hétu cherchait une idée et aussitôt, il annonça la pièce mais dans son titre italien :

– Les amis, voici sur demande *O sole mio*.

Ce n'est pourtant pas sur la piste de danse que le couple savoura la musique; il le fit à la table en même temps que les Manhattans. Sans rien dire. S'échangeant des regards sérieux, profonds, bourrés de désir...

– Je vais louer une chambre, dit-il simplement à la fin de la pièce.

Ils y furent sept minutes plus tard, passant par un couloir qui le conduisit à l'autre bout des chambres. C'était une pièce aux murs capitonnés de tapis brun à poils longs avec lisières de miroir. Et une table ronde occupant un coin. Et deux lits à deux places. Rien d'exceptionnel et le tout d'un goût douteux, et pourtant chaque objet gravait en leur mémoire un souvenir excitant.

Elle s'assit sur le lit le plus près de la salle de bains et lui se jeta aussitôt à côté d'elle à plat ventre. Chacun croyait devoir dire quelque chose mais ne trouvait rien. Elle brisa la glace à voix cassée :

– C'est pas la première fois, tu t'en doutes bien. On ferait mieux d'ôter ce qu'il faut tout de suite.

– Suis prêt si vous êtes prête.

Elle se laissa choir sur le dos :

– J'ai le goût de toi, mon gars, le goût à plein.

– Et moi donc !

Il la couvrit et commença de la peloter et de l'embrasser sans toutefois se laisser emporter comme d'autres de pareil âge par leur voracité de primates. La discipline militaire faisait de lui l'amant idéal...

Elle connaissait pour la première fois de sa vie un bouche à bouche aussi exquis. Lent. Douillet. Mouillé. Comme depuis le premier amant après sa séparation, il y avait une fois de plus le goût du défendu, un côté tabou dans cette relation, qui la rendait si troublante. Il se remplit les mains de sa poitrine, l'imaginant à découvert, la désirant nue...

– Je vous aide...

– Attends un peu, je vais à la salle de bains. Juste un petit pipi...

Il se rejeta sur le côté et serra les poings en soufflant fort pour modérer ses pulsions que ces mots de petite fille venaient de surmultiplier encore...

Elle fut bientôt de retour, sans sa robe, sans chaussures et entièrement nue sous son seul jupon de soie rose.

– Ah ! t'es pas encore prêt, mon gars.

Il sourit et pendant qu'elle tirait les draps et se glissait entre les deux, il enleva tout qu'il posa soigneusement sur une chaise, ne conservant que son caleçon blanc qui cachait un soldat au garde-à-vous. Il fut vite près de sa maîtresse.

– Tu vas trouver mes chairs un peu mollasses, si t'as déjà couché avec des petites jeunes.

– Et vous croirez faire l'amour avec un squelette si vous avez déjà couché avec...

Il ne prononça pas le nom de Philias Bisson. Ce n'était

pas trop le moment de parler d'un pansu pendu.

Les mots, les phrases, les chapitres se dirent en les gestes de l'amour, s'écrivirent en baisers qui s'étendaient partout sur les deux corps, sans se laisser arrêter par des frontières. Ils pouvaient parfois se voir un peu dans la pénombre quand la chaleur de leurs ébats prenait une seconde de répit pour mieux ressurgir vivifiée.

Elle lui donna la bouche quand il s'offrit, ce qu'elle avait refusé à tous avant lui, et ce nouveau feu qu'elle embrasa en lui fit aussitôt d'elle une virtuose de la fellation. Sauf qu'elle ne sut pas qu'il arrivait à l'orgasme et reçut son sperme abondant qu'elle ne put qu'avaler sans y trouver d'amertume.

Restée sur son appétit, elle savait bien qu'un gars pareil possédait des réserves...

Il le lui prouva jusqu'à l'aube et toutes les autres conclusions eurent lieu en elle tandis qu'il lui faisait l'amour dans la position du... militaire.

Il téléphona chez lui pour dire qu'il ne rentrerait qu'en fin de ce dimanche et les amants d'un jour dormirent pendant quelques heures avant de recommencer d'abreuver une soif qui, pour l'un comme pour l'autre, paraissait inassouvissable.

*

De retour chez elle, Rose était heureuse. Elle ne cessait de se redire qu'à soixante-deux ans, il lui restait encore cinq belles années devant elle au moins. Cinq années sur cette terre des hommes avant Expo-67 que le maire Drapeau de Montréal annonçait et vendait par avance au monde entier par quatre chemins et plus encore...

*

Robert, contrairement aux Maheux, était un jeune homme équilibré et sérieux. Il n'eut pas peur de Rose parce qu'elle était une femme plus que mûre et il prit l'habitude de venir à Saint-Honoré tous les mois.

Et pendant que le monde entier était rivé à ses téléviseurs

à regarder en presque direct la crise des missiles gérée par le dangereux John F. Kennedy, le jeune homme était quant à lui rivé à sa vieille amante dans la chambre de leurs amours au motel Charles : le numéro seize.

Vint 1963 et pendant que André épousait sa Sylviane ce jour d'éclipse totale du soleil, Rose et son amant roucoulaient dans la chambre des chambres.

Et pendant que John F. Kennedy expirait quelques mois plus tard dans une décapotable lancée à toute vitesse dans les rues de Dallas, Robert et Rose tiraient au moins trois coups à la chambre seize. Et le quatrième, il leur fut difficile de savoir à tous les deux s'il s'était vraiment produit...

Cette torride liaison entre deux êtres si dissemblables devait durer jusqu'à la fin du printemps de l'année 1964. Il fallut y mettre un terme puisque Robert fut muté au fin fond de l'Ontario.

En la substance de la veuve, cet amant resterait à jamais son Robert à la menthe à cause du parfum dont elle l'avait caractérisé dès le début comme elle l'avait fait avec tous les hommes de sa vie, son mari légitime excepté...

Elle tourna cette autre page sans regarder derrière.

Et revint à sa couleur naturelle de cheveux... sans non plus regretter ses années de blondeur...

***

Chapitre 38

Initiée à la peinture par Germain Bédard lors de son séjour dans la paroisse l'Année sainte, Rose s'y était adonnée
quelque temps après le départ du défroqué en 1950. Elle
avait même loué la maison des Boutin –qui avait changé de
mains– pour renouer avec un passé à jamais révolu. Mais ça
n'avait pas duré, son âme ayant été vite rassasiée d'un art qui
lui paraissait trop solitaire et individualiste.

Lors de son déménagement en 1961, elle avait confié
tout son matériel de peintre à sa fille, bien moins douée
qu'elle-même, et qui avait entreposé tout le bataclan artistique dans le grenier de sa maison.

Après l'éloignement de son jeune amant, Rose eut une
résurgence de son talent endormi et redemanda à sa fille son
chevalet. Pour le reste, elle se procura du matériel nouveau.
Et elle se réunit à la tâche après sa tournée printanière Avon.
Son premier modèle fut le vieux couvent du cœur du village,
qu'on avait fermé fin des années cinquante puis rouvert par
besoin au début des années soixante, et où l'on dispensait
maintenant les deux premières années du secondaire dans

quatre classes. Au bout de quelques jours, elle se rendit compte qu'elle n'allait nulle part avec sa toile et il lui vint l'idée de changer de modèle. Dans un album, elle possédait une photo de l'ancien couvent, celui qui avait brûlé au temps de sa jeunesse et failli mettre le feu à l'église et à tout le village.

Cette fois, elle n'abandonna pas au milieu du chemin et sut que la toile s'achèverait. À chaque matin, elle étudiait ce rêve oublié et lui ajoutait de nouvelles retouches, et le vieil édifice reprenait forme peu à peu avec ses fenêtres stylisées, ses frises décoratives, son clocher travaillé. Rien de comparable avec cette bâtisse froide, sans âme, enfermée dans un habit d'amiante à l'extérieur et dépourvue d'extincteurs à l'intérieur.

Le six juin, tandis qu'elle travaillait dehors, dos à la rue, elle entendit une auto s'arrêter pas loin. Elle avait l'habitude : un client de la caisse populaire sans doute. Et elle continua sans s'y arrêter davantage.

Et tous ses sens alors grandement absorbés par son travail, son sixième ne s'éveilla pas pour lui signaler une présence derrière elle tout proche.

– Quel progrès ! Quel progrès ! dit une voix masculine.

Rose faillit tomber en bas de son banc. Elle tourna vivement la tête et le visiteur se mit en biais pour mieux paraître devant son regard.

– Ah ! bonjour monsieur !

Elle ne réalisait pas encore ce qu'il avait dit et réagissait à sa seule présence.

Il s'agissait là d'un personnage dans la quarantaine bien entamée, aux cheveux poivre et sel, à visage rasé, et portant des lunettes à verres fumés.

– Félicitations ! C'est très intéressant...

Elle devint hésitante. Cette voix lui était familière. Mais le visage, pourtant pas si ancien que ça, venait de loin, de si loin qu'il lui semblait avoir au moins l'âge du couvent sur son canevas.

— C'est-il à moi que vous voulez parler ?

— Voyons donc, chère Rose, on ne reconnaît pas ses vieux amis ?

Elle le regarda intensément, hésita encore :

— Germain ? Germain ?

— En personne. J'ai donc tant changé ?

Il ouvrit les bras pour lui donner l'accolade. Elle se laissa glisser du banc; ils s'étreignirent brièvement.

— Comme ils disent à la télévision : j'ai dû t'envoyer des ondes. Jamais fait de peinture depuis dix, douze ans... Pis j'ai recommencé ça fait deux semaines... Et te v'là !

— Ça pourrait bien être ça !

— Contente de te voir ! Mais t'aurais pu venir avant.

— En m'en allant en 1950, j'ai décidé de ne jamais revenir dans la paroisse. Mais les choses changent et ce qui était une bonne décision hier devient de l'entêtement le lendemain.

— Comme ils disent à la télévision : on avance d'une crise à l'autre... Arrives-tu ? Comment as-tu su que j'étais ici plutôt que là où j'étais dans ton temps ?

— J'ai eu le renseignement au restaurant. Et j'ai su qui était mort, qui était encore vivant, qui a eu des enfants, qui est parti de la paroisse. Le vicaire, le professeur, le Blanc, Armand, Ti-Noire, Jeannine, Rachel, Éva, Ernest, tous disparus : les uns partis, les autres trépassés... Marie Sirois devenue madame Lucien Boucher. Cécile mariée à un gars de j'sais pas où...

— Et puis la Solange qui a trois, quatre enfants...

— Avec qui ?

— Avec qui...

— Quel mari ?

— Ah ! devine si tu le sais pas.

– C'est trop loin dans ma tête.

– Le Cook.

– Ah ! l'homme aux rouleuses. J'aurais dû y penser.

– T'es tout seul ? Viens, entre dans la maison, on va jaser un peu.

– Suis pas seul, mais ils vont attendre.

– J'insisterais ben, mais j'ai pas beaucoup de place.

– Viens que je te présente...

– Qui c'est ?

Il l'entraîna vers une voiture de marque Chevrolet à couleur foncée. Elle put se rendre compte qu'il s'y trouvait pas mal de têtes.

– C'est ma famille.

Rose n'aurait jamais pu imaginer Germain Bédard père de famille et voici qu'il lui fit voir ses six enfants dont un bébé blond dans les bras de sa mère qui était assise sur la banquette avant.

– Voici ma femme Lucienne. Lucienne, je te présente une amie de l'été 1950, madame Martin.

Lucienne était un être sans couleur de la fin de la trentaine. Visage inexpressif. Cheveux coupés courts, bruns, yeux exorbités. Timide comme l'aurore ou la brume. Voix effacée qui ne se fait pas entendre clairement comme pour exprimer une grande soumission à l'interlocuteur.

– Enchantée madame ! fit-elle en tendant la main par la vitre abaissée.

– Ça me fait plaisir, dit Rose. J'ai connu monsieur Bédard cet été-là... comme ben du monde de la paroisse. Il s'est fait connaître 'vitement' de tout le monde... Et c'est vos enfants ?

L'homme les montra sur la banquette arrière, tous les cinq alignés, sages comme des images, endimanchés, peignés, timorés :

– Benoît le plus vieux, Denis ensuite. Puis Hélène... eh

oui, une Hélène Bédard de plus au Québec... Francine et Bruno... Et le bébé en avant avec un prénom à vous laisser deviner, madame Martin.

Elle remarqua qu'il venait de passer au vouvoiement et ça lui servit d'avertissement. Sa femme ne devrait pas se douter qu'ils avaient eu des relations intimes. Et tout en se rappelant qu'ils avaient baisé comme des bêtes dans la maison sous les arbres, Rose se fit prévenante, experte qu'elle était en dissimulation comme toute femme en cette matière.

– Ben je dois dire que tu t'es bâti une ben belle famille, mon gars et je te félicite.

– Merci.

Levant les yeux, il s'enquit du garagiste :

– Philias vit toujours dans sa maison ?

– Il est rendu au ciel.

– Oui ! ? Et comment est-il...

– Il a voulu s'élever vers le ciel avec son corps... comme Jésus-Christ... mais...

Bédard comprit ce qu'elle voulait dire :

– Mais lui qui avait si peur de la mort se l'est donnée ?

– Il avait perdu une partie de son jugement... Mais, voulez-vous entrer un peu chez moi ?

Germain s'adressa à sa femme :

– C'est trop petitement, je vais entrer pour deux, trois minutes.

– Hum hum...

Ils se rendirent dans la maison mobile. La famille attendit sagement dans le véhicule. Les vitres étaient abaissées et la température raisonnable.

Germain resta debout à l'intérieur. Pas une seule fois sa femme ne tourna la tête en sa direction. Elle avait l'habitude d'attendre. Il contrôlait tout y compris la confiance à toute épreuve qu'elle avait en lui et qu'il lui commandait.

– Finalement, tu me l'as pas dit, le nom de ton dernier, constata Rose, restée debout elle aussi.

Il hocha la tête en souriant :

– Je te donne une chance... Dis-moi un prénom...

– Sais pas... Gilles...

– Ah ! quelle bonne idée ça aurait été... Le Gilles Maheux, l'apprenti sorcier... le petit démon derrière les apparitions... Marié ? Des enfants ?

– Je pense qu'il va se marier cette année : c'est ce que sa belle-sœur m'a dit. Il reste à Montréal.

– Ah ! évidemment ! Un jeune qui veut gagner sa vie fait mieux de s'exiler en ville.

– L'autre itou est marié. Le plus jeune...

– Le plus jeune ?

– André... il ressemblait à l'autre...

– Oui, oui, je pense que je m'en rappelle... un petit gars effacé... Des hommes asteur...

– Ben oui ! La jeunesse nous pousse dans la vieillesse.

De nouveau, ils se parlèrent de Philias, de Solange, et il posa plusieurs questions sur Ti-Noire et Jean-Yves, tous deux partis de la paroisse depuis longtemps déjà.

– Ti-Noire est pas mariée...

– Elle se mariera jamais.

– Pourquoi ? Ses sœurs le sont toutes, sauf la dernière.

– Je le savais... Elle voudrait jamais donner la vie avec l'héritage génétique qui est le sien. Pas transmettre les problèmes familiaux...

Il fut question du docteur, de François Bélanger, de Dominique Blais...

– La manufacture de boîtes à beurre est fermée. Le moulin à scie a fermé ses portes. Dominique a pris son bord, sa femme le sien. Les enfants sont élevés...

– Bon, je vais continuer maintenant, dit-il. Suis en route pour Saint-Georges. J'aurais pu passer par un autre chemin, mais j'ai pensé que c'était le temps de brasser des souvenirs.

– Et notre charmant curé Ennis : toujours de ce monde ? demanda-t-il en ouvrant la porte pour s'en aller.

– Il commence à parler de prendre sa retraite.

– Son devoir est fait.

Elle le suivit dehors, lui apprenant qu'elle était veuve. Il demanda aussi :

– Et monsieur Jean-Louis Bureau, il a fait une petite virée à Ottawa ? On a vu ça à la télévision...

– Il a gagné ses épaulettes en 58 et il les a perdues en 62. Les créditistes ont tout raflé dans ce bout-citte...

– Par chez nous itou.

– Au fait, tu restes où asteur ? Pis tu fais quoi ?

– À Victoriaville. Et j'enseigne...

– Pis ton livre...

– *Un diable dans l'eau bénite*... Jamais paru... Je m'en suis désintéressé. Mais... j'ai pas dit mon dernier mot là-dessus. Le manuscrit existe. Un jour... on verra bien...

– Ça révélerait trop de choses ?

– C'est ça. On peut pas tout avoir...

– Dépêche-toi à faire paraître ça avant que tes amis d'autrefois se mettent à mourir. Plusieurs sont déjà morts comme je te le disais...

Ils étaient maintenant revenus à la voiture. Rose jugea bon de prendre congé pour n'indisposer personne.

– Ben ça m'a fait plaisir. Madame Bédard, je vous laisse mes salutations. Pis le bonjour aux enfants là...

Il remit ses lunettes qu'il avait ôtées à l'intérieur de la maison. Puis il adressa quelques mots ultimes à Rose avant de monter dans sa voiture :

– Si on repasse par ici, on arrêtera vous saluer.

– Ben ça me fera plaisir.

L'auto repartit. Mais au bout de la rue, Bédard fit marche arrière. Il se pencha sur sa femme pour s'adresser à Rose par la portière :

– Finalement, je vous ai pas dit le nom du petit gars et vous avez pas deviné...

Elle haussa les épaules. Il dit avec un large sourire et les yeux éclairés :

– Thomas...

– Ah !

– En l'honneur de votre curé...

– Ah ! Ah ! Ah !

Puis elle éclata de rire.

Le visiteur et sa famille repartirent pour de bon.

Rose ramassa ses choses et les emporta dans la maison. Puis elle alla s'étendre sur son lit pour se souvenir...

Elle revécut par l'imagination une scène d'amour qui s'était déroulée dans la maison à Polyte alors que Germain lui avait donné une leçon de peinture... Cela s'était passé en 1950...

*Extrait **Rose et le diable** Chapitre 31*

– Asteur on va baisser les toiles pour éviter de se faire espionner comme ça arrive des fois. Viens mettre tes affaires dans la chambre...

Et là, il lui fit revêtir un sarrau taché de peinture.

D'abord le lui montrant, il dit :

– L'habit qui fait le moine.

– J'ai de la misère à le croire.

– Tourne-toi.

– J'sais pas si il va me faire.

– Il va te faire, c'est certain.

Elle se tourna et se le fit mettre comme il le voulait. Puis il l'attira contre lui et dit cette phrase qu'ils avaient adoptée :

– Tu perds rien pour attendre.

– Toi non plus.

– Mais... y a un prix à payer pour mes leçons.

– En argent ou autrement ?

– Autrement, c'est sûr.

– Je le paierai.

– C'est pas forcément ce que tu penses.

– Tu penses à quoi au juste ?

– Je veux que tu me serves de modèle...

– T'es fou raide...

– Raide mais pas fou...

– J'ai pas un beau corps. Cinquante ans, trois enfants.

– Et je ne suis pas Rubens non plus.

– Rubens ?

– Un peintre renommé.

– J'en sais si peu, soupira-t-elle.

– Je vais t'en montrer un peu et le reste, tu l'apprendras par toi-même... Comme tu m'as montré certaines choses... plutôt agréables...

Il saisit ses seins, lécha sa nuque. Elle pencha la tête un peu :

– Tu m'en diras tant. T'étais pas né de la dernière pluie toi non plus, hein !

Il se retira de l'étreinte :

– Bon, à l'ouvrage ! Les pinceaux nous attendent en haut.

Ils y furent en moins de deux et l'homme enfila un autre sarrau qu'il utilisait ces jours-là pour peindre.

– Je me suis laissé dire qu'un studio de peintre, c'était ensoleillé tant qu'on veut, mais icitte, c'est pas mal sombre, je trouve.

– Je te l'ai dit l'autre fois : pour moi, l'éclairage a pas d'importance. C'est comme dehors, pourquoi attendrais-tu qu'il fasse soleil pour peindre ? Il y a d'autres nuances, d'autres tons sous les nuages et on peut très bien le faire sous la pluie pourvu qu'on s'en protège et qu'on protège son matériel, sa toile, ses peintures etc... Et puis quand il fait un peu plus sombre, les modèles sont moins embarrassés de montrer leur nudité...

Il ôta le drap cachant une toile sur le chevalet :

– Regarde ce que j'ai terminé hier.

C'était le portrait d'une femme nue jusqu'à la taille, vue de dos, jarretière au bras, cheveux longs blonds comme agités par le vent et visage en profil.

– Seigneur, mais elle ressemble à Ti-Noire !...

– Ti-Noire est noire.

– Les traits du visage.

– Ça se pourrait. T'as quelque chose contre ça ?

– Pantoute !

– Tant mieux ! Ça fait que là, on va travailler pour de vrai. J'ôte ça et on va installer un autre canevas. J'en ai là, dans le coin sous le drap, ils sont montés d'avance. Choisis-en un.

La femme le fit et rapporta une structure en largeur d'environ trois pieds par deux.

– La première chose que tu devrais faire, c'est de jouer avec les peintures. Tiens, prends la palette là sur la table...

A la table qu'ils partageaient, Bédard et Rose entendirent le grondement du tonnerre. Leurs yeux se parlèrent sans que leurs bouches ne disent mot. Ils se rappelaient avec tant de folie dans l'âme ces souvenirs impérissables, du soir de l'orage alors qu'ils avaient fait l'amour au rythme des éclairs et des coups de tonnerre. Voilà qu'une occasion semblable pourrait peut-être se présenter et c'est tout ça qui passa par la voie de leurs regards.

– On va se lutiner un peu ? proposa-t-il.

– Ça se refuse pas.

– Mais en haut, dans le studio. J'ai une idée terrible qui me passe par la tête. Viens...

Il prit des couvertures dans sa chambre au passage et bientôt ils furent à nouveau dans le studio.

– T'es venue ici pour entrer dans un rêve que tu caresses depuis des années, à ton tour, tu vas m'aider à vivre un rêve que j'ai depuis longtemps...

– Quoi ?

– Tu vas voir à mesure. Oh ! comme il va s'en passer, des choses, comme il va s'en passer !

– J'perds rien pour attendre ?

– C'est ça.

Il prit un nouveau canevas qu'il mit non pas sur le chevalet lui-même mais par terre en appui aux pattes de chevalet. Puis il mit une couverture sur le plancher et il demanda à la femme de se dénuder et de s'asseoir.

– Tu veux que je serve de modèle.

– Et plus encore.

Pendant qu'elle se déshabillait, il fit de même puis il s'étendit sur sa propre couverture, palette à la main et pinceau dans l'autre. Elle s'assit en riant un peu, nue comme le jour de sa naissance un demi-siècle plus tôt.

– C'est ça, mon rêve : le peintre aussi nu que le modèle.

Et pendant une heure, il commença de réaliser ce qu'il disait devoir être le chef d'œuvre de sa vie. Alors il s'arrêta, mit ses accessoires un peu plus loin à terre et s'approcha d'elle en même temps que la pièce s'assombrissait à cause de l'orage qui menaçait de plus en plus.

Le peintre nu chantait en touchant la toile du bout de son talent et de son pinceau :

"Mignonne, allons voir si la rose

Qui, ce matin, avait déclose

Sa robe de pourpre au soleil

A point perdu cette vesprée

Les plis de sa robe pourprée

Et son teint au vôtre pareil

Et son teint au vôtre pareil..."

Après de douces et vibrantes préliminaires, le couple s'était réuni par la chair. Rose avait remis son porte-jarretelles et ses bas et maintenant, elle chevauchait le jeune homme, lui servant de modèle en même temps tandis que lui fredonnait une mélodie ancienne sur une ode de Ronsard : Mignonne.

La pluie commença, mais le tonnerre restait à une certaine distance.

"Voyez comme en un peu d'espace,

Mignonne, elle a dessus la place,

Hélas ! ses beautés laissé choir !

O vraiment marâtre Nature,

Puisqu'une telle fleur ne dure

Que du matin jusques au soir,

Que du matin jusques au soir !"

– Arrête un moment, Rose et... jouissons doucement de ce doux moment !

– Ta chanson me fait peur un peu... les mots... on dirait que tu veux me faire souffrir... Ta voix est si... étrange...

Tandis que sa maîtresse reprenait la chevauchée des sens, Bédard recommençait à peindre et à chanter :

"Donc, si vous me croyez, Mignonne,
Tandis que votre âge fleuronne
En sa plus verte nouveauté,
Cueillez, cueillez votre jeunesse :
Comme à cette fleur, la vieillesse
Fera ternir votre beauté,
Fera ternir votre beauté."

La toile consistait en la même scène qu'ils vivaient en ce moment : une femme presque nue faisant l'amour à un peintre étendu nu en train de travailler. Il posa sa palette et son pinceau et se mit à lui caresser la poitrine alors qu'elle bougeait à peine.

— Si on nous voyait, on dirait que c'est la pire dépravation qui soit. Imagine le tableau pour les bonnes gens. Un homme et une femme non mariés qui font ça : péché mortel de la chair. La femme est séparée et a vingt ans de plus que l'homme : double péché mortel. Ils font ça sur le plancher et pas dans un lit : triple péché mortel. Ils y mettent du piquant car l'homme peint pour que leur sens de la vue participe lui aussi : quadruple péché mortel. Toi et moi, Rose, on ira tous les deux dans l'enfer le plus profond, l'enfer du quatrième degré...

— En attendant, montons au ciel du quatrième degré !

La pluie tassée faisait entendre sa douce musique sur le toit tandis que les amants accordaient leurs violons. Rose atteignit un sommet à trois reprises et chaque fois, Germain prenait le pinceau et ajoutait une touche particulière à un élément de la toile. Là, il posa l'accessoire et il proposa à son tour la recherche du quatrième degré. Pour ça, ils changèrent de position et c'est l'homme qui reprit le dessus. Et ce fut la symphonie des cinq sens, tous reliés par un sixième : le sens artistique. Ils s'abreuvaient à l'image de leur nudité et à celles de l'œuvre en devenir sur la toile. Ils s'arrêtaient pour entendre les rages du vent et le chant de l'orage. Parfois, ils se dévoraient dans des baisers inédits. Les odeurs de la peinture et des produits accessoires se mélangeaient à celles des **parfums de Rose** et de leur sexualité que les sueurs exprimaient en abondance. Et les mille et une nuances les plus chaudes du plaisir pur partagé se trouvaient dans chaque toucher, dans la moindre parcelle d'union de leurs peaux, de leurs sexes.

L'homme reprit son ode de Ronsard :

"Mignonne, allons voir si la rose,

Qui, ce matin, avait déclose

Sa robe de pourpre au soleil,

A point perdu cette vesprée

Les plis de sa robe pourprée,

Et son teint au vôtre pareil,

Et son teint au vôtre pareil..."

Chacun pour l'autre se transforma en lumière, en apparition éclatante, et pendant un moment, tout disparut, même le monde des sens...

Les amants s'étaient rhabillés.

– Il nous reste plusieurs bonnes heures pour travailler, dit-il, mais avant, j'ai des choses à te dire. D'abord, pour ce qui est de la lettre du jeune homme, je pense que le mieux c'est d'attendre les coups. Pis de voir. Ça, c'est mon idée. Tu feras ce que tu voudras.

– J'ai pas le choix de l'ignorer, hein ?

– Pas trop. Pis l'autre chose, c'est la vraie raison pour laquelle je suis venu m'établir dans cette maison, dans cette paroisse. Viens que je te montre. Solange Boutin a failli la découvrir mais elle a manqué son coup. Viens... C'est dans ma chambre... c'est dans mon coffre...

Elle le précéda dans l'escalier et la chambre. Il ouvrit le cadenas, le couvercle puis l'invita à regarder à l'intérieur où selon les premières apparences, il n'y avait rien du tout.

– Mon âme est là-dedans.

– Je ne la vois pas. On ne voit pas une âme...

– La mienne, oui... Attends...

Il se pencha et souleva le double-fond. Parurent des feuilles manuscrites et des crayons.

– C'est quoi ?

– C'est mon âme... Et je vais y enfermer une partie de la tienne. Et une partie de celle de beaucoup de personnes de cette paroisse.

– Je ne comprends pas...

– En réalité, je ne suis pas un peintre. Bon, je fais de la peinture en amateur par temps perdu et pour donner le change aux gens.

– Tu fais quoi ?

– Je te l'ai dit : je moissonne les âmes et pour ça, je dois cacher aux gens ce que je fais... J'ai choisi cette paroisse à cause du phénomène des apparitions... des prétendues apparitions...

– On dirait souvent que tu voudrais me faire peur, mais... non... j'ai pas peur de toi...

– D'aucuns pensent peut-être que je suis un associé du diable ou au moins un suppôt de Satan, mais ce sont leurs propres peurs qui leur font penser ça. Leurs superstitions...

– Vas-tu finir par m'expliquer ?

– Tout est là : le manuscrit, les crayons... Je suis un écrivain. Je suis venu m'installer ici pour écrire un livre.

– Pis tu sais ni lire ni écrire.

– C'est pour cacher encore mieux mon identité véritable.

– J'espère que tu vas pas me mettre là-dedans.

– Je ne le voudrais pas que je ne le pourrais pas. Je suis dans chaque personnage et tu es en moi donc tu te retrouves automatiquement dans les personnages.

– Si tu me nommes pis que tu dis ce qui s'est passé entre nous autres, t'es pas mieux que mort.

– Mais non, fais-moi confiance, t'auras pas honte. En plus que mon livre va paraître sous un nom de plume...

Il se fit une pause. Elle sourit un moment :

– Comme ça, le chat vient de sortir du sac. C'est ça, ton grand mystère... Pas si grand que ça !

– Un mystère n'est grand que quand c'est un mystère. Tout comme un secret d'ailleurs... On parle aux gens d'un secret et ils s'imaginent les choses les plus extraordinaires qui soient, mais quand on le leur révèle, ils disent que l'éléphant vient d'accoucher d'une souris.

Elle trouva tout naturel qu'il ait choisi cette maison isolée et qu'il tâche de rencontrer le plus de gens possible.

– Et souvent, j'essaie de provoquer les choses pour voir les réactions. De retour ici, je prends note de tout ça et je poursuis l'histoire que j'ai commencée.

– T'as pas peur que j'en parle ?

– C'est pas dans ton intérêt. Je sais que t'en parleras pas avant que je m'en retourne d'où je viens le printemps prochain.

– C'est quoi qui te le dit ?

– C'est que je te le demande, c'est tout...

– Ah ! j'vois pas pourquoi j'en parlerais.

– Et j'ai autre chose à te raconter...

Et il lui révéla pourquoi le curé l'avait convoqué, ce qui l'obligea à dire que l'affaire des apparitions n'était rien de plus qu'une fumisterie.

– Tu te trouves à avoir manqué à ta parole envers le petit gars en parlant de ce que t'avais trouvé.

– J'avais pas le choix. Autrement, le curé appelait la police et me faisait ramasser pour pédophilie. Sa mère en était fermement convaincue. Et la prison peut-être... Et perdre la maison ici... Et ne pas pouvoir écrire mon livre déjà commencé... Je ne le pouvais pas... Le Gilles en restera pas marqué, d'autant moins que son père, loin de le blâmer, trouve ça ben drôle. Il a raison de trouver ça drôle parce que ça l'est... Toute une population qui marche aussitôt qu'il est question d'une apparition, ça mérite un gros éclat de rire...

– Asteur que tu l'as dit au curé, ça va se savoir...

– Pas trop vite. Le curé veut garder le contrôle sur tout ça. Là, il cherche à gagner du temps pour le reprendre, ce contrôle. Il a bâillonné les Maheux et moi aussi d'une certaine façon. A quoi bon me le mettre à dos ?

– T'as raison... parce que quand on l'a sur le dos...

– Ah ! je vais me taire. Le curé va reprendre toute l'affaire en mains. Il va y trouver son compte. Et moi, j'aurai tout loisir de poursuivre mon travail... C'est vrai, il y a quelque chose de diabolique dans l'écriture étant donné qu'on moissonne les âmes ainsi que je te le disais, et qu'on s'empare d'elles pour les transformer à notre guise, mais je n'ai rien à voir avec le diable... Et puis... il y a un petit côté divin dans l'écriture aussi... à cause de la créativité qui s'exerce... Mais ça, c'est une autre histoire...

– Mais tôt ou tard la vérité va sortir sur ton compte...

– C'est sûr, mais tranquillement, petit à petit. Et moi, tout comme le curé, je vais gagner du temps. Je veux passer incognito pour que les gens restent eux-mêmes : pour moi, c'est fondamental. C'est ainsi que Louis Hémon a écrit Maria Chapdelaine. Il venait de France, il s'est installé à Péribonka chez un colon, il a pris des notes et il a écrit son livre... Je fais comme lui.

– Et la peinture dans ça ?

– Un passe-temps et je m'en sers comme couverture pour le moment. Quand tu viendras me voir le mercredi, tu feras de la peinture et je ferai de l'écriture. Deux artistes à l'œuvre cachés dans le bois... Et on fera l'amour comme deux artistes, comme on l'a fait tout à l'heure... Le bonheur total !...

    – Le temps que ça va durer...

    – Le temps que ça durera..

***.

Chapitre 39

Rose continua à vendre ses produits malgré son désir souventes fois exprimé de cesser. En fait, elle combattait fort efficacement la solitude à travers son porte à porte et s'assurait d'un revenu confortable en attendant sa pension de vieillesse.

Ses temps libres en 64-65, à part la télé, furent alloués en bonne partie à la peinture. Sa vie intime fut limitée à des séances d'autosatisfaction et à la rêverie prolongée entre ses draps douillets.

Il y a avait bien dans la paroisse quelques hommes libres mais tout à fait inintéressants. Les mariés : jamais pour elle... à moins qu'ils viennent de loin. Les engagés sentimentalement : pas davantage. Les célibataires endurcis : ou bien elle les trouvait dégoûtants ou se devait de les classer parmi les homos refoulés ou les impuissants. Quant aux jeunes étalons, ils avaient maintenant tout loisir de brouter dans les champs de jeunes filles de leur âge que libéraient les moyens contraceptifs, y compris la pilule que certains médecins libérés prescrivaient à toutes celles qui la leur demandaient.

Restaient les veufs : un groupe clairsemé. Et quand il s'en trouvait un, son sort était vite réglé par une autre veuve, capable plus qu'elle d'endurer un homme vingt-quatre heures par jour. Recommencer à torcher un mâle de l'espèce simplement pour ne pas vivre seule : pas après quinze ans de liberté, d'une liberté au moins partielle...

Comme un chasseur embusqué, elle guettait la bonne occasion. Il passerait bien du beau gibier dans le décor des environs... Mine de rien, comme depuis vingt ans, elle se renseignait via sa tournée Avon.

1965.

De jeunes loups en mal de se faire valoir sans trop prendre de risques personnels lancèrent l'idée de la tenue d'une foire agricole à Saint-Honoré. Une de plus au Québec dans une région où fleurissait l'agriculture depuis un bon siècle, ça ne serait pas de trop, jugèrent-ils à bon escient.

Il fallait l'aval du curé. Le comité ad hoc l'obtint. Non seulement il reçut sa bénédiction mais le prêtre fit montre d'un grand enthousiasme. Tout fut mis à étude, tout fut structuré, tout fut planifié. D'aucuns verraient à l'aménagement des terrains. D'autres à la promotion. Certains recruteraient les exposants d'animaux. Un organisateur persuaderait les commerçants de participer et de venir exposer ce qu'ils avaient à vendre. Il faudrait présenter des spectacles comme le faisaient les autres expositions du genre tenues dans les grandes et moyennes villes de la province. On opta pour un orchestre à la mode, les Million-Airs, et pour une soirée de lutte ayant comme vedette le grand Antonio, l'homme le plus fort du monde.

Et voilà qu'une simple idée s'était mise à grossir, à grandir, à passer du rêve à la réalité. Un esprit nouveau, une fébrilité régnaient autour du clocher paroissial. Le curé qui songeait à prendre sa retraite cette année-là reporta la chose à l'année suivante. Non seulement il voulait être témoin de la grande fête, mais il désirait y participer activement. On répondit à ses attentes en lui confiant la tâche de recueillir tous les argents liquides ramassés au cours de cette mémorable journée fixée au premier dimanche du mois d'août.

Tout l'été, il mit la chaire au service des organisateurs en transmettant leurs messages au public et en les appuyant de toutes ses capacités. Et il trouva les meilleurs mots pour convaincre chacun des citoyens, quel que soit l'appui bénévole de celui-là, qu'il était un pilier essentiel de l'événement, sans lequel on courrait à l'échec. Même Guy Boulanger dont le le seul effort avait toujours été d'agir comme maître de cérémonie, se persuada que sans sa participation et son image de marque, rien ne serait possible.

La foire ouvrit officiellement le vendredi, trente juillet. Elle prendrait fin le dimanche, premier jour du mois d'août. Pas d'étables pour loger les bêtes et rien que des enclos faits de cordages. Pas d'aréna pour y présenter des spectacles : rien que les grands champs de la fabrique derrière le cimetière. Ah ! mais le jeudi apparut la grande roue et les autres manèges d'un carnaval ambulant connu dans tout le Québec et dont le siège social et les entrepôts se trouvaient comme par hasard et fort heureusement dans la paroisse voisine de Saint-Benoît.

La radio tonitruait depuis une semaine et faisait croire à la population de tout le comté que tout le comté avait décidé de se rendre à Saint-Honoré cette fin de semaine.

Bref, il s'agissait d'une idée-événement basée sur du vent dans les arbres et, par bonheur, quelques bêtes à cornes et, vedettes incontournables, les chevaux de tire, de trait, d'équitation, de tout...

– Pis s'il fait dè la plouie ? dit le gros homme barbu que la perspective de lutter en plein air ne séduisait guère.

En fait, le grand Antonio, –qui se disait grand parce qu'il était gros– grippe-sous et fesse-mathieu comme personne, continuait de négocier afin d'obtenir quelques dollars de plus pour le spectacle du soir dont il serait le point de mire.

Le Cook Champagne, organisateur en chef, cracha de côté une brindille de tabac, rougit, ricana :

— Ben là, ça serait surprenant.

— Et pis comment què tou pourrè lè savoir, toué ? lui dit le répugnant personnage qui se mettait le nez à quelques pouces de celui de son interlocuteur pour mieux l'impressionner.

— Le curé nous l'a promis. Pas de pluie : c'est garanti.

— Eh ben moué, jè soui catholiqué... commé toué... même què jè parlé avec lè Pape Jean XXIII... pis jè souis pas soure pantoute què va pas mouillé... Pis là, on sé met à loutter, pis il sé met à mouillé... pis à tonné... C'est dangèreux comme lè torvisse...

Le Cook ricana encore :

— C'est qu'on peut faire ?

— Toué mé paye quatré cents piastres... ben jé veux cinq cents... non... cinq cent cinquante ou ben jé mets pas mon ring su ton terrain... Pis jè m'en rètourne à New York...

— Vous restez pas à Montréal ?

— Jè oune bouro à Monnréal... c'est toute, tou voués. J'en ai dès bouros partoute dans lè monndé... À Rome aura lè Fatikan... pis à Pèrline... pis j'en ai oune itou à... à... Jè pas d'affère à tè lè dire... C'est pas tes affères... Tou veux mè tirè les vèrs dou nèz... tou lè saras pas...

Pauvre Cook, aussi pingre que le grand Antonio, qui ne savait où donner de la bourse. Il hésitait, penchait la tête, la relevait, la tournait, frappait le sol du pied comme un taureau là-bas, tout juste arrivé et attaché à la structure d'un camion pour la fin de semaine.

— Tou tè dècide à mè donné quatre cents piastres... non, cinq cents... Y peut mouillé, y peut tonné... Lès èclairs... c'est ben dangèreux...

Énervé, le Cook dit n'importe quoi :

– Pis comme vous êtes grand, vous pourriez servir de paratonnerre...

L'œil d'un psychopathe, Antonio menaça en postillonnant dans le visage de l'autre :

– Coudon... tou veux tou riré dè moué... Ça va tè coûtè quatre cents piastres... non... cinq cents... Jè pensè moué, què tou avè oune granndé foroum... Tou sè c'est quouè oune foroum... Pis tout cè què tou as, c'est oune tabarnouche dè clos dè pacagé...

– Mais le curé...

– Va mè lè chèrché tonn' courè... Jé vas loui parlé, moué, tabarnouche...

Le Cook devenait aigri :

– C'est pas le curé qui paye, c'est moi. Pis il me semble qu'on a signé un contrat...

Le lutteur sortit un bout de papier de son immense pantalon noir, d'une poche intérieure, et le brandit :

– Tou vois cé qué jé fais avec dou papiè, moué...

Et il se le mit dans la bouche et commença à le manger en roulant des yeux de feu. Puis s'arrêta tout net au milieu de sa mastication et regarda plus loin, par-dessus l'épaule du court Cook...

Une voix féminine se fit entendre :

– Quand t'auras une minute, Eugène, j'aurais affaire à toi un peu.

L'homme tourna le dos à son interlocuteur et se retrouva devant Rose qui portait un petit colis. Il regarda le paquet, jeta un œil du côté du gros barbu chevelu, mangeur de papier, qui avait maintenant les mâchoires immobiles et dont la bouche béait et laissait voir des morceaux de contrat.

Antonio croyait reconnaître la femme qu'il cherchait depuis toujours. Plus âgée que lui peut-être, mais pas tant que ça, puisque lui-même avait franchi le cap de la cinquantaine et que Rose faisait sept, huit ans de moins que son âge véritable.

"Ah ! mais quelle poitrine ! Pis ces hannches... pis ces fesses..."

– C'est les bouteilles de parfum que vous avez commandées, dit la femme en soulevant la boîte.

Eugène rit un peu :

– J'ai rien commandé...

– C'est pour donner en prix dans les kiosques...

Beauce-Carnaval installerait des manèges mais ne montait aucun kiosque d'amusement, les équipements ayant été divisés en deux parties, l'autre requise au loin, dans Portneuf. La veuve reprit :

– C'est monsieur Jim qui a demandé ça...

– Ah ! Jim... Ah !... Pis ça coûte-t-il cher, ça ?

– Soixante-quinze piastres...

Le pauvre Cook faillit tomber à la renverse.

– Pas de maudit bon sens !...

– Ben là...

Il grimaça, gémit :

– On aura pas les moyens de vous payer ça... C'est ben cher... Il pouvait pas commander ça au nom du comité...

– Je les ai fait venir, les échantillons, j'peux pas les retourner quand même...

Antonio cracha le papier mâché au sol. Il lui fallait connaître cette femme, véritable apparition devant lui, incarnation de l'amour terrestre...

– C'est pas autorisé, une dépense comme ça... Montrez-moi ça...

Rose ouvrit la boîte et lui mit devant le nez.

– Ben voyons donc... ça vaut même pas vingt-cinq piastres... Y a combien de...

– Trente bouteilles...

– Vous appelez ça des bouteilles, vous ?

– C'est du parfum : pas besoin de mettre ça dans des cruches. On voit ben que t'en achètes pas souvent.

– Je ferais quoi avec ça ?

– Pour ta Solange...

– Elle sent bon tuseule, elle...

Le lutteur adorait déjà entendre cette femme audacieuse. Il avait le goût de s'en mêler...

– Si vous prenez vingt-cinq piastres, fit le Cook en hochant la tête.

Rose rougit de colère :

– Un contrat, c'est un contrat, même si c'est rien qu'une parole donnée. Si j'serais un homme, tu me traiterais pas de même, le Cook Champagne, pis même si j'serais pas une veuve, tu me traiterais pas de même non plus... Tu le sais que j'suis une femme tuseule pis t'en profites. Ça se passera pas de même, ça !

Elle tourna les talons, fit deux ou trois pas, se retourna pour ajouter :

– T'es rien qu'un maudit cochon !

Mal à l'aise, pris entre deux feux, le Cook tira sur sa cigarette et expulsa une fumée honteuse et tordue :

– Écoutez, c'est pas l'argent. Y a lui là, qui demande cent piastres de plus pour installer son arène de lutte... parce qu'il pense qu'il va mouiller à soir...

Rose rétorqua :

– Moi, ça me regarde pas pantoute, ça. Suis pas obligée de payer pour les autres...

Le Cook regardait l'un et l'autre alternativement, hésitant. Il jeta sa rouleuse et l'écrasa de son pied gauche. Puis leva les bras au ciel :

– Je le sais pas... Tout le monde veut de l'argent pis encore de l'argent... Si il mouille, on va perdre deux, trois mille piastres... Pis comme le dit Gilles Bernier à la radio : "La foire agricole, ça va foirer..."

Antonio ne se retint plus et intervint :

– Què tou es nono, lè Cook... Il va pas mouillé... Règardé lè ciel... Et pis lè courè tè l'a promis... Prends-les, les bouteilles dè la madame... Jè vais pas tè chargé oune cenne dè plousse què lè contrat... Oune contrat, c'est oune contrat ! Il faut respecter ça... tout lè temps respecter ça... Mama mia... oune Quèbècois, ça n'a pas dè parole...

Soulagé, le Cook acquiesça et prit le colis :

– O.K ! pis y aura pas de limonage... Ni avec vous, madame Martin... ni avec vous, monsieur Tonio...

Il quitta les lieux tandis que Rose s'approchait du personnage poilu à pantalons trop grands retenus par des bricoles d'autrefois, pour le remercier :

– Une chance que vous étiez là, vous...

– Allè vous vènir mè voir loutter à soère ? Jè souis l'homme lè plousse forte dou monnde... Jè vais loutter conntre deux loutteurs... deux...

– Certain que je vas venir ! Ça sera ma manière de vous remercier...

– Pis jè souis capab' dè tirer oune autobousse avec mes chèveux...

Elle lui regarda la crinière :

– Pas de misère à vous croire ! Pis avec du monde dedans, j'imagine ?

– Avec vingt, trentè parsonnes commè vous... madame ?

– Moi, c'est madame Martin, Rose Martin. Je suis représentante Avon.

L'homme tendit la main :

– Pis mouè... Ann'tonio... l'homme lè plousse forte dann' lè monnde...

Elle serra mollement sa main puis lui toucha l'avant-bras dénudé :

– C'est vrai que y a de la force là-dedans.

Ce toucher, ce parfum qu'elle exhalait, ces mots flatteurs, cette beauté mûre, tout cela avait sur lui un effet magique, plus puissant que la vue même d'un autobus.

Oubliant de casser son français très québécois comme il l'avait fait jusque là, le lutteur de descendance italienne voulut faire le maximum pour revoir Rose au gala de lutte.

– Écoute-moé, j'te donne un laissez-passer pour à soère... Comme ça, c'est sûr que tu vas venir.

Il fouilla dans une poche arrière, en sortit un crayon et un petit calepin noir fripé. Il écrivit lentement en disant le texte tout haut :

– Laissez-passer... pour le gala... de lutte... À madame... Rose Martin... Signé : Grand... Antonio... Tiens... prends ça... pis dis-moi que tu vas venir...

– C'est à quelle heure ?

– À neuf heures.

– Ben... je vas être là...

– L'arène va être drette icitte...

Il y avait une remorque dont on pouvait apercevoir le contenu fait des éléments de la structure : base, tapis de toile, cordages, pièces de bois, poteaux, câbles...

– Êtes-vous tuseul pour monter ça ?

Il échappa un rire gras :

– J'sus le plus fort du monde... Deux heures : c'est fait...

– Pis les autres lutteurs, ils sont pas arrivés ?

– Vont arriver après souper...

– Y en a plusieurs ?

– Trois autres.

Il ne s'agirait pas d'un gala monstre. Deux hommes lutteraient l'un contre l'autre. Puis chacun avec un troisième. Puis deux d'entre eux, l'un après l'autre, sous l'arène se mettraient un masque afin qu'un quatrième et un cinquième combat puissent avoir lieu avant la rencontre ultime alors que le grand Antonio mettrait en déroute deux dangereux adversaires ligués contre lui. En somme, les six combats annoncés et inscrits au contrat auraient bel et bien lieu, sauf qu'il n'y aurait pas douze hommes en colère entre les câbles mais quatre en tout. Une grosse économie de main-d'œuvre pour le maître d'œuvre...

Ils conversèrent encore un moment puis Rose prit congé en répétant sa promesse de revenir en soirée. Le gros homme ventru lui cria de loin avec son faux accent :

– Pis tou vas voère l'homme lè plousse forte dou monnde...

Personne de ceux qui allaient et venaient dans tous les sens n'entendit. Chacun avait bien trop à faire, bien trop de préoccupations en tête pour s'interroger sur ces deux-là...

*

Le papier sur sa table rappela à Rose sa rencontre de l'après-midi; elle se mit en route, un peu inquiète, craignant de laisser sa maison sans personne par un soir où on disait qu'il pourrait y avoir des centaines de gens inconnus dans le village. Elle attendit l'heure de la brunante et laissa plusieurs lumières briller à l'intérieur.

La rue menant aux terrains de la foire et la sienne débouchaient sur la rue principale l'une en face de l'autre au coin du magasin Boulanger, seul magasin général depuis la fermeture de celui des Grégoire. Depuis plus d'une heure que des autos y entraient et n'en revenaient pas. La veuve songeait qu'elle y ferait peut-être une rencontre spéciale... Il ne saurait venir à Saint-Honoré ces jours-là que des amateurs de vaches, de cochons, de chevaux ou de lutte..

Antonio avait obtenu de peine et de misère qu'on ajoutât des projecteurs braqués sur l'arène, car on n'avait tout d'abord installé au-dessus de l'emplacement alloué à son ring qu'une traverse à quatre lumières qui fournissaient un éclairage d'une pauvreté pitoyable.

– Jè souis l'homme lè plousse forte dou monnde, tou vouas... pis lè monndé il veut mè voir comme dou monndé...

Le Cook protesta une fois encore :

– On va manquer de force de courant... Faut en donner au carnaval... pis aux exposants un peu partout sur le terrain...

– Jè souis la védètt' icitte à souère... L'électricité, c'est pour moué...

Les stars sont ainsi faites qu'elles veulent toutes avoir sur elles seules les feux de tous les projecteurs disponibles et quand on est le plus fort du monde, il en faut un peu plus encore. Il avait insisté :

– Moué, jé vè té remplir ton aréna à ciel ouverte, icitte, à souère... Tou mè donne dou jou ou jé 'crissé monn camm'...

– Du quoi ?

– Dou jou...

– Du jus, ah oui ! Du courant électrique...

Et c'est ainsi que la mégastar de la lutte québécoise du temps, lui qui partageait le firmament du domaine avec le non moins célèbre Édouard Carpentier, un autre Louis Cyr, chéri du bon peuple, obtint ce qu'il désirait.

En ce moment, il regardait la foule massée debout aux abords de l'arène. Il y avait pas moins de trois cents personnes déjà. À une piastre et demie chacune, songeait-il, mon salaire est déjà payé, et le reste ira à ces merdeux de foireux... Mais ce qui l'intéressait bien plus pour le moment, c'était la venue de cette Rose Martin...

Après le départ de la veuve, ce jour-là, il s'était procuré un des échantillons de parfum qu'elle avait apportés et s'en était copieusement arrosé les aisselles pour faire disparaître l'odeur de transpiration que le travail du jour avait accentuée puisqu'elle imprégnait déjà ses vêtements et sa peau depuis son dernier bain une semaine, dix jours plus tôt...

Il devait aussi trouver quelques personnes lui apparaissant plus nerveuses que les autres et susceptibles de faire naître des mouvements de foule quand lui ou un de ses hommes fonceraient vers eux. Il repéra un grand jeune homme qui parlait aux uns et aux autres sans jamais poursuivre bien longtemps un échange. Il se frappait la paume de la main avec le poing, s'étranglait lui-même, mimait des prises de lutte... Le candidat idéal pour soulever les gens...

Tapis sous le ring, les trois autres hommes avaient hâte d'en finir et de reprendre la route pour Montréal. Cinq heures d'auto pour venir, cinq heures pour retourner chez eux et tout ça pour soixante-quinze dollars chacun... C'étaient des jeunes à l'entraînement chez Carpentier et qui avaient bien hâte de se faire un nom, surtout une image qui leur rapporte des bénéfices intéressants.

Leur seul éclairage était une lampe au gaz et chacun dans la pénombre était étendu, silencieux, sur une chaise longue en attendant de monter travailler.

Antonio allait quitter son point d'observation, son gros œil rougi collé sur un trou dans la toile qui entourait le pied de la structure, quand il crut voir Rose Martin...

On ne tarderait pas à annoncer le premier combat.

Guy Boulanger avait trouvé un prétexte pour ne pas animer cette soirée qui lui paraissait d'un si mauvais goût, et c'est Jim, le responsable du comité des exposants industriels, qui agirait comme maître de cérémonie, et surtout comme arbitre puisque le contrat stipulait que l'organisation devait fournir un officiel d'une totale neutralité, dépourvu de tout parti pris... Car il fallait suivre les règles; et l'issue des combats était chose sérieuse à juger...

Un microphone avait été amené au bout d'un très long fil et reposait sur le tapis près d'un poteau de coin. Jim, un tout petit homme d'au plus trente ans, à l'œil toujours moqueur, le prit et monta sur le ring. Des assistants applaudirent, d'autres crièrent leur impatience de voir bientôt d'autres hommes se casser la gueule à qui mieux mieux...

***

Chapitre 40

Rose n'utilisa pas son laissez-passer et paya son entrée à la barrière sur le chemin d'arrivée comme tout le monde. Le collecteur aurait pu trouver ça bizarre et jaser. Depuis des années qu'elle entendait des allusions sur sa conduite, elle voulait continuer de ne pas le faire exprès pour provoquer les gens malgré cette liberté de mœurs qui commençait à se poindre un peu partout.

Le soleil avait fini de retirer à la terre ses rayons d'or mais il gratifiait l'horizon de ses magnifiques feux rougeoyants. Qui aurait pu croire que le ciel puisse envoyer de la pluie en un soir d'une telle clarté et si bien étoilé déjà ?...

Comme du temps où elle rejoignait un amant quelque part aux environs de l'église ou dans un des rangs qui avait son entrée dans le village, la sexagénaire portait une robe grise plutôt foncée. Mais ce qui trahissait sa présence et à quoi elle n'avait jamais songé, c'était l'éclat des verres de ses lunettes. Comme les yeux d'un chat, ils attrapaient toujours quelque part un rayon perdu qui les faisait reluire et révélait une présence humaine dont les mauvaises langues déduisaient qu'il s'agissait d'elle puisqu'on l'avait vue aller à pied dans cette direction un quart d'heure plus tôt...

Elle marchait quand même vers un éclairage abondant. Sans être éclaboussés de lumière, les terrains de la foire, après un court bout de chemin plus sombre, permettaient à tous de se voir et de se reconnaître.

– Mesdames, Mesdemoiselles, Messieurs... bon ce soir...

La foule qui augmentait à vue d'œil réagit. On s'occupait d'elle enfin. On cria, on rit surtout... L'entrée en matière de Jim plaisait. Conscient du fait qu'on peut redire une farce trois fois avant qu'elle ne soit usée, il répéta :

– Bon ce soir... aux petits...

Il mit sa main à hauteur de son ventre puis à celle de ses épaules :

– Bon ce soir... aux moyens...

Et main à plat sur la tête :

– Et bonsoir aux grands...

On l'applaudit chaudement.

– Et comme vous le savez, on est là pour vous présenter un gala de lutte qui vous fera voir des lutteurs... petits... des moyens comme... le grand Antonio... et des grands comme... on verra ça tout à l'heure...

Une voix hurla :

– Dis-leur de se montrer la face : on a hâte de les voir.

Jim considéra la chose :

– Ça sera pas long, mon Denis, ça sera pas long.

– On en veut pour notre argent, nous autres...

Sous l'arène, Antonio grommela :

– Si il veut nous niaiser, celui-là, je vas l'étouffer avec son fil de micro.

Il avait cru apercevoir Rose Martin puis s'était rendu

compte qu'il s'agissait une femme de semblable corpulence. Il remettrait son œil à l'orifice de temps à autre et pour l'instant, il prêtait l'oreille à la présentation de la soirée de lutte.

– Mais avant de commencer, on a un message important à vous transmettre et ça sera ni par un petit... comme vous autres... ni par un moyen comme l'ami Denis... ni même par un grand comme moi... mais par un super grand... J'invite Gérard Dallaire à monter sur l'arène...

Gérard était connu par toute la région. Homme de la mi-cinquantaine, il agissait comme encanteur professionnel depuis une trentaine d'années déjà et son visage à la Fernandel aurait pu le faire reconnaître par tous les sourds des comtés environnants, et sa voix caractéristique l'aurait fait identifier par tous les aveugles des régions de Beauce, Frontenac et Mégantic.

Chapeau de paille sur le derrière de la tête, canne à la main gauche, le grand personnage attrapa le dernier câble et il sauta sur le bord de l'arène sans même emprunter l'escalier. Puis il abaissa le troisième câble et passa une jambe au-dessus puis tout son corps.

On applaudit de partout.

Rose qui venait de se mêler aux assistants demeura en retrait et le grand Antonio, malgré son globe rouge sur le trou d'une pièce de bois, ne put l'apercevoir à cause des rangs de monde lui bouchant la vue...

Gérard prit le micro. Sans attendre, il s'élança dans des enchères imaginaires.

– Vingt-cinq piastres une fois, vingt-cinq, in inq in inq in inq...

– C'est que t'as à nous vendre ? cria Denis, l'énervé. Le grand Antonio ?

– À soir, les boys, j'ai rien à vendre, mais demain par exemple... Sur le terrain, drette icitte même, à la place de l'arène, on aura une grosse vente au profit de l'organisation...

Pis c'est ça j'voulais vous dire à soir... Écoutez ben ce qu'on aura à vendre... Des meubles pis des matelas, des animaux pis des autos, de l'outillage pis de l'équipement tout ce que vous voulez... Vous serez là ?

Et pendant qu'on lui répondait par longs cris et par gros oui, l'homme repéra cette femme seule qu'il ne connaissait pas, lui pour qui tous les visages du coin étaient plus ou moins familiers depuis tout ce temps qu'il parcourait les environs. Veuf depuis deux ans, il ne trouvait pas chaussure à son pied, soit une nouvelle compagne pour remplacer dans sa vie la mère de ses enfants. Puisque seule, celle-là, sans doute était quelqu'un de la place.

– Tant mieux parce que nous autres, on va y être. Y aura des affaires pour vous autres, les boys, qui vous coûteront quasiment rien. C'est une honte de rien que d'y penser... Ça fait que demain soir, icitte... une vente à l'encan comme vous en aurez jamais vu de votre vie... Deux trucks pleins de marchandise... pis ça, c'est sans compter les bêtes à cornes pis les trois poneys... Cinquante-cinq piastres, cinquante-cinq, cinquante-cinq, cinquante-cinq une fois.... cinquante...

La mélopée de l'encanteur se poursuivit quelques secondes encore puis il remit le micro à Jim qui commanda des applaudissements pour l'homme coloré.

Et il annonça le premier combat. À un certain signal, un des lutteurs sortit de son refuge et courut autour de l'arène pour le plus grand plaisir de la foule qui grossissait encore.

Pendant ce temps, Gérard Dallaire tout en se préparant un mensonge, se dirigeait vers Rose qui, bras croisés, immobile, attendait la suite des événements. Il s'arrêta à sa hauteur et la regarda avec une surprise feinte, et s'approcha :

– Madame Boutin...

– Non, sa sœur.

– La sœur à madame Boutin ? Vous y ressemblez comme deux gouttes d'eau.

Se pouvait-il qu'il ait misé juste ? Il le croyait, tant Rose était sérieuse. Le nom Boutin étant pas mal répandu à Saint-Honoré, il l'avait risqué au hasard. Et comme le hasard fait parfois les choses mieux que prévu...

Mais Rose s'amusait et comprenait que l'encanteur avait cherché à la manipuler, et elle voulait faire de même en guise de réponse jusqu'au moment où elle le ferait tomber de son mauvais cheval. Ou de sa mauvaise jument...

Jim lança à pleins poumons comme pour parler à tout le comté –les petits hommes sont plus vindicatifs que les grands– :

– Dans un combat de trois chutes à finir... Dans le coin droit, pesant deux cent vingt-deux livres, voici... Vlad... l'Empaleur...

L'homme grimaça, fit un doigt d'honneur à la foule et obtint les huées qu'il voulait.

– Et son adversaire, dans le coin droit, pesant deux cent vingt livres, voici... Charlemagne Verdun alias Charlie le Mégot...

Le lutteur prit entre son pouce et son index son bougon de cigarette qu'il tenait entre ses dents jusque là et le lança en l'air d'une pichenolle en même temps qu'il souriait de la manière la plus sympathique. On sut aussitôt qu'il était le bon, le protecteur, le demi-dieu de la foule, et on lui fit longuement savoir qu'il était l'allié, le favori. Même que Denis, le spectateur nerveux, s'approcha de l'arène et lui donna la main par une claque gentille sur la patte.

Au pied de l'arène, une jeune fille douce avait entre les mains une cloche à vache; elle surveillait la gestuelle de Jim pour donner le signal de l'ouverture du match. Ce fut en vain. Le méchant se ruait déjà sur le bon et l'attaquait vicieusement par derrière, et Charlie, poussé dans les câbles, n'eut d'autre choix, pour se protéger de l'Empaleur, que de glisser ses mains sur ses fesses et de se laisser frapper dans le dos et sur la nuque...

Jim donna un signal à Francine et la sonneuse de cloche fit vibrer son instrument pour la plus grande joie de la foule...

La foule se déplaça devant Rose et Gérard qui continuaient de converser. Il lui parlait de son métier et de gens de la place qu'il connaissait bien pour avoir tenu à leur ferme une vente à l'encan déjà. Antonio mit son œil sur le trou et il les aperçut. Son sang ne fit qu'un tour et sa barbe se dressa. C'est lui qui avait découvert cette Rose et voilà qu'un escogriffe essayait de lui faire le tour de la tête. Par contre, il ne pouvait pas se montrer, accourir pour défendre ses intérêts. Car le punch de la soirée, ce serait lui lors du combat ultime. Il était donc déchiré entre les impératifs de son métier et ceux de sa libido...

Denis fut vite au comble de l'énervement. Il courait d'un coin de l'arène à l'autre tandis que Charlie s'agenouillait sous la douleur et les coups, déclassé, dominé, avili...

– Non, je vous ai fait marcher, je n'ai pas de sœur qui s'appelle madame Boutin...

– Ha ha ha... Par chance parce que j'étais pour dire que votre sœur qui vous ressemble est une ben belle personne... corporente pis intéressante...

Il ne tarda pas à lui dire qu'il était veuf et à savoir qu'elle était veuve. Elle le trouvait peu ragoûtant mais au moins, à jaser avec lui, elle se sentait moins seule dans la foule. Et puis, contrairement à bien des hommes plus beaux, lui avait l'air propre de sa personne : ses vêtements le disaient, ses cheveux bien peignés aussi...

L'Empaleur l'emporta en première chute malgré quelques sursauts de son adversaire. Jim tenta de le repousser dans son coin mais l'homme était déchaîné. Même la cloche à vache n'en vint pas à bout. Il fallut un intervenant d'en bas, c'est-à-dire un autre 'bon' lutteur qui surgit et s'amena dans le coin du perdant pour faire un rempart entre lui et le monstre de Roumanie.

Alors l'Empaleur commença à s'en prendre à la foule par ses gestes et à mordre le câble du haut pour se libérer de sa rage feinte. Denis osa venir lui donner un coup de poing sur le pied et ça lui valut un crachat en plein visage.

Quand la cloche se fit entendre, il s'élança vers son ennemi mortel qui fit une esquive et Vlad entra tête première sur le poteau du coin. Il s'écroula. Jim calcula. Sa main frappa le tapis. La cloche sonna. On était à égalité.

Antonio enrageait. Il perdit de vue l'élue de son cœur de ce jour-là et cet insecte détestable qui lui tournait autour.

La troisième chute s'engagea. Plus normale. En tête à tête au centre du ring. Mais avec un vampire, les choses tournent vite au vinaigre et Charlie reçut les dents de son adversaire en plein cou. Il tressaillit, ses jambes flageolèrent, ses genoux plièrent doucement; il tomba à genoux, à la merci de l'autre. Des coups s'abattirent sur lui tout partout. Vidé, il s'étendit sur le dos et le compte de trois fut complété.

Ce fut le triomphe du vilain. Jim était content. La foule trépignait. Vlad sauta en bas du ring et il se mit à courir autour pour éloigner les gens. Il ne devait pas en faire trop puisqu'il devrait combattre encore, et cette fois, contre le bon grand Antonio...

Entre les deux combats, n'y tenant plus, Antonio sortit de son trou et se mit à la recherche de Rose qu'il trouva en grande conversation toujours avec cet encanteur de malheur. On le suivit des yeux, on l'observa et c'est à une autre sorte de match qu'on assista, sans toutefois entendre les mots de l'échange :

– Jè souis vènou tè salouè, Rose, jè souis conntent què tou souè vènou mè voère à soère...

– Je l'avais dit que je viendrais.

– C'est toué l'encanteur...

– On s'est même donné la main, fit Gérard avec aménité. C'est Jim qui nous a présentés v'là une heure.

– Jè sé... pis là, tou mé fè oune coup dè cochonne dans lè dos, hein ?

– Ben voyons, qu'est-ce qui vous arrive, là, vous ?

– La madamé Martin, elle è vènou pour moué icitte à souère... Pis toué, tou veux mè la volé, hein...

Confus, Gérard ne savait quoi dire. Rose parla :

– Ben non, on placote comme ça. Je le connaissais pas excepté de réputation pis il me parle de notre monde de la paroisse... C'est pas grave...

La femme était flattée de se voir courtisée par deux hommes et en même temps, elle se sentait fort mécontente d'être prise pour une chose acquise de la part de ce lutteur gros, gras et malpropre.

Il s'approcha et elle put reconnaître un de ses parfums préférés dont l'odeur mélangée aux senteurs naturelles vieillies du personnage, tombait sur le cœur.

– Rose, tou dévrè vénir avec moué là en dèssour dé l'arène...

– Savez-vous, j'aime autant pas.

Il la prit par un bras :

– Viens avec moué...

– Ben non, lâchez-moi tranquille, là, vous.

Elle parvint à se dégager de son emprise et son regard se fit menaçant. Gérard leva sa canne qu'il tenait à mi-hauteur :

– Écoutez, j'veux rien dire de trop, mais madame Rose est pas une bête à cornes, là...

Antonio cracha par terre. Son œil roula dans une lave jaune et rouge. Il ragea en postillonnant droit sur son interlocuteur :

– Toué lé tabarnouche, jé vas t'en montré oune, oune bête à cornes moué...

Il s'empara de la canne et la cassa en deux sur son genou.

– C'est une canne de cent piastres... gémit Gérard.

– Pis ta gueule, elle vaut-il millé piastres ?

Gérard mit ses mains devant lui en guise de signe défensif :

– Choquez-vous pas, choquez-vous pas...

Sur le ring, Jim annonça le deuxième combat. Les deux lutteurs étaient chacun dans leur coin. Les gens redonnèrent leur attention au spectacle sans perdre du coin de l'œil les belligérants de l'amour.

– Toué, Rose, tou viens avec moué...

Elle prit sa voix pointue remplie d'autorité négative :

– Non ! Pas question ! J'ai payé mon entrée, je suis libre de ma personne. Non ! Pas question !

– Tou as rien payé dou tout, jé té donné oune laissez-passer après-midi...

Elle sortit de sa poche de robe le morceau de papier et le montra. Il le lui prit et le fourra dans sa bouche en disant non plus à l'italienne mais à la québécoise la-bouche-pleine :

– Tu voé quoi ch'est que ch'fais avec un p'tit christ de boutte de papier... Ch'est moé le plus fort au monde... Pis ch'ai des bureaux partout, caliche... À Rome, dans le boutte du Fatikan pis aildjeurs itou... pis ch'est pas de tes afféres... ch'te le dirai pas...

Se rendant compte qu'il avait perdu son combat, le grand Antonio tourna les talons. Il rota, pèta et cracha le laissez-passer sur le sol...

Diplomate, Rose dit à Gérard :

– Je vous remercie de m'avoir défendue, mais ça vous coûte une canne de cent piastres.

Hautement satisfait, l'homme dansait presque.

– C'est rien. On fera monter les prix un petit peu plus demain soir...

Un cri d'Antonio leur parvint en *frantalien* :

– Jè souis l'homme lè plousse forte dou monndé... Oubliè

pas ça, vous autr'

Rose et Gérard s'éloignèrent. Les combats se poursuivirent sur le ring. La foule redevint bête et méchante mais quand la vedette du gala hissa péniblement sa carcasse sur le tapis, on l'ovationna. Jim lui mit le micro devant le nez.

– Mes bonnes amis dé Saint-Honorè, moué icitte, le grann' Antonio, jè souis l'homme lé plousse forte au monndé... Avec mes chèveux, jè peux tirer oune... pas oune, trrois autobousse...

Il ne put poursuivre. Les deux méchants des autres combats, Vlad l'Empaleur et Charlie le Mégot (devenu méchant une fois masqué mais démasqué et reconnu au second combat) se ruèrent sur ce faux gros Italien qui n'avait d'un rital que son accent pourri, et encore, pas tout le temps, et voulurent s'emparer de sa personne pour lui faire son affaire. Antonio ne broncha pas. Devant leur impuissance, les deux autres commencèrent à s'invectiver, à s'en prendre l'un à l'autre...

– C'est de ta faute.

– C'est de la tienne.

– Je suis plus fort que toi.

– C'est à voir.

– Demande au peuple.

– D'accord.

L'Empaleur regarda les gens qui hésitaient. Il leur sourit à belles dents. Et il fit un doigt d'honneur à Charlie. On l'applaudit copieusement. Puis Charlemagne passa à l'offensive. Il sourit à son tour à la foule et, désignant son collègue, il mit son doigt sur sa propre tempe pour le ridiculiser. La foule applaudit plus fort qu'auparavant.

Antonio les regardait faire. Tout ça n'était pas au scénario. C'est lui pourtant qui devait occuper l'essentiel du feu des projecteurs. Qu'est-ce qui dérapait ainsi ? D'abord Rose lui avait échappé puis son show... La seule façon de se rat-traper pensa-t-il, c'était par le micro, cette ligne ouverte par laquelle il pouvait s'adresser au public et l'influencer en sa faveur. Il marcha jusqu'au coin où était la sonneuse de clo-che, cette même jeune femme qui prenait soin du micro tan-dis que son collègue Jim arbitrait, et il le prit.

Au milieu de l'arène, Charlie menaçait son nouvel adver-saire avec une cigarette allumée et il était lui-même sous la menace des crocs sortis de Vlad. On s'apprêtait à mettre le pays de la lutte à feu et à sang. Antonio parla :

– Les amis, jè souis l'homme lé plousse forte... pis jé n'ai pas peur dè ces loutteurs... Eux autres, ils ont peur dè moé pis c'est pour ça qu'ils sè chicanent ensemmblé...

Denis se laissa emporter par son tempérament et sauta sur le ring sans toutefois traverser les câbles auxquels il se suspendit pour mieux hurler. D'autres l'imitèrent. Il parut aux lutteurs que la situation se dégradait. Et le tête à tête aux allures de prise de bec au milieu du tapis se termina par des grimaces répétées. Vlad montrait les crocs puis les rentrait comme un fauve avant de les sortir encore. Charlie souriait en penchant la tête comme pour se moquer, puis redevenait sérieux avant de faire d'autres gestes du chef...

Antonio tendit le micro à Jim et lui souffla quelque chose. Le m.c. s'adressa à tous :

– Si vous voulez que les lutteurs luttent, faut descendre de là. Et si les lutteurs luttent pas, c'est Antonio qui gagne.

Personne n'obéit. Soudain, Vlad courut aux câbles et sauta par-dessus, suivi de Charlie, et tous les deux se préci-pitèrent en bas et trouvèrent refuge sous l'arène, l'un à la suite de l'autre.

– Je déclare le grand Antonio grand vainqueur.

La foule l'applaudit comme si elle s'applaudissait elle-même. Antonio la combla de bonheur en redisant une der-nière fois :

– Jè souis l'homme lé plousse forte dou monndé... jè souis lè grann' Antonio... dal'Italia... Jè oune bouro à Rome, aura lè Fatikan... pis d'autres... mais c'è pas vos afféres...

Pourtant, il quitta l'arène fort mécontent. Rien ne s'était passé comme prévu. Il n'avait pas pu démontrer sa force puisque personne n'avait lutté contre lui. Comme il était inutile de rabrouer ses hommes, il prit sa revanche sur le Cook quand celui-ci vint le payer. D'autant que son échec avec Rose lui restait dans les narines :

– C'è cent piastres dé plousse... non, deux cents... qué tou vas mé donné...

Le Cook cracha une brindille de tabac de sa rouleuse fraîche et dit :

– J'peux pas... Il a pas mouillé... Pis le contrat...

Antonio l'attrapa par le collet et le souleva jusqu'à ce que leurs nez se touchassent. Et dit en québécois accentué :

– Qui c'est qui a dit : pas de limonage après-midi ? T'as fait mille piastres sur moi à souère, tu m'en donnes deux cents de plus. M'en donnes-tu deux cents de plus ?

– Ben... c'est O.K !

Le public s'était fait avoir mais il était un cocu content. Le Cook escroqué pensa qu'on ne lui en voudrait pas de payer plus pour sauver sa peau et récompenser "l'homme le plus fort du Québec sinon du monde".

Il osa dire en mettant les billets de banque sur la poutre :

– On peut-il avoir un reçu ?

– Un, deux, trois reçus : tant que t'en voudras, mon gars.

Malgré tout, Antonio partit mécontent de cette paroisse de 'foireux' à laquelle, à l'exemple de Vlad l'Empaleur, il fit un doigt d'honneur, rendu dans le bout des Rouleau...

*

Gérard se rendit chez Rose à son invitation. Il prit un

Seven-Up et partit content avec l'idée de lui téléphoner dans les plus brefs délais. À moins qu'elle vienne à la vente aux enchères du soir suivant, ce dont elle n'était pas encore bien sûre..

***.

Chapitre 41

Rose mit fin à son commerce Avon en septembre et elle passa le sceptre à la femme de Martial, bien que celle-ci soit enceinte de son deuxième enfant à naître quelque part en avril 1966. Elle avait tenu jusque là pour combattre la solitude mais voici que Gérard la sortait pas mal et surtout se faisait aider dans son travail d'encanteur en l'utilisant comme secrétaire particulière.

Chaque mois, il revint à la charge pour qu'elle aille vivre avec lui et la réponse de la femme ne variait pas :

– J'ai laissé un homme en 1950, c'est pas pour en reprendre un autre en 1965.

Et puis il était évident que dans son premier mariage, à l'instar des autres hommes de sa génération et des précédentes, l'encanteur avait chosifié sa compagne. La plus grande garantie de respect, c'était encore la distance mesurée, contrôlée... par elle...

L'homme était carrément laid, mais il avait pas mal de vigueur encore au lit et il n'était pas un pingre. Et puis, ils n'avaient plus à dissimuler pour se fréquenter. On s'attendait à un mariage qui ne venait pas.

Même le curé s'en fichait, lui qui avait décidé finalement de prendre sa retraite. Ce qu'il fit au printemps 1966. Il demeura encore un temps au presbytère puis en juin déménagea dans une maison nouvelle. Mal lui en prit, une semaine plus tard, il décédait. Subitement. Syndrome de la retraite.

Rose et Gérard allèrent au corps ensemble. La dépouille fut exposée dans la grande salle paroissiale pour que toute la population puisse se réunir à la fois afin de rendre hommage à celui que les penseurs de la paroisse désignaient comme le plus grand curé à jamais avoir vécu dans leur presbytère.

Les gens s'étonnaient tous de voir la brillance des souliers du prêtre et on se transmettait tout bas par le bouche à oreille que ce couvercle de cercueil entièrement ouvert était un signe de dignité réservé à ceux que des chaussures bien cirées conduisent plus rapidement à saint Pierre.

Il y avait plusieurs rangs de personnes assises sur des chaises pliantes et jasant de tout et de rien comme à toutes les expositions de corps. La mort d'un saint homme ou présumé tel n'afflige pas les gens puisqu'on sait son âme en paix et en joie éternelle. Le reste, ce n'est que des souliers qui vont se recycler dans la fosse profonde.

Tandis que l'encanteur s'entretenait avec Guy Boulanger, Rose tâchait de remplir les chaises vides un peu partout avec des têtes de jadis. C'était comme si un ouragan avait décimé la population et pourtant il n'y avait pas moins de monde qu'il y en aurait eu en 1946, vingt ans plus tôt. Et en ce temps-là, ceux dans la soixantaine devaient ressentir la même impression de vide, d'absence.

– Madame Martin, vous avez l'air soucieuse, lui dit le marchand qui tenait sa pipe à long bouquin entre ses dents mais n'osait la remplir de tabac même si le curé avait empesté ses hôtes toute sa vie avec ses bouffardes à gros fourneaux noirs.

– Je pensais au temps qui passe.

– C'est effrayant. Oui madame, c'est donc terrible. J'étais petit gars, c'était hier...

Une autre exposition de corps d'un ennui mortel et qui prêtait aux propos les plus creux et les plus répétitifs en de pareilles circonstances.

Au bout d'un temps, Guy, vil flatteur à ses heures, dit à l'encanteur :

– Et comment ça va, la santé, toi, Gérard ? C'est dur, ce que tu fais. Trois, quatre, cinq heures de temps devant le monde. Je fais un peu de micro des fois et ça m'épuise après une heure à intervenir seulement une fois par ci par là... Et toi, même pas de micro pour grossir ta voix : je n'en reviens pas. Et il faut que tu surveilles les mises en plus. Tout un métier que le tien, ah oui, tout un métier !

– Bah ! c'est comme qui dirait une seconde nature.

– En tout cas la région pourrait pas se passer de toi.

– Tout homme se remplace.

Guy fronça les sourcils :

– Pas trop de modestie, toi ! Y a jamais personne qui remplacera le curé Ennis. On a un autre curé. Y en aura d'autres dans l'avenir, mais lui est un personnage unique...

Rose intervint :

– C'est son temps qui est unique, pas lui. Son temps comme tous les temps. Il aurait pas pu être ce qu'il a été en 1900 ou en 2000. Ni moi non plus. Ni toi non plus, mon Guy...

Guy dit :

– Y a des gens exceptionnels dans un temps unique comme vous dites. Et c'est ceux-là, les irremplaçables. Vous, Rose, vous vous êtes débrouillée seule dans une époque où les femmes se fient sur un conjoint... se fient, c'est une manière de dire puisqu'elles ont pas le choix... Dans ce sens-là, vous êtes exceptionnelle dans une époque unique. Vous êtes donc irremplaçable.

Content de son raisonnement, il éclata de rire, entraînant l'encanteur dans son sillage hilarant. Rose suivit. Jamais personne ne lui avait parlé aussi carrément de sa vie de femme séparée. Et le jeune marchand n'avait aucun besoin de faire allusion à sa vie intime, à ses amants, pour que chacun les sache sous-entendus.

– T'as peut-être raison pis peut-être qu'un autre curé que lui aurait pas toléré une femme comme moi dans le décor paroissial. Il m'a jamais fait de tort. Il m'a jamais fait perdre une cliente. C'est sûr qu'il refusait la communion des fois à des femmes qui portaient trop de rouge à lèvres, mais c'était pas pour me nuire à moi...

– Il a pas trop aimé que la paroisse se divise, argua Guy dans un coq-à-l'âne. Il a toujours dit que c'était nuisible pour les deux côtés, qu'une union imparfaite vaut bien mieux qu'une séparation malheureuse, mais il a accepté le fait quand c'est devenu une évidence. Je dis bien une évidence... une majorité claire et clairement exprimée. En bon pasteur, il aurait refusé toute tricherie démocratique. Et il a toujours dit que la paroisse serait réunifiée un jour ou l'autre. Mais ça lui a fait de la peine... Le pire de tout, c'était quand des hommes couraient les petits gars; là, il perdait les pédales si je peux dire.

Le visage de Rose durcit :

– Il a été pas mal injuste envers Germain Bédard en 1950. C'était pas un fifi, lui... Il est revenu v'là quelques années : il a une femme pis une trâlée d'enfants. Le curé lui, le prenait pour le diable tout pur...

– C'était un défroqué et dans ce temps-là, les défroqués...

– C'est surtout parce que Germain Bédard a ouvert les yeux du monde au sujet des apparitions sur le cap à Foley. Pis ça, le curé était pas content de pas l'avoir fait lui-même au complet.

Guy acquiesça avec des hochements de tête :

– Ça se pourrait, ça se pourrait bien. Il n'était pas parfait. C'était aussi un être humain...

Habitué de voir monter les enchères et d'y contribuer, Gérard se surprenait de ne pas assister à pareille scène comme de coutume au salon funéraire alors que chacun en rajoute sur les vertus du mort. Et cela lui plaisait, d'autant qu'il se sentait amoureux de Rose, elle qui savait si bien se faire espérer, se faire attendre mais pas trop, créer le désir et participer franchement aux rapports intimes sans jamais tenter d'y négocier quelque chose par la bande. Bref, elle aimait les hommes et pour l'heure, il était son homme...

*

Pour le Québec et le Canada, 1967 deviendrait une année charnière.

Ce serait pareil pour Rose Martin.

Par un beau jeudi de juin, elle travaillait sur un encan dans le rang deux de Saint-Martin. Un autre agriculteur artisan, appelé cultivateur en ce temps-là, Donat Perreault, venait de dételer, et on démembrait sa ferme ce jour-là. Fortunat Fortier avait tout acheté et confié à Gérard Dallaire la direction de la vente aux enchères du cheptel et du roulant de ferme.

On avait loué une remorque de camion soit une longue plate-forme élevée sur laquelle se trouvaient l'encanteur et ses adjoints, et placée le long de l'étable. Les petits objets commencèrent à se vendre les uns après les autres. Souvent des choses désuètes comme des arrache-roches du temps passé ou bien des pompes à eau à bras ou des charrues démodées et de vieilles herses à ressorts. Il venait toujours deux, trois antiquaires à ces ventes et il y en avait quelques-uns qui se disputèrent ces derniers témoins d'un grand labeur et d'une époque révolue.

Ce furent ensuite des voitures à chevaux. Donat avait une

larme à l'œil quand son boghei de jeunesse partit à seulement cinq dollars. Combien d'aller-retours n'avait-il pas accompli de chez son père dans le rang voisin à chez sa blonde dans le rang du bord de la rivière en passant par le village : un long trajet de proche une heure, même avec un bon cheval de chemin !

– À comment on est, Rose ? demanda Fortunat qui venait parfois sur la tribune improvisée par un escalier de fortune installé à une extrémité.

– Deux cent quarante.

– On viendra pas millionnaire aujourd'hui... Mais ça fait rien, on est heureux.

Ainsi était le commerçant : jamais mal pris, jamais pessimiste, toujours satisfait de quelque chose qui remplaçait ce qui allait moins bien.

Tandis que des aides sur le terrain approchaient un épandeur à fumier, il échangea quelques mots avec l'encanteur.

– Mon pauvre Gérard, tu vas avoir chaud aujourd'hui : le soleil est pas mal fort.

– J'ai l'habitude, j'ai eu chaud toute ma vie à encanter l'été.

Des gouttes perlaient sur son front et parfois il les épongeait avec un mouchoir à pois.

– Tu devrais t'acheter une canne creuse pour mettre du petit boire... pas de la boisson, mais...

– Pas besoin de ça. Rose nous a apporté de la limonade pis du Coke dans une glacière. Veux-tu boire quelque chose, Fortunat ?

– Non, non...

– Envoye donc... Donne-lui un coke, Rose...

– Non, non, j'en veux pas. Faut que je retourne en bas avec le monde.

Et Fortunat sourit au public composé d'une soixantaine

d'acheteurs pour la plupart de sexe masculin bien que quelques représentantes du beau sexe fussent là pour miser elles aussi à l'occasion. Puis il redescendit.

Gérard désigna l'instrument aratoire avec sa canne :

– L'étendeur à fumier... vous l'avez examiné comme il faut ? C'est pas vieux, ça, les boys... Qui dit cent piastres, qui dit cent piastres, qui dit cent, cent piastres, cent piastres, cent... là, j'ai cent piastres pour commencer... Fafinez pas les gars, ça vaut la piastre, une machinerie comme ça...

Une jeune femme que Rose avait vue grandir, orpheline de ses père et mère en bas âge et élevée par ses grands-parents, était devenue femme d'agriculteur de type industriel à proximité de Saint-Georges, et voici qu'elle commença à faire monter les enchères. C'est elle qui finit par emporter le morceau au prix de quelques centaines de dollars. Elle se rendit aussitôt faire son dépôt à Rose qui s'enquit des siens et de sa santé. Elles se promirent de se parler quand l'encan aurait pris fin.

Vint le tour du tracteur. Le fils de Donat le conduisit jusque devant l'estrade. Tous les intéressés l'avaient examiné et Gérard annonça la mise à prix :

– Les boys, ça vaut passé sept mille piastres neu, ça. Trois ans d'usure au maximum, c'est pas beaucoup pour un Ford comme ça. Ça fait qu'on part ça à disons... mille piastres. On va sauver du temps. Qui dit deux mille, deux mille, deux mille, mille, deux mille... J'ai deux mille là, Clermont Roy, deux mille, deux mille pour Clermont... qui dit deux mille cinq cents, deux mille cinq cents, j'attends deux mille cinq cents...

Rose remarqua que Gérard maintenant suait à grosses gouttes et put lire de la douleur dans son visage. Elle s'inquiétait depuis quelque temps à propos de lui, de sa santé. Il avait le souffle plutôt court et la grimace facile au lit ou ailleurs quand il devait fournir un effort physique. Elle lui avait conseillé à trois reprises au moins de voir un docteur pour faire examiner son cœur.

"Pis me faire trouver une maladie ? Si on n'en a pas, les docteurs, ils nous en trouvent."

– J'ai deux mille cinq cents, là, avec Georges-Henri Labonté, deux mille cinq...

Soudain l'homme s'effondra. Ses jambes tressaillirent tout d'abord puis ses genoux plièrent lentement. Sa voix s'éteignit à ce moment-là et la canne tomba la première devant lui en produisant un son insolite. Resté en position assis une courte seconde, son corps inerte s'affala sans bruit sous le regard médusé des assistants. Sa tête frappa le bois mais doucement et il ne risquait pas de subir un traumatisme en raison du choc.

Rose comprit tout de suite qu'il s'agissait d'une crise cardiaque foudroyante. Elle n'en avait jamais vu mais en connaissait les signes par des récits entendus. Et se précipita auprès de lui en abandonnant la caisse et l'argent qu'elle contenait. Avant de se pencher, elle regarda les gens silencieux. Jeannine, la jeune agricultrice, fut la seule à réagir :

– Je m'en vas téléphoner à un docteur tout de suite pis à l'hôpital pour avoir une ambulance.

– Pis ça prendrait un drap pour le protéger du soleil en attendant, cria Rose. Pis ça prendrait de l'eau fraîche pis des serviettes.

Rose se pencha sur la victime. Une fine coulée de salive bouillonnante sortait de sa bouche. Autre signe fort inquiétant. Elle lui prit le pouls, ne le sentit pas. Recommença. Le trouva. Faible. Fortunat arriva, énervé.

– C'est qu'il se passe, Gérard. Lâche-nous pas, là...

Puis il dit aux gens :

– Là, on s'occupe de Gérard. L'encan : on recommence après... Dans une heure. Si vous voulez rester, si vous voulez partir, c'est comme vous voudrez. On remet pas ça à demain, là. Dans une heure, on reprend. Peut-être que c'est rien qu'un malaise passager. Même si c'est pas grave, on va lui donner congé pis c'est moi qui vas encanter... Merci.

Quand la foule sent la mort, plutôt de s'en aller, elle se rapproche. Et renifle. L'adrénaline augmente dans les sangs. L'inconfort disparaît dans les jambes. La peur rôde mais n'inquiète personne : paradoxe !

Personne ne connaissait la respiration bouche à bouche. Et puis le pouls y était : donc Gérard respirait encore. Deux hommes montèrent et on étendit le malade sur le dos. Rose lui mit sous la tête un oreiller qu'on venait d'apporter. On couvrit l'homme d'un drap blanc. Il ne restait plus qu'à attendre. On attendit. Le docteur arriva un peu avant l'ambulance. Il fit renifler une substance au malade et lui introduisit sous la langue une pilule de nitro. L'homme réagit, ouvrit les yeux, mais il semblait qu'il n'entendait pas ce qu'on lui disait ni ne pouvait voir ce qui arrivait autour de lui. Il tourna son regard vide vers Rose puis referma les paupières.

Les ambulanciers s'amenèrent. Ils le déposèrent sur un brancard. Puis ils descendirent et mirent le corps sur une civière à roulettes qu'ils engouffrèrent dans leur véhicule blanc. On le mit sous oxygène. Un des hommes monta avec lui à l'arrière.

– C'est votre mari ? demanda l'un d'eux, le roux moustachu, à Rose.

– Mon ami.

– Vous pouvez l'accompagner si vous le voulez. Montez en avant.

On se mit en route. Rose demeura en plein contrôle de ses gestes et de ses émotions. Elle répondit froidement aux questions et ne rallongea pas les échanges. Il lui apparaissait que Gérard était un homme mort et qu'il ne lui laissait qu'à rendre le tout dernier soupir.

Selon eux, il s'agissait plutôt d'un accident cérébro-vasculaire, puisque l'homme avait perdu conscience rapidement.

Elle leur opposa l'idée qu'il semblait souffrir depuis un bon moment avant de s'écrouler. En tout cas, la rassura-t-on, le docteur Poulin a fait ce qu'il fallait.

Bientôt on fut à l'hôpital. Rose vit disparaître la civière dans un couloir blanc. Elle répondit aux questions des préposés à l'admission. On avertit le fils de Gérard à Courcelles. Une heure plus tard, il vint une religieuse vers Rose.

– Vous êtes l'amie de monsieur Dallaire ?

– Oui.

– Je n'ai pas de très bonnes nouvelles, hélas !

– Il est mort, j'imagine, dit Rose d'une voix stoïque.

– Parti dans le paradis du bon Dieu.

– Est-ce que je peux le voir ?

– Vous en avez le courage ?

– Il est parti : il est parti. Je voudrais le saluer une dernière fois.

– Très bien : suivez-moi.

La sœur parla doucement de sa bouche en cul de poule tout le temps qu'ils longèrent le couloir puis dans l'ascenseur puis dans le second couloir à franchir jusqu'à la chambre où on avait déposé le corps en attendant que toutes les formalités d'usage soient remplies.

Quand elle aperçut la dépouille, Rose fut très contrariée et lança sèchement :

– Mon doux Seigneur, on aurait pu lui fermer les yeux au moins.

Gérard était allongé sur le dos, sa tête engoncée dans un oreiller, les globes éteints exorbités.

– Je vais le faire, fit la sœur, mal à l'aise.

– Non, laissez, je vais le faire.

– Je m'en occupe.

Rose fit claquer sa voix comme un fouet :

– Touchez pas. C'est moi qui le fais. Et laisse-moi seule avec lui. S'il vous plaît !

Saisie, la religieuse pencha la tête et dit en roulant ses R deux fois plus qu'à l'habitude :

– Vous n'aurez qu'à me le dire quand vous aurez fini. Je referme la porte...

– Je vous remercie.

Rose fit glisser ses doigts, pouce et majeur, sur le visage du mort et les paupières obéirent à sa pression pour recouvrir ce regard fixe. Elle approcha ensuite une chaise et y prit place afin de parler à cet ami de quelques mois, bien peu d'années.

– Mon ami, dit-elle en lui prenant la main, je ne suis pas triste comme tu vois. Ton temps est venu; le mien approche. Fais mon message à tous ceux que je connais de ce côté-là pis dis-leur que j'ai ben hâte de leur parler, de les revoir... Pis c'est comme ça : j'ai pas grand-chose d'autre à te dire. On a eu des bonnes heures ensemble. C'est fini. On s'est jamais chicané fort. Des fois tu me prenais pour une bête à cornes, mais moins que ben des hommes de ton temps. Je t'en ai jamais voulu pour ça. Mourir, finalement, ça a pas l'air si pire que ça. En tout cas, comme t'es mort, toi. Philias, c'était pas beau à voir, mais toi, t'as eu ta bonne part de ton vivant...

Elle mit la main morte le long du corps puis tira un drap sur lui. Et tourna les talons. Et quitta la chambre. Une des dernières pages de sa vie, songeait-elle en marchant dans le couloir, venait de recevoir son point final...

***

Chapitre 42

Quelque temps après la mort de son ami, Rose, en compagnie de son fils et de sa bru, franchissait le tourniquet à l'entrée d'Expo-67. On était venu la chercher dans la Beauce et on l'y reconduirait dans une semaine.

Ses enfants avaient toujours été très attachés à leur mère et ne lui avaient jamais fait grief de sa séparation d'avec leur père et de la déchirure du tissu familial. Pour eux, il était impensable qu'elle ne visite pas Terre des Hommes et ses merveilles incomparables, inoubliables, uniques.

La femme prit tout ça plutôt froidement. Elle trouvait assez fatigant de marcher comme ça sans arrêt d'un pays à l'autre, d'une réputation à la suivante en se faisant dire à chaque pavillon que le prochain serait encore plus mémorable.

Le monde était immense à Terre des Hommes. Et immensément petit : en raccourci. Partout, des gens qui ne s'étaient pas vus depuis des années se croisaient, se reconnaissaient, se parlaient... Ou bien ne se parlaient pas et passaient leur chemin en disant à d'autres les accompagnant :

"Celui-là, je le connais. Il est un peu snob, il aurait pu me saluer." Et celui-ci, rendu plus loin, se retournait et disait à un proche : "C'est quelqu'un que je connais, ça. Le nez pas mal en l'air. Il aurait pu me saluer."

Rose ne rencontra personne qui lui fut familier. De vagues ressemblances parfois. Et sa visite la ramena à sa tristesse de vieillir. Souffrant de cataractes dont la médecine disait qu'elles n'étaient pas assez 'mûres' pour être opérables, elle avait des problèmes additionnels avec sa vision et aucune modification à ses verres n'était susceptible de corriger la situation ou même de l'améliorer.

Quand ils eurent quitté les îles et se retrouvèrent dans un restaurant des environs pour le repas du soir, elle remercia son fils et sa bru. Et mentit pour leur faire plaisir comme elle l'avait souvent fait au cours de sa vie :

– Suis fatiguée, mais vous m'avez fait passer un des plus beaux jours de ma vie. Un vrai beau voyage autour du monde... du monde entier...

– On pourrait y retourner demain, suggéra l'homme.

– Faudrait une semaine pour tout voir, de dire la belle-fille, une brunette au sourire constant.

– Mes jambes sont pas mal moins bonnes depuis que j'ai lâché Avon.

Elle ne se servit pas de la faiblesse de sa vue comme excuse. C'est un sujet qu'elle n'aimait guère aborder.

– En tout cas si ça vous le dit...

– J'veux pas vous empêcher d'y aller, là, vous autres. Ah ! si je suis moins fatiguée demain matin...

Ils étaient servis par une jeune femme blonde fort souriante et douce, qui avait le don de s'intégrer à leur trio sans pour autant les importuner. Cette Denise connaissait le couple qui faisait partie de ses réguliers, mais pas Rose, et on la lui présenta. Quand elle sut que la sexagénaire était une ex-représentante Avon, elle glissa subtilement des questions anodines sur les produits de beauté tout en prenant un évident plaisir à faire flamber ce qui devait l'être.

Et Rose embarqua. Ce serait le meilleur moment de sa journée jusque là. Elle prit plus de plaisir à lui vendre ses souvenirs si chers qu'à vanter les exploits de Terre des Hommes.

Puis, surprise ! la serveuse glissa une carte d'affaires entre la tasse et l'assiette de Rose qui la prit en mains.

– C'est un message pour vous...

– Pour moi ? s'étonna la veuve.

– Hum hum... de la part d'un autre client.

– Ben voyons, ça se peut pas : je connais personne.

– Quelqu'un a l'air de vous connaître. Lisez !

Rose regarda la carte en vain.

– Le message est à l'endos.

– De toute manière, même avec mes lunettes épaisses, je n'arrive plus à lire quand c'est écrit trop petit... Lis-moi ça, si tu veux, toi !

Denise reprit la carte et lut le mot écrit :

"Madame Rose, le hasard fait bien les choses. J'aimerais pouvoir vous parler avant de partir. G.J."

Et, retournant la carte :

– G.J., ça veut dire Georges Jolicœur...

– Ah ben ! Ah ben ! Ah ben, ! Ah ben !... Où est-ce qu'il est donc, celui-là ?

– À une table de l'autre côté du buffet là-bas.

– Il est avec quelqu'un ?

Habituée à de telles situations, Denise ne se contenta pas d'un oui mystérieux et menaçant :

– Oui... avec un autre homme.

– Dis-lui que j'vas au buffet dans deux, trois minutes.

Ce qui fut fait. Première rendue, elle ne le vit pas venir.

Il lui mit la main dans le dos. Et ils se donnèrent l'accolade devant les plats de salade.

– Comment ça va, mon ami ?

– Moyen, mais quand je te vois, ça va bien. Suis content de te voir.

Georges était un grand personnage mince avec le nez aquilin et la dignité dans le port de tête. Cheveux à plat, lisses, front fuyant...

– Ça fait combien d'années ?

– Depuis 1961, ça fait six ans.

– T'as pas vieilli; t'as pas changé. Moi, j'ai des années de plus sur le dos mais toi, c'est rien que des mois.

– T'es ben diplomate de me dire ça, mais faut avoir les pieds sur terre... sur la terre des hommes pour parler à la mode...

Elle rit. Ils durent reculer pour laisser passer des personnes venues se servir.

– Comment on s'y prendrait pour se parler autrement que dans le milieu de la place ? T'es avec ton fils, me semble-t-il ? Difficile pour toi de venir à ma table ?

– Un peu... T'es avec qui ?

– C'est mon associé. Un souper d'affaires. Mais pourquoi ne pas se rencontrer après le repas ?

– Ça me ferait plaisir.

Ils établirent un plan. Dans une heure, ils se libéreraient chacun de leur côté et se retrouveraient dans le lobby. Rose reçut la pleine approbation tacite des siens. On présuma que Georges ramènerait la femme chez eux après leur rencontre.

Et voilà que les deux ex-amants se retrouvèrent à une table du même restaurant dans la section desservie par Denise, devant des digestifs sophistiqués.

– Je dois te dire que je suis pas mal fatiguée de ma journée : ce qui veut dire qu'on va pas veiller trop tard.

– Si on veille pas tard à soir, on veillera tard demain soir.

– T'as personne qui t'attend à la maison ?

– Pas vraiment ! Y a quelqu'un, mais c'est comme si c'était personne.

– T'as une nouvelle compagne de vie ?

– Une amie. Une colocataire ou à peu près. Un mariage qui ne fut jamais célébré et qui en plus est resté blanc...

Rose avait le sentiment qu'il mentait. Mais ça ne lui importait guère. Il pouvait craindre sa réaction. Les hommes ont toujours peur que les femmes soient prises de l'idée de fuir... Leur testostérone a tendance à se déclarer libre comme l'air.

Ils jasèrent de tout et de rien. Capable d'occuper son esprit avec deux sujets à la fois, Rose, tout en l'écoutant, tout en lui répondant, se rappelait de soirs mémorables qu'ils avaient vécus du temps de leurs rencontres dans la grande maison des Jolicœur.

Ils étaient drôlement verts tous les deux pour des quinquagénaires d'un temps plus difficile. Elle se souvint de façon toute particulière d'un soir d'automne alors qu'ils avaient pris un bain ensemble et qu'elle avait une jambe dans le plâtre. En fait, ils ne s'étaient pas assis dans le bain à moitié rempli d'eau chaude, mais y étaient restés debout sous un demi-éclairage, celui du couloir passant par la porte. Elle pas très grande et lui dépassant les six pieds avaient réussi une performance exceptionnelle... Une prouesse...

Il avait été un bon amant, assez généreux dans ses gestes et par ses cadeaux.

Un seul sujet de conversation roulait sur et sous toutes les tables du restaurant et d'ailleurs ce soir-là : le discours du général de Gaulle au balcon de l'hôtel de ville de Montréal la veille. Une bombe en quatre petits mots. Séparation dans cinq ans, disaient les uns. Ingérence dans les affaires d'un pays étranger, protestaient les autres. Ça va leur brasser la cage, aux Anglais, soutenaient les supporteurs du premier ministre Johnson. C'est décevant : comment on va justifier nos bombes à nous autres, asteur, se disaient entre eux dans leurs cachettes les révolutionnaires, grands consommateurs des pensées de Mao. Et Mao, en train de se faire donner son bain mensuel par deux jeunes Chinoises, éructa en lisant la nouvelle dans son journal. Et ses gardes rouges par tout le pays faisaient sauter des têtes... Et pas n'importe quelles têtes mais les premières du bord...

Pas une seule fois, les questions existentielles du bon peuple ne furent mises sur la table. Rose avait bâti son autonomie sans jamais songer aux affaires de la politique et ce n'est pas le général de Gaulle survoltant les foules excitées qui ajouterait à sa liberté individuelle.

– Toujours aussi désirable, fit-il en posant son verre.

– Mets-en pas trop, je pourrais te croire.

– Je t'assure.

– À mon âge, même les pieuses menteries, on n'arrive plus à se convaincre qu'elles ont un fond de vérité.

– Je pourrais te le prouver. T'es fatiguée ce soir, mais demain soir... je te donnerai la preuve solide... solide que t'es encore désirable.

Elle sourit d'un seul côté du visage.

– Je vas finir par te croire.

Il glissa sa main sur la table et prit celle de Rose :

– Sens la vibration !

Elle sourit davantage. Denise s'approcha puis rebroussa chemin, voyant que le moment pour elle de venir voir si tout allait bien, était mal choisi.

– Je la sens.

– Elle est longue, longue...

– Quoi ?

– La vibration. Tu dois la sentir.

– Hum hum...

– Jamais j'aurais pensé de te revoir. Jamais j'aurais espéré de te rencontrer ici à soir.

– Comme tu m'as écrit : le hasard fait bien les choses.

– C'est une rencontre qui me rajeunit de vingt ans.

– Formidable ! dit-elle en retirant doucement sa main.

Il dut faire de même et elle put lire un signe de déception mal retenu dans son visage.

– Suis habituée de pas trop exprimer en public ce que j'ai en dedans...

– J'aurais dû y penser. Excuse-moi !

– Les années cinquante sont pas vieilles en arrière pis je suis une femme de la campagne...

Il lui adressa un clin d'œil et un fin sourire :

– On va se contenter des mots.

– J'aime quasiment autant de même. On se pense libre, mais on traîne toujours sur son dos les chaînes de son passé. Je me suis cachée durant des années pour voir du monde...

Une voix masculine en colère sourde leur parvint depuis la table voisine :

– Il s'est fait répondre aujourd'hui, le général. Les Canadiens d'un bout à l'autre du pays ont pas besoin d'être libérés. En réalité des milliers de Canadiens sont allés libérer les Français durant la guerre. Et deux fois plutôt qu'une : en 14-18 et en 39-45.

Indifférent à ces propos, Georges demanda, le regard enflammé :

– Te souviens-tu de la première fois ?

– La première ?

– Tu te rappelles : on a décidé de se libérer à quatre heures du matin...

– Conte-moi ça.

Pauvre Rose qui avait connu tant de ces soirées d'amour, il lui était difficile de se souvenir de toutes. Celle de la jambe dans le plâtre, certes, celle de l'orage électrique avec le 'diable' un soir d'apparition de la Vierge, oui aussi, mais la première fois avec Georges... c'était pas mal loin dans sa substance profonde, ça... Mieux valait écouter que parler...

– C'était la nuit de Noël. Tu m'avais appelé la veille pour me dire que la mère allait ben mal. J'étais monté d'urgence...

– En réalité, c'était une belle défaite pour que tu viennes. Elle était pas pire que de coutume.

– Ça, tu me l'avais dit plus tard. J'avais passé la moitié de la nuit à me promener dans le corridor d'en haut avec l'envie de frapper à ta porte de chambre...

– Moi, j'ai passé la nuit, les yeux ouverts dans mon lit en espérant que tu te décides à cogner...

– Pourquoi que t'ouvrais pas ta porte... au moins rien qu'un peu comme ça...

– C'était à toi de frapper. J'aurais pas voulu passer pour vouloir t'avoir... T'aurais pu dire : "Quelle sorte de personne garde ma mère ?" Je le savais pas que t'avais le goût de te libérer.

Il sourit, hocha la tête, la pencha :

– Tu sais, on devrait faire une minute de silence... Pour revivre ça par la pensée, par le souvenir...

Elle acquiesça et ils firent une pause. Maintenant qu'il lui avait donné des points de repère, les images de cette nuit folle lui revinrent, nettes.

Georges est arrivé au milieu de l'après-midi du vingt-quatre par un froid de canard. C'est la troisième fois qu'il vient visiter sa mère depuis que Rose la garde. Il vient de Montréal et ce n'est pas à la porte.

Elle a planifié cela et refusé par avance les invitations de sa fille pour le réveillon, prétextant la santé de la vieille dame et le souci constant qu'elle doit en avoir.

Georges a soupé avec elle. Tourtière. Bûche. Le bataclan traditionnel. Elle l'a servi comme un roi. Elle a mis un de ses as-parfums à l'ouvrage. Mais elle a gardé ses distances. Affiché son apparente froideur. A tout fait pour qu'il pense qu'elle veut se montrer compétente dans son travail d'infirmière improvisée.

Ils sont allés à la messe de minuit. Rose a occupé son propre banc et lui, celui des Jolicœur dans une rangée différente. Qui à part le curé a fait un lien entre les deux ? On aura cru que la femme de Georges surveillait sa mère en ce moment. Puis ils ont regagné la maison au cœur de la nuit, l'un à cinq minutes de l'autre. Le froid a diminué et la neige tombe sur le village que tiennent éveillé les clochettes des traîneaux.

Elle arrive la deuxième. Il est prêt. Il a ôté son manteau, ses chaussures. Il aide Rose à faire de même. Une magie silencieuse semble s'installer à ce moment. Elle lui offre un verre. Elle a du rhum. Il aime cette boisson. C'est pour ça qu'elle s'en est procuré la semaine d'avant à la Commission des Liqueurs à Saint-Georges.

Une demi-heure passe. Ils sont assis au salon dans la pénombre. Puis elle annonce qu'elle va se coucher. Se lève. Passe devant lui qui n'a pas bougé. S'arrête devant, met ses mains sur ses hanches. Son buste est ainsi accusé.

"Je vas te dire à demain."

Il n'ose retenir d'elle que son parfum qui le bouleverse.

"C'est ça : à demain, Rose !"

Il a déjà ses affaires dans sa chambre à l'autre coin de la maison au deuxième, tandis que Rose couche à l'autre bout. Elle se renferme, se déshabille en écoutant le silence du couloir. Il ne tarde pas à gravir les marches de l'escalier et à s'en aller chez lui. Elle se glisse sous les couvertures. Son œil capte des rais de lumière d'une veilleuse de table posée sur la commode.

Puis l'homme commence ses incessants aller-retours de sa chambre à la salle de bains. Il fait du bruit mais discrètement. Fait couler l'eau des toilettes. Celle du lavabo. Ferme la porte, l'ouvre de nouveau. Se racle la gorge. Il n'en finira donc jamais...

Le chemin de la libération ne conduit pas aux toilettes, il passe par la chambre de la femme. Mais Georges n'a pas le courage de s'y rendre. Et elle craint de faire un geste. Elle n'est pas encore très entreprenante avec les mâles de l'espèce; il n'y a pas si longtemps qu'elle a quitté son mari. Qu'il se décide ! Qu'il se décide donc !

Il est trois heures, trois heures et demie, quatre heures du matin. Elle se glisse hors du lit, soulève la toile. Dehors, c'est une belle bordée. Une de ces nuits qui vous fait entrer en vous-même et y trouver la paix, la grande et belle paix promise aux hommes et femmes de bonne volonté...

De nouveau elle entend des pas feutrés à l'extérieur. Il lui semble que le temps est venu d'ouvrir sa porte et elle s'y dirige. Ils touchent la poignée au même moment. Elle tire; il pousse.

– Je me sens prisonnier dans ma chambre.

– Pis moi prisonnière dans la mienne.

– Si on couchait dans la même, je me sentirais libre.

– C'est pareil pour moi... Viens...

L'homme de la table voisine interrompit leur minute d'extase et s'adressa au couple comme si l'événement politique des deux derniers jours surpassait en importance toute communion humaine :

– On parle de la déclaration de de Gaulle hier et de la réponse d'Ottawa aujourd'hui; qu'est-ce que vous en dites, vous autres ? Vous parlez français ?

– Oui, dit Georges. Ah ! on est en faveur de ça, la liberté.

La liberté des Québécois, des Canadiens, des Français, des hommes, des femmes...

L'autre n'insista pas. Il avait affaire à un tiède. Et les tièdes sont vomis de tous, c'est bien connu...

Quelques moments plus tard, Rose demanda à être reconduite chez son fils. Avant qu'elle ne descende, Georges nota son numéro de téléphone afin de la rappeler le lendemain dans la journée. Entre-temps, il planifierait une sortie, une soirée...

*

On la laissa seule à la maison le jour suivant pour qu'elle soit libre de ses mouvements et les autres retournèrent à Expo-67. Georges appela sur le coup de midi. Ce ne fut pas la conversation à laquelle il s'attendait et qu'il espérait.

Elle déclina son invitation de la veille. Il ne parvint pas à la persuader.

"Tout n'est plus pareil. Ce serait essayer de remonter le temps. La signification des choses n'est plus la même. C'est comme si les lumières de la maison étaient passées à une autre couleur. Tout est pareil. Tout est changé. Le passé s'éloigne à triple vitesse..."

Ce ne furent pas ces mots-là que Rose utilisa pour lui faire comprendre qu'elle en avait fini avec sa vie sexuelle et affective, mais ce qu'elle lui dit revenait à cela.

Elle ne fit aucune autre visite à Terre des Hommes et regagna la Beauce quelques jours plus tard.

***

Chapitre 43

Quand l'humain prend sa retraite et s'enferme dans un co-
con parce qu'il se sent fatigué, parce qu'il doit se battre contre les inévitables problèmes de santé reliés au vieillisse-
ment, c'est qu'il en est rendu au seuil de l'hiver. Une partie
de lui-même démissionne de la vie à son insu. Une démission qui n'est pas un abandon, pas plus qu'une fuite en avant,
mais un besoin inconnu d'exploration nouvelle.

Cela était arrivé au curé Ennis, cela était arrivé à Philias
Bisson malgré sa peur de la mort, cela était arrivé longtemps
auparavant à un homme aussi jeune que le Blanc Gaboury
qui avait même enrobé sa décision d'un cynisme incompris.

Il vient un jour où le bonheur ne nous appelle plus à la
vie mais à davantage.

Et l'on peut mourir en pleine période de bonheur relatif
comme cela s'était produit pour Gérard. En fait diraient peut-
être les chercheurs de l'an 2000 : "Nous sommes program-
més par le bonheur génétique. Quand par les gènes sonne le
réveil, il est temps de traverser la frontière entre deux des
vies que notre éternité nous dispense..."

En disant non à Georges, Rose avait fermé la porte à la plus grande force vitale de la nature.

En disant non à Terre des Hommes et à Georges, elle avait dit oui à son enfermement définitif.

Quand l'amour est en jeu, quand la joie est sur la balance, quand la vie est sur la table, les cris du cœur d'un général, si grand soit-il, apparaissent tout à fait dérisoires à la personne dont l'avenir est discuté par le temps. Et ils apparaissaient dérisoires au général lui-même en cette année 1968 alors que son inconscient profitant des événements, il accomplit une spectaculaire manœuvre démissionnaire.

Mais la bête humaine ne meurt pas aussi facilement et ne s'éteint pas comme une flamme privée peu à peu d'oxygène ou de carburant à brûler. Elle doit attendre que sonne le dernier coup de minuit et souffrir d'entendre les onze qui le précèdent.

Rose tomba malade en automne. D'une drôle de maladie non violente. Pas de grandes douleurs localisées, identifiables. Pas de graves problèmes cardiaques ou respiratoires. Aucun mal de ventre exceptionnel. Ni migraine affreuse ni affres d'autre sorte.

Faiblesse. Tremblements. Absence de faim.

Si le mot avait existé, son mal eût été appelé l'INDÉSIR.

Le docteur Drouin ne diagnostiqua rien du tout. Il prescrivit un placebo et inscrivit à son dossier : SPLEEN de l'âge.

Pourtant la malade s'étiolait. Elle restait au lit le plus clair de son temps. Ses enfants vinrent la voir, sa fille surtout. Rien n'y faisait. Conrad Plante lui vendit des produits naturels, Maurice Jobin du Phytobec. Peine perdue.

Un octobre froid et venteux céda le pas à un novembre plus hurleur encore. Chaque jour sa fille devait tourner la roulette du thermostat pour que s'élève la température à l'intérieur de la maison mal isolée. Et chaque jour, Rose réduisait le degré sur l'appareil. Et pourtant elle souffrait du froid et même s'en plaignait. Ou bien elle n'y voyait plus rien et faisait le contraire du nécessaire pour que l'air réchauffe ou bien elle nourrissait le secret dessein de se laisser emporter dans l'euphorie du gel, sachant d'instinct qu'une fois le pire traversé, la mort froide est la plus agréable de toutes... encore que les témoignages à cet effet par des personnes décédées soient une denrée plutôt rare...

Sa fille finit par bloquer le mécanisme du thermostat avec une triple épaisseur de ruban adhésif. Elle avait pour devoir de condamner sa mère à survivre et l'accomplissait au mieux de ses capacités.

Et Rose répétait sans cesse la même phrase :

"J'voudrais ben me rendre aux premières neiges, mais..."

Novembre se moqua de l'état de la malade et vira à la pluie. Et se termina dans l'indécision la plus totale et les caprices d'un vieillard tombé en enfance. Heureusement, décembre lui fit des funérailles en règle dès ses premiers vagissements.

À sa fille, sa mère donnait à l'idée madame Jolicœur dont la triste agonie avait duré plus d'une décennie, à la différence que l'état de la vieille dame demeurait désespérément stable tandis que celui de Rose allait au pire chaque jour.

– J'voudrais ben me rendre aux premières neiges, mais...

En ce moment, en ce soir du 8 décembre, la malade semblait en arriver à ses derniers moments. Après avoir dit sa phrase obsessive, elle ferma les yeux et parut entrer dans un état comateux.

– Maman ? Maman ?

Silence.

Thérèse s'approcha du lit. La mort n'était pas encore au rendez-vous. Il fallait que le docteur vienne. Elle se pressa d'aller lui téléphoner au salon. Flavien s'amena rapidement. Sa maison se trouvait à deux minutes.

Le praticien ôta son manteau dans le salon.

– J'ai l'impression qu'elle s'en va, dit la femme. J'aurais dû vous faire venir avant. On aurait dû l'envoyer à l'hôpital... mais elle refuse... pas moyen de la faire sortir de la maison...

– On va voir...

Il la précéda dans la chambre et demanda que tout l'éclairage disponible lui soit donné. Rose ouvrit les yeux et les referma aussitôt. Flavien posa sa valise au pied du lit et l'ouvrit. La malade était dans une sorte de demi-conscience tout en donnant les signes de l'absence.

Elle ouvrit les yeux une autre fois et aperçut le stéthoscope au cou du docteur ainsi que le brassard noir qu'il s'apprêtait à lui mettre au bras pour prendre sa pression artérielle. Elle parvint à marmonner :

– Non, achalez-moi pas...

– Ce sera d'une grande douceur, madame...

Elle avait entendu ces mots déjà et un rêve de jadis lui revint en tête. Par les mots qu'elle avait imaginés alors. Imaginés ou entendus par avance par-delà le temps, mots du futur qu'elle avait associés à une scène d'agonie amoureuse alors qu'ils l'étaient à une vraie scène d'agonie.

"Ce sera d'une grande douceur, madame."

Elle se souvint l'avoir *dénudé par l'imagination, ce nouvel homme qu'elle ne lâcherait pas de son vivant et finirait par mener à son lit. (Chap 23)*

Elle l'avait imaginé dans sa chambre, ôtant ses vêtements, ce costume gris, cette cravate à rayures bleues qu'il portait pour les recevoir en attendant d'enfiler un de ces sarraus blancs bénis avec le reste, à lui promettre des choses chaudes :

"Ça se passera comme vous le désirez depuis toujours."

"Oui, tous vos désirs seront comblés..."

Mais Flavien n'en dit pas plus que sa promesse de douceur et il s'empara fermement de son bras. Il pressa la poire, consulta sa montre, attendit, lut, hocha la tête.

– La pression est bonne.

Il prit le pouls.

– Tout est normal. Souffrante ces derniers temps ?

– Non... On dirait juste qu'elle se laisse mourir. Elle a perdu sa volonté de vivre...

– Fermez les lumières...

C'était la voix de Rose qui le redit :

– Fermez les lumières !

Sa fille obéit et ne laissa que la veilleuse habituelle, tandis que le docteur mettait ses appareils dans la valise. La malade ouvrit les yeux. On crut qu'elle craignait l'éblouissement ou bien qu'un éclairage trop violent lui donnait mal.

– Ça va mieux, maman ?

– Lève la toile : je veux voir dehors.

La femme obéit à sa mère et tous trois furent devant le spectacle d'une chute de neige belle et tranquille.

– La bordée de la dame, fit Rose qui, par quelques efforts, s'assit dans son lit.

– Vous voyez, maman, vous vous êtes rendue aux neiges... Elle disait tout le temps qu'elle verrait pas la neige...

Que de souvenirs éclatants portait en elle cette magie blanche ! Les petites folies d'enfance et les grandes folies de jeunesse. Ces soirs à bercer les bébés dans les années 20. Les Noëls du temps jadis à voir toute cette lumière dans les yeux des enfants. La découverte de territoires nouveaux de son propre corps au milieu de la trentaine. Et puis les si exaltantes tournées Avon de novembre et décembre dans les années 40-50-60. D'une porte à l'autre, d'un banc de neige au suivant, toutes sortes d'embûches sur les chemins de sa libération : la poudrerie, le vent, le froid. Et tous ces plaisirs rencontrés : la chaleur des maisons, des sourires, les rires des enfants, les odeurs de cuisine, les maris bourrus, leurs regards lascifs en sourdine, les senteurs de pipe et de pipi...

– Vous pouvez vous en aller asteur. Je vas vivre encore un bout de temps...

– Vous êtes sûre, là ? dit sa fille.

– Et certaine...

Pensant à son diagnostic de maladie de l'âme, le docteur déclara :

– J'ai confiance que vous allez vous rendre loin.

– Je vas me trouver quelque chose pour m'occuper les idées pis passer mon temps.

Flavien soupira :

– Je pars... Et je dois vous dire que c'est ma dernière visite... Je quitte la paroisse. Un nouveau docteur va me remplacer dans un mois.

– Tu t'en vas d'ici ? Où ça ?

– Région de Montréal. Je veux me perfectionner. Je vais pratiquer à temps partiel et en même temps étudier...

– Ils ont besoin de nous en mettre un bon à ta place.

– Je le connais : il est meilleur que moi. Il a pour lui l'enthousiasme de la jeunesse et des connaissances fraîches...

– Ceux qui ont des connaissances fraîches, des fois, ils font leur frais...

– Peut-être, mais... les gens les réchauffent doucement...

Et l'homme éclata de son vieux rire enfantin.

– Ben coudon... la meilleure chance pour toi, mon gars.

– On vous laisse vous reposer, madame Martin.

– C'est ça... Je vas regarder la neige un bout de temps.

Ils s'éloignèrent. Elle entendit leurs voix dans la cuisine puis la porte...

– Je reviens demain, maman, cria Thérèse.

– Pas nécessaire ! Je vas me lever... Je veux faire du ménage un peu pour les fêtes.

– Comme vous voudrez...

Ses souvenirs transportèrent Rose en ce jour de guignolée alors que moralement libérée des pires contraintes du passé elle avait posé un premier geste pour affirmer cette liberté neuve en demandant au professeur Beaudoin de venir l'aider à déplacer son lit.

Tous deux à la salle paroissiale où elle habitait, ils voyaient ce jour-là, veille de Noël, à la réception des denrées et des dons destinés aux familles dans le besoin et ils utilisaient à cette fin la classe des garçons que séparait un étroit couloir de la chambre de Rose et Gus.

Il neigeait dehors. Elle avait 49 ans encore. Et un mélange de sentiments nouveaux agitait son intérieur de femme renouvelée...

En réalité Rose mélangeait en les confondant deux scènes de sa vie passée en les situant ce jour de guignolée... Une des merveilles de l'imagination est qu'elle embellit les vieux événements...

*

Laval, grand personnage digne, en complet et cravate, sérieux, à cheveux poivre et sel bien lissés sur son crâne, de dix ans son cadet, marche dans le long couloir de la salle. Rose qui est à la fenêtre de sa chambre à regarder tomber les flocons tend l'oreille. Elle connaît son pas depuis tout ce temps qu'elle l'entend quand il passe pour se rendre aux toilettes ou retourner dans sa classe.

À toutes fins pratiques, elle est séparée de son mari et le professeur est célibataire. Pourquoi attendre plus tard pour lui donner les signes d'une femme qui se laisserait approcher sans hurler au loup ?

Elle ouvre la porte, se montre à moitié, voit que personne d'autre ne hante le corridor :

– Bonjour mon gars ! Tu vas bien ?

Il s'arrête, étonné.

– Comme d'habitude.

– J'aurais besoin de tes bras... je veux dire pour m'aider à tasser mon lit.

Elle porte une robe de chambre en ratine sous laquelle un explorateur ne saurait trouver qu'une brassière remplie ras bord et des bouffants plus blancs encore. Suffira que le nœud de la ceinture se relâche...

Mais elle n'en attend pas tant de lui, cet homme embarrassé, timoré et qui semble terrorisé par le monde féminin. Du reste, elle ne saurait aller bien loin comme ça en plein jour et tandis qu'elle partage encore les mêmes locaux que son mari Gustave.

Il consulte sa montre :

– C'est que la récréation est pas loin.

– Ça va prendre une minute. Tasser un lit, tu comprends, c'est pas... se tasser dedans...

L'homme rougit de pied en cap, de la pointe des pieds à la toundra de sa chevelure. Il saisit les allusions sans se résoudre à croire qu'il s'agit bel et bien d'allusions. Il n'y a de pire sourd que celui qui ne veut pas entendre.

Elle se recule, ouvre la porte toute grande, ordonne :

– Envoye, j'ai besoin de toi.

Il se soumet, entre, regarde la chambre, les lits rapprochés qu'il n'a jamais vus.

– C'est juste pour mettre de l'espace entre les deux.

– Six pouces ? Un pied ?

– La longueur que tu veux, mon grand.

L'allusion donne dans la vulgarité et elle le sait, mais l'occasion est trop belle et Rose ne s'en prive pas.

Il se fabrique un visage sévère pour cacher sa crainte :

– Faudrait savoir.

– Essaie, on verra.

L'homme va au pied d'un lit, se penche et le soulève puis le pose à douze ou quinze pouces de l'autre pied. Se relève :

– Comme ça ?

– Asteur, pousse la tête...

Ce qu'il fait. Puis il revient pour s'en aller. Elle coupe sa retraite en se braquant sur son chemin, les mains sur les hanches et la robe pas loin de s'ouvrir tant le cordon qui enserre sa taille est mou.

– Que c'est beau, un homme fort comme toi, mon Laval !

– Votre mari aurait pu le faire aussi bien que moi, madame Martin.

– Mon mari ne peut rien faire aussi bien que toi...

L'homme rit jaune et l'éclairage mitigé l'y aide tout en camouflant son embarras :

– Va falloir que je retourne auprès de mes élèves...

– C'est qui qui t'en empêche ?

– Ben... faudrait que je passe. Ou faudrait que je saute par-dessus le lit.

– Ou par-dessus moi...

Elle le regarde droit au fond de l'âme afin d'y trouver une sorte de sensibilité charnelle.

– Je te taquine, voyons.

Et le laisse passer.

– Merci là, je te revaudrai ça...

Cette rencontre ne fait pas la démonstration du pouvoir de Rose sur les hommes. Mais elle le connaît fort bien, ce pouvoir, et ce n'est pas un mâle s'enfuyant la queue basse qui l'inquiétera...

Elle aime ce jeu du chat et de la souris ou peut-être de la chatte et du campagnol. Pour cette fois, elle ne va pas dévorer le rongeur... pour cette fois...

*

C'est par la voie de sa sexualité que Rose avait trouvé sa libération un quart de siècle plus tôt; c'est par cette même voie qu'elle venait de sortir de sa neurasthénie et de son agonie volontaire. Une sexualité sublimée, faite de souvenirs agréables, souvenirs qui ne sont pas le reflet de la réalité d'antan et qui ressemblent à ceux du romancier qui relate de vieilles choses en les enjolivant, à ceux du peintre qui trouve ses paysages et personnages dans ses mémoires d'artiste et en fait des éléments mythiques...

Elle en a eu la leçon à quelques reprises déjà. C'était en été 1950, dans la maison à Polyte sous les arbres dans une rencontre brûlante au frais du sous-bois...

La femme regarda de nouveau la neige abondante que les reflets des lampadaires rendaient plus folle et belle. Quel magnifique temps pour entrer en soi-même à la recherche du meilleur chemin pour en sortir !

Et pour s'y aider, Rose se remit sur ses jambes dans lesquelles son cerveau acheminait des forces neuves et s'éloigna de son lit. Elle marcha lentement jusqu'à la salle de bains et son corps réveillé recommença à fonctionner. Puis elle se mit debout devant un miroir long accroché derrière la porte et ouvrit sa robe pour regarder sa chair usée.

Toute vanité provoquant le refus de soi-même lui apparut dérisoire.

Il n'y avait ni beauté ni laideur dans ces chairs de la mollesse et de la disgrâce, il n'y avait que les marques du temps, celles d'une grande richesse. Elle possédait 68 ans et cela valait qu'elle les utilise pour se fabriquer toutes sortes de bonheurs quotidiens... à sa mesure et non point à la mesure des autres plus jeunes, plus vieux, plus sains, plus malades, plus ceci ou moins cela...

***

Chapitre 44

Ainsi s'ouvrit la parenthèse ultime appelée à durer cinq ans encore dans la vie de Rose.

Elle recommença à sortir de la maison, à marcher dans les rues de ses souvenirs, à jaser avec les uns, les autres, et parmi eux, Bernadette qui trottinait à longueur de jour d'un endroit à un autre en quête de nouvelles locales ignorées par les médias.

Elle se remit à peindre mais n'utilisa plus de paysages modèles, de gravures ou autres illustrations pour s'en inspirer : rien que sa mémoire et son imagination. Ça n'avait à être ressemblant qu'à la réalité restée vivante dans sa tête et son cœur.

Le nouveau docteur ne l'eut pas comme cliente. Elle n'avait simplement pas besoin de ses services.

Vinrent les beaux jours de 1969. Passèrent les mois du printemps, de l'été, tombèrent les splendeurs automnales puis vinrent les neiges neuves de décembre.

Rose la solitaire trouva une amie au temps des Fêtes. Ce

n'était pas de la veille qu'elle connaissait cette femme, une veuve depuis trente ans et qui jamais ne se remarierait. Qui plus est, Maria ne se maquillait jamais ni ne portait de parfums et n'avait donc jamais été la cliente de la dame Avon.

L'amitié est l'une des plus grandes douceurs de la vie, en tout cas elle attache tout en laissant libre, et, bien que ce sentiment soit fait sur mesure pour son tempérament, Rose ne s'y était jamais livrée sinon si peu avec certains de ses amants comme Philias et Gérard. Celle-ci se noua sans bruit à partir d'une simple poignée de mains au coin de la rue la veille de Noël, par une journée belle et froide.

– Pis comment ça va, la santé ?

– Très bien... Une petite baisse l'année passée, mais là, j'ai mal nulle part. Pis toi, Maria ?

– Jamais été malade de ma vie, moi. Chanceuse, hein !

Maria portait de lourdes lunettes sur un nez important, et un foulard de tête en laine, noué sous son menton accentuait les traits de son visage de femme de soixante ans.

– Tes enfants sont-ils descendus ?

– Ils viennent au Jour de l'an.

– Ta dernière itou ?

– Partie pour Montréal. Sont toutes par là, mes autres filles, asteur. Pis mes gars itou. Moi, j'voulais pas y aller cette année. Vont me téléphoner demain. On est pas obligé parce que c'est Noël de se voir à tout prix.

– J'ai toujours pensé ça, moi aussi. C'est un drôle d'adon parce que Thérèse est partie pour Montréal visiter ses frères pis j'ai refusé d'y aller. Voyager, ça me dit moins, surtout l'hiver. Avoir de l'argent en masse, je m'en irais passer l'hiver en Floride.

– C'est drôle, je dis ça, moi itou, souvent...

Les deux femmes n'avaient aucun mal à se trouver des affinités, des pensées communes. Et à part l'usage des produits de beauté auquel du reste Rose donnait bien moins d'importance qu'auparavant, elles se retrouvaient souvent sur les mêmes niveaux des mêmes terrains. Maria suggéra :

– On devrait aller à la messe de huit heures pis jouer aux cartes chez nous jusqu'à minuit...

– Tiens, mais c'est une bonne idée que t'as là ! Pis viens te mettre dans mon banc : suis tuseule. Et tiens, t'es plus loin de l'église que moi : viens me rejoindre à la maison, on ira à la messe ensemble.

– Ben certain ! dit Maria, femme qu'un rien réjouissait, rendait heureuse.

*

Pendant qu'elles marchaient lentement vers l'église ce soir-là, elles se parlèrent du temps qui change tout, qui relègue aux oubliettes les plus belles choses du passé. Fini les berlots, les sleighs, les gros manteaux de chat sauvage, les grelots des harnais, les haleines des chevaux ! Presque plus de cheminées qui fument dans la nuit. Même les étoiles au ciel avaient perdu de leur éclat à cause de toutes ces décorations féeriques et électriques allumant les maisons et l'immense sapin de Noël devant l'église.

Devenue veuve à vingt-huit ans, six enfants sur les bras, Maria avait su se débrouiller en accomplissant des tâches ingrates, surtout des grands ménages. Même que Rose avait eu l'occasion d'utiliser ses services à plusieurs reprises du temps de madame Jolicœur, sauf qu'alors, elle en profitait pour prendre du bon temps à l'extérieur et alors Maria devait faire également office de gardienne pour la malade dont elle prenait soin en l'absence de Rose. Une entente qui convenait à tous mais qui n'avait pas permis aux deux femmes de se connaître.

Plus de vieux couvent qu'on avait démoli quelques années auparavant pour ériger à la place une clinique médicale. Et des autos partout. Sur les stationnements de chaque côté du temple, en circulation sur la rue principale et les rues secondaires. Et presque pas de neige sous les pieds; elle se trouvait toute en monticules au fond des aires de stationnement ou de chaque côté des chemins. Plus de 'snows' au bruit sourd et caractéristique. Et tous ces enfants devenus des hommes et des femmes, et qui s'emparaient de la vie et de tout... tout en prêchant l'amour et non la guerre...

L'année de Woodstock s'achèverait dans quelques jours. Pour des gens nés avec le siècle, même pour une femme délurée comme Rose qui avait vécu plusieurs décennies avant son temps, il y avait de quoi étonner. Cette incroyable révolution dans les mœurs qui semblait sur une lancée la conduisant bien plus qu'en orbite mais vers une spirale infinie avait comme effet pervers de tuer le désir. *Hello, I love you, won't you tell me your name*. Non, tout ça sonnait le fêlé et Rose était parmi les premières à entendre les premiers sons de cloche. Trop lui semblait bien pire que pas assez. Lui revenait souvent en tête l'image de Freddy Grégoire jetant des poids de métal dans un plateau de la balance puis du sucre à la petite pelletée dans un sac glissé dans l'autre plateau. C'était l'équilibre entre les deux qui le satisfaisait et donnait satisfaction au client. Il faut au plaisir sa part de désir ou bien il s'usera terriblement vite. Et il faut au désir satisfaction ou bien il tourne à la frustration. Voilà le fragile, ce si délicat équilibre entre les deux plateaux de la balance qu'elle avait toujours voulu atteindre. Pendant un temps, après la mort de Gérard, elle avait cru que tout était fini et qu'il n'y aurait plus ni désir ni plaisir dans les plateaux de la balance de sa vie. Elle avait fini, par intuition, par se dire qu'il restait dans son être encore des territoires inexplorés...

Voici que l'amitié en ouvrait un très grand devant elle. Avec son lot de déceptions nécessaires. Et elle le saisit avec acuité durant la messe tandis qu'elle se sentait bien moins seule qu'en la compagnie de ses propres enfants.

Et puis ces grands éclats de rire de Maria qui venaient l'encourager à poursuivre quand elle parlait : une écoute attentive et joyeuse.

La soirée fut plaisante. Cartes, tartes, farces. Le temps se laissa oublier. Maria était une femme bien plus croyante que Rose, mais respectait la foi des autres ou leur manque de foi et jamais n'aurait voulu intervenir, pas même par l'exemple. Elle n'aurait même pas proposé un bénédicité avant le repas pour ne pas indisposer l'autre.

Au moment de s'en aller, Rose invita Maria à venir chez elle le jour de Noël quand ses enfants lui auraient téléphoné. Maria invita Rose à coucher dans la chambre de sa fille. Rose dit non. Elle n'aimait pas beaucoup laisser sa maison sans personne toute la nuit. Pourtant elle ne gardait pas d'argent liquide chez elle et son inventaire de produits de beauté n'était pas plus élevé maintenant que celui de n'importe quelle femme le moindrement soucieuse de son apparence.

Entre les deux femmes, tout alla sur des roulettes, non seulement le jour de Noël mais les suivants et les mois d'hiver puis les autres. Il existait un club de cartes comprenant sept membres réguliers. On se réunissait toutes les semaines à trois ou quatre chez l'un ou l'autre. Entre femmes seulement même si d'aucunes avaient mari. Une fois par mois, l'on se rendait chez une d'elles à un mille du village et malgré la distance, Rose, en reprise de possession de tous ses moyens, faisait le trajet aller et retour à pied avec Maria, en placotant et en riant.

On en vint à leur envier leur vitalité.

1970 traversa la vie de Rose en coup de vent.

1971 en fut une suite tout aussi plaisante.

Et quand on lui parlait des hommes, elle répondait invariablement sans rien ajouter de plus que des rires :

"Les hommes ? Connais pas !"

Puis ce fut 1972. Aucune des deux femmes ne se plaignait du moindre problème de santé et il leur parut que les trois veuves du groupe se portaient mieux que les membres mariées. Constat qui faisait rire en surface mais qu'on prenait au sérieux en profondeur sans toutefois l'exprimer.

L'été commença en beauté. Un juin de soleil et juste assez de pluie pour abreuver la nature et la tenir gaillarde. Il fut décidé de fêter la Saint-Jean ce samedi le vingt-quatre juin par une joyeuse réunion chez Adrienne Dubé, celle du groupe qui vivait le plus loin des autres.

Les deux amies se mirent en route à la brunante. Et leur conversation alla aussi bon train qu'elles-mêmes. Bientôt elles quittèrent le trottoir du village et entrèrent sur la Grande Ligne que n'éclairait aucun lampadaire.

– On aurait pu monter avec la Jeanne d'Arc à Joseph; elle me l'a offert après-midi.

– Bah ! moi, j'aime autant marcher. Surtout quand ça sent le bon foin comme à soir.

Il venait un camion en sens inverse. Elles se turent. Et quand il fut à leur hauteur, l'air déplacé charria aux femmes d'autres senteurs moins agréables. Aussitôt après, l'air redevint calme sous les étoiles et le clair de lune, et le foin d'odeur revint rappeler aux marcheuses sa présence dans les fossés de chaque côté de la route.

Il vint un autre véhicule par l'arrière. Les deux amies se tassèrent sur l'accotement comme elles faisaient chaque fois.

– Il fait une belle nuit rare...

Ce furent les derniers mots de Maria. Rose entendit un bruit insolite, celui de pneus sur le gravier hors du pavage bitumineux, et elle perçut que les phares l'éclairaient anormalement, comme si l'auto en mouvement roulait en biais vers elles.

Un autre bruit sourd se fit entendre et Rose se sentit frôlée par la tôle d'un véhicule puis fut aspergée de petits cailloux et de poussière.

– Maria, où c'est que t'es ?

L'auto poursuivait son chemin et son amie avait disparu.

Rose secoua la tête pour comprendre; un gémissement l'y aida. Maria avait été frappée par le véhicule qui poursuivait sa route comme si de rien n'était. Elle se trouvait quelque part dans le fossé plus loin.

Rose suivit le son des plaintes et discerna la forme humaine gisant face contre terre sur le versant du fossé près d'une clôture.

– Seigneur Dieu, c'est quoi qu'il est arrivé ? fit-elle en se penchant sur la victime qui bougea un bras puis demeura tout à fait immobile et silencieuse.

– Maria, Maria...

Habituée depuis toujours à garder ses émotions en elle et à les contrôler le plus possible, Rose leva la tête et vit au loin des phares qui venaient. Il fallait de l'aide. Toutefois, elle ne se faisait pas d'illusions. Il était sans doute trop tard.

Un homme du village, le restaurateur, venu de son moulin à scie, arrêta sa voiture en reconnaissant la femme qui lui faisait des signes. Il mit ses phares en position vers la victime et l'on s'en approcha de nouveau. Maria était bel et bien décédée. La mort pouvait se lire dans le regard fixe de ses yeux restés ouverts.

– Un gars soûl qui fêtait la Saint-Jean-Baptiste ! soupira le jeune homme qui supputait tout haut quant au responsable de l'accident.

– On s'en allait jouer aux cartes chez madame Dubé, on faisait rien de mal. On marchait sur la gravelle... comme de coutume.

– C'était peut-être ben écrit dans les étoiles...

Rose se tut. L'homme annonça qu'il allait téléphoner à la police et à l'hôpital. Il partit laissant là les deux amies dont les mots communs émis par la bouche de Maria avaient été :

"Il fait une belle nuit rare."

Rose alla s'asseoir auprès de Maria dans le foin d'odeur et lui parla :

– C'est vrai que c'est une belle nuit rare. Tu le savais que t'allais mourir cette nuit, hein, Maria ? C'est pour ça que t'as dit que c'est une belle nuit rare. Ben je suis ben contente pour toi d'une manière. Je dois dire que je t'envie un peu. Le patron de tout aurait ben pu nous prendre toutes les deux ensemble tant qu'à faire. On aurait marché côte à côte sur les chemins de l'éternité. Mais... ils nous disent qu'il faut mourir tuseul. Comme dans un tourniquet d'Expo-67 : tu passes rien qu'un à la fois. Mais mon tour, ça sera pas long. Pis si c'est pour être long, dis donc à ceux qui mènent tout ça en haut que je tiens pas à niaiser par ici, moi. Ah ! je vas jouer aux cartes pareil, mais ça sera pas pareil... Plus jamais pareil.

...Pis là, je vas te faire faire des commissions... vu que tu peux voir dans mon passé pis mes petites folies... Tu vas dire à Gus de me pardonner parce que j'lui ai fait mal... Ça veut pas dire que je recommencerais pas la même chose que j'ai fait par exemple... J'ai ben réfléchi à tout ça pis dans la vie, on peut pas toujours faire ce qui plaît aux autres... On a des devoirs envers soi-même... De toute façon, je pense qu'il a compris de son vivant... À Philias, dis que... non, dis-y rien à lui... Transmets à Gérard Dallaire mon mot de salutation...

Elle fit une pause et reprit :

– Je devrais ben prier pour toi. Ça serait une bonne idée, je pense. T'avais une grand foi en Dieu, c'est pour ça qu'il t'a récompensée en te donnant une mort instantanée si je peux dire... Ben je prie pour toi. J'sais pas pourquoi... T'as pas besoin de ça pantoute. T'as été élevée pauvrement, t'as vécu toute ta vie dans la pauvreté pis jamais un mot plus haut que l'autre... Prier pour toi, ça serait comme de prier pour la sainte Vierge. Elle a pas besoin de ça, elle non plus. Y a rien qu'en ce bas monde qu'on donne aux riches pis qu'on refuse aux pauvres... J'peux pas croire que c'est fou de même de l'autre bord... Non, j'peux pas croire...

Il s'arrêta une voiture envoyée par le premier sauveteur. Puis une autre, une troisième... Rose fut bientôt noyée par les curieux. La police arriva. Une ambulance vint. Tout ce qui était intime jusque là devenait officiel...

Même l'exposition du corps au salon funéraire. On n'utilisait plus la salle paroissiale à cette fin. La moitié de la paroisse s'y présenta pour rendre un dernier hommage à la plus humble peut-être de ses citoyennes. Car au mariage de Marie Sirois avec Lucien Boucher et l'enrichissement de la veuve Lessard grâce à l'affaire des apparitions, c'est Maria qui avait hérité de la première place –ou la dernière– parmi les indigents. Plusieurs voulaient voir si le visage de la morte serait ressemblant. Il l'était...

Rose accompagna son amie jusqu'à la fosse. Puis elle s'éloigna de quelques monuments pour laisser les enfants de Maria se recueillir un moment ultime. Quand ils furent partis depuis un peu de temps, elle retourna parler :

– Ben ma vieille, ça y est... C'est de même que ça finit. On a beau le savoir, ça fait drôle... J'ai envie de te chiquer la guenille avant de partir. T'aurais dû marcher au fond sur le bord du chemin. Moi, avec mes grosses fesses, j'lui aurais défuntisé sa machine au chauffard. En tout cas, tu faisais des bonnes tartes aux fraises des champs...

– Ha ha ha, ça tu peux le dire.

Rose sursauta. C'était comme si elle avait entendu Maria lui répondre. Elle répéta :

– J'ai dit que tu faisais des bonnes tartes aux fraises des champs...

– J'pense ben, elle ramassait ses fraises icitte dans le cimetière. Y en a des belles talles...

Rose se tourna et se retrouva devant Bernadette qui s'était approchée et avait pu entendre la fin de son laïus.

– Tu m'as fait peur, fit Rose sur le ton d'un gros et large reproche.

– Je l'ai pas fait exprès, répondit Bernadette avec ses grands yeux ronds.

– D'où c'est que tu sors comme ça ?

– J'étais à l'enterrement.

– Je t'ai vue.

– J'ai fait comme toi : me suis éloignée. Suis allée prier sur le lot des Grégoire.

– Quoi c'est que tu me dis là ? Elle prenait ses fraises dans le cimetière ?

– Je te pense. Les plus belles sont icitte. Je viens souvent en ramasser, moi itou.

– Ben je vas te dire une affaire : si tu veux me donner un morceau de tarte, oublie ça... Pis toi, Maria, t'aurais dû me le dire où c'est que tu les prenais, tes petites fraises des champs, hein !

Rose en colère tourna les talons pour partir. Bernadette atteignit le paroxysme de l'étonnement :

– Mon doux Seigneur, Rose, fâche-toi pas après elle, là... Maria est morte. Elle peut pas te répondre...

– Elle me répond, crains pas.

Bernadette fit des yeux incrédules :

– Je l'entends pas, moi.

– Si tu l'écoutes, tu l'entendras pas, c'est certain.

La vieille fille secoua la tête :

– Là, je comprends pas trop...

– Ben oui, Maria, elle me répond... par ta bouche, Bernadette, par ta bouche...

Pauvre Bernadette qui resta là, médusée, à côté de la fosse à Maria. Si elle avait bien tendu l'oreille, peut-être qu'elle aurait entendu le corps bouger dans son cercueil...

***

Chapitre 45

Rose retourna jouer aux cartes à quelques reprises au cours de l'été, mais tout était si peu pareil sans Maria, comme elle l'avait prévu, qu'elle ne parvint pas à en retrouver le goût vraiment.

"Deux vraies amies qui se comprennent malgré leurs énormes différences pis qui se pilent jamais sur les pieds, ça serait tout un adon de trouver ça deux fois dans sa vie, surtout à mon âge."

Voilà ce qu'elle dit à Thérèse quelque part en automne.

La femme de 72 ans entra dans une période de léthargie. Un autre temps de l'INDÉSIR comme celui de 1969. En moins aigu comme si, cette fois, elle était indifférente à l'indifférence...

Mais elle ne se coucha pas. Et livra son âme tout entière à la télé. Participa mentalement aux jeux du matin. Regretta la fin des *Belles Histoires*. Se 'téléromantisa'. Et ne fut pas longue à se rendre compte qu'elle disposait du meilleur moyen de divertissement et de dessèchement qui soit au monde. Perdre sa vitalité sans trop s'en apercevoir : ça lui convenait parfaitement. N'était-il pas grand temps pour elle de s'en aller pour de bon ? Devait-elle attendre les premières neiges et risquer de reprendre du poil de la bête comme ça s'était passé en 69 ?

L'écran-béquille la soutint jusqu'au huit décembre et ce fut, ce soir-là, tout comme trois ans plus tôt à la même date, la première chute de neige de la saison hivernale beauce-ronne.

Et tandis qu'elle écoutait distraitement *Rue des pignons*, elle fut attirée par une force plus grande, celle du spectacle de la neige qui tombe et qu'elle imaginait bien plus beau vu depuis la noirceur de sa chambre.

Elle s'y rendit et leva la toile à moitié, et prit place sur son lit. Le ciel était d'un blanc tirant sur le beige à cause des lumières des lampadaires et les flocons se pressaient, sans jamais se toucher pour se briser ou s'agglomérer, d'arriver sur les choses pour les embellir en les enrobant.

À peine visible par son délinéament, le garage du voisin bloquait la vue. Puis, plus près, des arbres de taille moyenne aux branches toutes blanches formaient un rang désordonné. Et, çà et là, des sapins étageaient leurs bras couverts de ouate. Plus près, pour délimiter le territoire, apparaissait une clôture qui, pendant un court instant, rappela à Rose celle de la Grand-Ligne qui avait, tout comme elle, vu mourir Maria le 24 juin.

Au pied d'un piquet, quelque chose bougea soudain. Une toute petite chose que la femme reconnut sans peine grâce à ses yeux renouvelés en 1970 par l'opération de ses cataractes : un chaton perdu dont les miaulements désespérés pouvaient être lus par les appels incessants de sa bouche. Impossible d'en savoir la vraie couleur puisqu'il était enveloppé de ce coton blanc qui deviendrait sans doute son linceul.

Le plus grand mot inventé par la nature pour exprimer le besoin est connu de toutes les races, de toutes les espèces :

"Maman. Maman. Maman."

En une autre époque, Rose eût détourné la tête en pensant : "Dieu y pourvoira. Je ne peux sauver le monde à moi toute seule. Moi pour moi et Dieu pour tous..."

– Un petit chat gris. Mon Dieu, il va mourir au bord de la clôture.

Les mots même qu'elle échappa firent une boucle dans l'atmosphère pour revenir la chercher. Une larme lui monta à l'œil. Rose ne se souvenait pas la dernière fois où elle avait pleuré. Avait-elle seulement pleuré une seule fois dans toute sa vie ?

Il va mourir au bord de la clôture : comme Maria. Non pas. Il était trop jeune, lui, trop fragile pour mourir. Elle résolut de lui donner le résidu de vitalité qui restait au fond d'elle. Et se pressa d'aller mettre ses bottes et son manteau en espérant que le petit animal ne se soit pas enfui ou ne le fasse point en la voyant, ce qui ferait se refermer sur lui le piège mortel de l'errance, de la faim, du gel...

Elle marcha jusqu'au bout de la maison... Sa crainte se confirma : le chaton avait disparu. Il ne restait plus à la femme que de prier le ciel qu'il retrouve son chemin jusqu'à sa mère, jusqu'à son salut. Mais ce qui lui vint en tête avait plutôt allure de reproche :

"Maria, demande donc à Dieu pourquoi il laisse mourir les petits êtres qui viennent juste de naître ? C'est quoi son idée ? Il se serait-il trompé en les laissant venir au monde ? Je veux une réponse, là, moi."

Rose rebroussa chemin, le cœur gros. Quand elle fut sur le point de gravir les deux marches de l'escalier menant à sa porte, elle entendit la plainte du petit animal. Le chaton qui avait contourné la maison dans l'autre sens apparut à quelques pas devant elle. Il hésita en l'apercevant, secoua une patte pour empêcher ses coussinets de geler, puis l'autre...

– Viens, viens, minou, minou...

Elle s'approcha. Il sentit venir cette masse de chaleur. Se laissa faire, se laissa prendre.

– Pauvre minou, Rose va te donner du bon lait dans une soucoupe...

Tout en le flattant, elle balaya la neige qui recouvrait ses poils et vit que c'était effectivement un chat tout gris qu'elle présuma de sexe féminin. Et rentra dans la maison en lui demandant son nom :

– T'appelles-tu rien que minou ou ben si tu t'appelles plus que ça ?

Alors elle se rendit à la salle de bains et prit une serviette dont elle enveloppa l'animal pour l'assécher, le réchauffer sur elle. Pas une seule fois la bête pourtant affamée ne miaula. Pour le moment, il lui fallait tout apprivoiser avec ses narines, ses oreilles, ses yeux. Son petit cœur affolé devait battre un peu moins fort pour que la faim revienne se faire sentir. La femme et son précieux fardeau prirent place dans le fauteuil devant le téléviseur. *Rue des pignons* prenait fin.

– Là, Rose va te donner à manger. Mais avant, elle va te donner un nom. Comment je t'appellerais ben donc ? Tu me fais penser à Maria, mais c'est pas un nom pour un chat, ça... Pis si je te donne un nom, ça veut dire que je te garde avec moi... Ça serait une bonne idée de te garder avec moi.

Elle continuait de le frotter doucement :

– Ouais, mais... si t'es un petit gars, hein ?

Elle tourna le paquet, souleva la couverture et la queue :

– Je le sais pas trop plus, là, moi. Ben... je le demanderai à quelqu'un qui connaît ça...

Elle réfléchit un moment puis son regard s'éclaira :

– J'ai trouvé... je vais t'appeler Savon... T'avais l'air de sortir d'une boîte de savon en poudre tantôt. Pis si t'es pas un petit gars, je vas ôter le S de Savon pis ça va faire... Avon... Qu'est-ce t'en penses ? Comme ça, si je me mets à t'appeler Savon pis que c'est Avon, ben tu vas comprendre pareil... Ça va être moins mêlant. On va se comprendre de toutes les manières pis on va s'entendre de toutes les manières...

Elle lui donna du lait, tout ce qu'il put boire. Puis se demanda avec quoi elle pourrait lui fabriquer une litière sinon il y aurait des dégâts dans la maison le lendemain matin. En fait elle n'avait rien pour répondre à ce besoin et n'eut d'autre choix que d'appeler Thérèse.

– Maman, vous allez vous tanner de ça ben vite

– On verra dans le temps comme dans le temps.

– Vous qui aimez pas les mauvaises odeurs : ça sent fort, de l'urine de chat.

– J'en ai enduré des pires dans ma vie, dit-elle en pensant à certains amants mal lavés.

– C'est sûr que si vous changez sa litière deux fois par semaine...

– Je la changerai trois fois pis je la parfumerai au besoin.

Thérèse envoya son mari porter un bac d'avoine pour les besoins immédiats. Dans les jours prochains, Rose achèterait au magasin de la litière préparée d'avance ainsi que de la nourriture sèche pour chat.

Rose redevint mère.

Une voisine examina la bête et déclara que c'était un garçon. Il faudrait le faire opérer dans les trois mois ou bien Rose devrait le laisser sortir à sa guise.

– Ça coûte cher de garder un animal en évitant les problèmes que ça crée, dit Thérèse quand elle vint au cours de cette semaine-là.

– J'ai ma pension. J'ai un peu d'argent de côté... Ça changera rien dans ton héritage : un peu plus, un peu moins...

La femme connut des plaisirs simples qu'elle n'avait jamais goûtés auparavant. Elle vit grandir son petit animal et en fit sa plus grande raison de vivre. L'enfant se laissait prendre, bercer. Elle le couchait sur son lit et souvent Savon s'introduisait sous la première couverture et allait grappiller de la chaleur auprès d'elle, de sa cuisse.

Quelqu'un lui parla de réincarnation. Elle se demanda si cela pouvait être possible que le grand destin de l'éternité lui ait envoyé quelqu'un qu'elle aurait bien connu. Et parfois le soir, sur son lit, elle questionnait le petit animal qu'elle soupçonnait moins indifférent qu'il ne le paraissait.

– T'es peut-être ben un petit Philias ? lui disait-elle parfois. Pis tu revenais à ta maison en passant par ici... Ou ben tu seras quelqu'un d'autre... Germain Bédard est peut-être mort pis ça serait toi... Gérard ? Non, il doit être avec sa femme, celui-là. Même avec moi, il est toujours resté avec elle... Pis c'est ben correct de même.

Souvent le jour, Savon dormait dans une garde-robe sur un morceau de tapis et quand il se réveillait, il accourait aux pieds de sa maîtresse pour se faire flatter par elle, par ses pieds en pantoufles qui servaient d'instrument de massage. Et il ronronnait tout le temps que durait l'exercice... jamais tanné le premier...

Le moment venu, il fallu emporter Savon chez le vétérinaire Jobin qui avant d'opérer apprit à Rose une surprenante nouvelle : ce n'était pas Savon mais Avon.

– On l'opère quand même ? demanda le personnage moustachu et pansu.

– C'est sûr que j'peux pas élever une trâlée de chats. Fais ce qu'il faut, mon gars.

Ce qui fut fait.

Jim ramena la veuve et son chat encore endormi à sa maison. Sur le chemin du retour, le petit homme à visage rouge chercha à s'amuser aux dépens de sa passagère :

– Pas trop déçue de voir que c'est pas un matou ?

Elle prit sa voix pointue :

– Pourquoi c'est faire que tu dis ça ?

– Une veuve comme vous, il doit lui rester le goût d'un

homme dans la maison.

– Un homme, c'est loin d'être indispensable, tu sauras, mon gars. Je m'en passe depuis 1950...

– À cent pour cent ? Vous avez sorti avec Gérard Dallaire. J'ai même vu vos amours avec lui commencer le soir du grand Antonio... en 65...

– Pis après ? Pis sais-tu que tu te mêles de ce qui te regarde pas pantoute, mon gars ?

Il éclata de rire :

– Ben... vous vous êtes pas cachée de ça.

– Cachée de quoi ? Jim, 'ronne' ta machine comme il faut pis tais-toi...

– J'ai rien dit, j'ai rien dit... Je parlais de votre chat.

– Pis dans ta tête, tu dois te dire : si elle meurt, quoi c'est qu'il advient du chat ? Ben je vas te répondre, moi. Y aura ben quelqu'un qu'a de l'allure pour dire : si Rose a pensé que cet animal-là en valait la peine, on va en prendre soin, nous autres.

Il haussa les épaules :

– Ça sera Thérèse, votre fille...

Elle ne répondit pas.

Le reste du trajet fut tranquille et silencieux.

Les mois d'hiver passèrent tous, suivis de ceux du printemps 1973. Avon se transforma en une belle grosse chatte potelée, heureuse et 'ronronneuse'.

Rose sortait tous les jours et faisait une longue marche comme au temps de sa tournée de produits de beauté. Excepté le savon, elle n'utilisait plus toutes ces choses de la jeunesse et de la grâce. Mais il eût fallu un nez bien fin, plus en tout cas que celui de Jim, pour déceler la moindre odeur d'urine de chat chez elle.

Le reste du temps, à part la messe du dimanche, elle couvait et la maison et sa seule amie. Thérèse téléphonait tous les deux jours. La santé de sa mère restait au beau fixe. La chatte devait y être pour quelque chose. Zoothérapie, lui dit le docteur. Tant mieux pour tous !...

Chaque fois qu'on parla à Rose d'aller vivre dans un foyer pour personnes âgées, elle se hérissa et on dut se taire et respecter sa volonté ferme et éclairée. Car elle ne manquait pas d'arguments dont celui de la protection de la chatte n'était pas le moindre...

*

Le dimanche deux septembre, Thérèse appela sa mère et n'obtint pas de réponse. À cette heure de la journée, on était un peu passé midi, Rose était habituellement chez elle. Et elle répondait toujours à ses appels téléphoniques. Sa fille ne put que s'inquiéter bien que sa mère n'ait montré aucun signe de maladie récemment. Elle appela à deux autres reprises et à une heure se rendit voir.

La porte n'était pas verrouillée. Elle entra, suivit le couloir jusqu'à la chambre. La voix de la chatte l'accueillit. Thérèse comprit en voyant sa mère qu'elle était morte. La femme reposait sur le dos, détendue, immobile, et à son côté, tout près de ses cheveux, la petite bête paraissait vouloir qu'elle se réveille...

Pour être plus sûre, Thérèse toucha sa mère.

– Maman ? Maman ? Maman ?

Ce n'était pas le 'maman' du besoin mais celui de la routine.

Thérèse sortit de la maison ne sachant trop quoi faire en premier. Jim sortait de chez lui de l'autre côté de la rue principale. Elle le fit venir.

– Ma mère s'est laissée aller. Je viens juste de la trouver.

– Ah oui ?

– Qui c'est qu'il faut appeler dans ces cas-là ?

– Je m'en occupe. Entrons...

Jim vit au nécessaire. Puis il suivit Thérèse jusqu'auprès de la morte. Ils se parlèrent à mi-voix comme si elle eût pu les entendre :

– Elle sera partie cette nuit.

– C'est ce que je pense.

– C'est le petit chat qu'elle a amené chez le vétérinaire ce printemps, je suppose...

– Je me demande ben quoi faire avec. Va falloir la faire endormir.

– Non, je vas la prendre, moi. Pour mes petites filles...

Bientôt vinrent la police, les ambulanciers. Tout le voisinage fut alerté. Finalement, Jim retourna chez lui, chat en bras. Le gérant de la caisse qu'il informa en passant de la mort de la veuve tut que Rose l'avait nommé exécuteur testamentaire.

Dans les heures qui suivirent, Thérèse fouilla un peu partout dans la maison en quête de papiers récents qui pourraient invalider le testament notarié à être ouvert dans les jours prochains.

Elle ignorait le montant d'argent que pouvait posséder sa mère et l'évaluait à deux ou trois mille dollars. La seule chose insolite qu'elle découvrit au fond d'un tiroir fut une collection de petites bouteilles de parfum, des échantillons sous verre, tous à odeur différente et portant des lettres manuscrites dont elle ne comprit pas la signification...

***

Épilogue

Le notaire fit asseoir les trois enfants de la femme décédée et leur dit que deux autres personnes assisteraient à l'ouverture du testament. Celles-ci se présentèrent dans les minutes qui suivirent. Il s'agissait de l'exécuteur testamentaire et l'on comprit la raison de sa présence. Quant à l'autre, c'était Jim et tous, lui y compris, à part le notaire et l'exécuteur testamentaire, ignoraient pourquoi on l'avait convoqué.

La défunte possédait deux mille dollars en obligations d'épargne. Ses autres biens étaient sa maison et son contenu. L'homme de loi procéda à la lecture. Rose léguait sa maison à ses enfants, mais un ajout récent au testament se lisait comme suit :

"Contrairement aux dispositions précédentes quant à mon avoir liquide sous forme d'obligations, je le lègue en entier à la personne qui adoptera ma chatte après ma mort. Si personne ne le fait, mon avoir liquide ira à la SPA."

– Mon enquête, fit le notaire, m'a permis de savoir que c'est monsieur Jim ici présent qui a pris charge de cet animal. Tout d'abord, madame Thérèse l'a confié à monsieur

Jim ou bien elle l'aurait fait endormir, de son propre aveu. Avec l'accord de l'exécuteur testamentaire ici présent, j'ai moi-même communiqué avec vous deux, messieurs, le jour de l'enterrement pour vous convoquer à la présente lecture et je vous ai dit à chacun que votre mère possédait un chat laissé à la garde de monsieur Jim et je vous ai dit que vous pouviez aller le reprendre. Chacun a dit non sans ambages.

– Vous nous avez pas dit qu'il y avait deux mille piastres en jeu, dit un des fils.

– Bien évidemment ! Et ce fut pour respecter l'esprit de madame Rose, l'esprit de sa décision qui, à l'exécuteur testamentaire et à moi-même, est apparu clair.

Jim, qui mâchait jusque là, resta bouche bée.

Pas même lui ne comprenait Rose.

Personne n'avait compris cette femme.

Seule Maria l'avait acceptée telle qu'elle était. Mais sans la comprendre non plus.

*

Avon, la grosse chatte grise, mourut sept ans plus tard après avoir fait la joie des filles à Jim...

FIN
de la série des Rose

Du même auteur...